WILLIAM JONES

William Jones

T. Rowland Hughes

GOMER

Argraffiad cyntaf—Rhagfyr 1944
Nawfed argraffiad—Rhagfyr 1974
Adargraffiad—Hydref 1981
Argraffiad newydd—1991
Adargraffiad—Mehefin 1994
Deuddegfed argraffiad—Mawrth 1996

ISBN 0 86383 716 6

Argraffwyd gan J. D. Lewis a'i Feibion Cyf.,
Gwasg Gomer, Llandysul, Dyfed

I SHONI
yn deyrnged fach oddi wrth Northman
a gafodd y fraint o'i adnabod.

Gan na chredodd neb mohonof pan ddywedais mai dychmygol oedd lle a chymeriadau fy nofel gyntaf, *O Law i Law,* efallai mai gwell imi ddweud bod hon yn wir bob gair. Ar y mapwyr esgeulus y mae'r bai am beidio â rhoi Llan-y-graig a Bryn Glo ar eu mapiau o Gymru.

I'r Parch. D. Llewelyn Jones y mae arnaf ddiolch y tro hwn eto am daflu llygaid craff tros y MS a'r proflenni. Y mae arnaf ddyled hefyd i Ap Nathan am awgrymiadau gwerthfawr ynglŷn â thafodiaith y De. Ac yn bennaf oll, i'm gwraig am syrthio mewn cariad â William Jones.

T.R.H. 1944.

Cynnwys

RHAGYMADRODD

Fe ymddangosodd ail nofel T. Rowland Hughes, *William Jones*, yn sydyn ar sodlau *O Law i Law*, flwyddyn yn ddiweddarach yn 1944. Y tro hwn mentrodd yr awdur gyflwyno hynt a helynt un cymeriad canolog, gan ddilyn ei grwydradau o un o ardaloedd chwareli llechi'r Gogledd i gwm glofaol yn y De, ac yna i fyd soffistigedig y stiwdio ddarlledu yng Nghaerdydd. Rhyw fath o *picaro* ydyw, gydag adroddwr y stori'n rhoi'i big i mewn bob hyn a hyn i gyfarch y 'darllenydd hynaws', fel petai am bwysleisio mai nofel ysgafala yw hon, gyda'r awdur yn chwerthin i fyny'i lawes wrth gyflwyno'i brif gymeriad yn null ffug-arwrol awduron fel Fielding—'gan fwriadu cael fy nghyfrif ymhlith y nofelwyr mawr'.

Fawr ryfedd i'r bennod gyntaf fod mor boblogaidd ymysg adroddwyr eisteddfodol. Golygfa ddramatig i'w gweld a'i chlywed yn bennaf sydd yma, ffârs sy'n cynnwys elfen o *slapstick* wrth i William Jones godi'n ffrwcslyd o'i wely a saethu 'i gyfeiriad y bwrdd crwn wrth ochr y gwely . . . gan daflu'r cloc-larwm a gwydr y dannedd-gosod yn ffyrnig yn erbyn y mur'. Tant dychanol a drewir o'r dechrau, ond does dim cieidd-dra yn y dychan, gan mai dim ond goglais y gwrth-arwr yn ysgafn â phluen a wneir, gan beri i'r darllenydd weld William Jones fel creadur bach diniwed—ond hoffus ac annwyl yr un pryd. Ac er mor ddiniwed yr ymddengys, mae'n cael digon o blwc i lefaru'r frawddeg enwog 'Cadw dy blydi *chips*' wrth ei slebog o wraig, Leusa. Yn ôl Edward Rees:

> Aeth y dywediad fel cipair trwy Gymru; chwarddai'r werin am ei ben, clywid ef mewn gwahanol gysylltiadau y tu fewn i ddrysau urddasol aml i ystafell bwyllgor a chyngor, a defnyddiwyd ef gan o leiaf un Clerc Cyngor Sir wrth gynghori aelodau'r Cyngor pa ateb i'w roi i'r Llywodraeth pan wnaed cynnig ganddi a ystyriai ef yn sarhad ar Gymru.
> (*T. Rowland Hughes: Cofiant*, 150-151)

Thema ffrwythlon mewn llenyddiaeth yw hanes y dyn bach sy'n ofni'i gysgod a than fawd ei wraig yn magu digon o iau i wrthryfela yn erbyn ei jaden o wraig. Wrth dorri dannedd gosod Leusa, a rhegi o'i blaen am y tro cyntaf yn ei oes, mae William Jones yn bownd o ennyn cymeradwyaeth fyddarol ei gynulleidfa. Sarhad a dirmyg a enynnir at Leusa wrth iddi feddwl am ddim ond ei phincio'i hun a mynd i'r pictiwrs a betio ar geffylau. Ond does dim angen llawer o grebwyll i weld mai cynnal y ddelwedd draddodiadol o swyddogaethau gwŷr a gwragedd a wna'r nofel, a bod Leusa mewn gwirionedd yn cael ei beirniadu am wrthod cydymffurfio â swyddogaeth arferol gwraig chwarelwr, sef bod ynghlwm wrth ei chegin a bod yn gaethferch i'w gŵr. Canmolir gwragedd y chwarelwyr eraill am godi'u gwŷr mewn pryd, twtio'r tŷ a pharatoi swper chwarel i'w croesawu adref ar ddiwedd dydd.

Er i Leusa chwerthin (*heb* ei dannedd gosod!) am ben bygythiad William Jones i fynd i'r Sowth, cadw at ei air a wna, a phacio'i bethau (gan ofalu gosod ei Feibl 'fel rhyw swyn cyfrin yng nghornel y fasged wellt') er mwyn ei gwadnu hi at ei chwaer Meri i Fryn Glo. 'Y nefoedd, dyma le!' yw teitl y bennod sy'n disgrifio'i argraffiadau cyntaf o'r lle. Chwaraeir cryn dipyn ar y thema 'Fo a Fe', gan danlinellu'r gomedi sefyllfa, a dieithrwch ymddangosiadol ddigri dwy dafodiaith a dau ddiwylliant. Barn Kate Roberts oedd

> . . . fod T. Rowland Hughes yn well am ddarlunio pethau sy'n ddigrif nag am ddarlunio pethau sy'n drist. Pan mae'n sôn am bethau sy'n drist, mae yn eu gwneud yn rhy ddagreuol. (*Barn*, I, 87).

Weithiau, serch hynny, ceir yr argraff ei fod yn gor-ymdrechu i fod yn ysgafn a hwyliog, fel petai arno ofn wynebu'r tristwch sylfaenol a geid yn ei fywyd personol ef ei hun a hefyd ym mywyd y gymdeithas y ceisiai ei phortreadu. Gall ei chwerthin ymddangos yn rhy glochaidd, a'i dynnu coes yn orafieithus, fel petai'r hiwmor yn gochl am ddwyster affwysol.

Wedi'r cwbl, cyfnod y Dirwasgiad a ddarlunnir yn *William Jones*. Mae diweithdra'n rhemp, teuluoedd yn chwalu, a chymdeithas yn dadfeilio dan bwysau tlodi ac afiechyd. Gwelwn rywfaint o'r dirywiad yn y nofel ei hun —Crad, gŵr Meri, yn dioddef o *silicosis*, Arfon y mab yn gorfod mynd i Slough i chwilio am waith, Eleri'r ferch yn dengid i Gaerdydd i weithio mewn sinema. Crybwyllir cyflwr truenus Stub Street wrth fynd heibio—a'r ffaith fod gan Lord Stub (perchennog y pyllau a gaewyd) dŷ ger Caerdydd, tŷ yn Llundain a thŷ ar y Rifiera. Dim ond achlust o'r Rhyfel yn Sbaen a glywir, a chyda rhyw nerfusrwydd annelwig y braiddgyffyrddir â phosibil-rwydd Ail Ryfel Byd ar ddiwedd y nofel. Nid yw'r pethau hyn yn rhan o wead gwaelodol y stori.

Na, fe ymdrechir yn galed i barhau'r gomedi ddechreuol, er mai cryn straen yw hynny ar adegau. Er bod yr aflwydd ar ysgyfaint Crad yn troi'n ddarfodedigaeth, ac yntau'n dechrau pesychu gwaed, brysir i sicrhau'r darllenydd nad oes bwriad yn y byd i ddifetha'i hwyl:

> Na, paid â dychrynu, ddarllenydd hynaws; oherwydd ni fwriadaf sôn fawr ddim eto am afiechyd Crad. Dywedaf hyn rhag ofn dy fod yn estyn am dy gadach poced ar ddechrau pennod drist ofnadwy. Ond hyderaf y bydd ei angen arnat, er hynny—i sychu dagrau chwerthin, nid i wylo.

Dyna'n union pam y beirniadodd Saunders Lewis y nofel, er ei fod yn uchel ei glod i rai agweddau arni:

> Nid oes digon o bechod, nid oes digon o 'wylo' yn narluniad Mr Hughes o fywyd Shoni. (*Y Faner*, 7 ii 45).

Beth bynnag, canolbwyntiwyd cryn dipyn yn y nofel ar yrfa William Jones fel darlledwr. Felly, er ei fod yn byw ym Mryn y Glo, ac yn werinwr i'r carn, roedd yn byw rhyw fath o fywyd dwbwl, ac yn ennill bywoliaeth gysurus wrth actio mewn dramâu Cymraeg ar radio'r BBC yng Nghaerdydd. Dyma'r glustog rhyngddo ef a gerwinder a chyni'r cymoedd. Fe wyddom i'r darlun o William Jones yr actor gael ei sylfaenu ar hanes Prysor Williams. Brodor o Drawsfynydd oedd ef yn wreiddiol, ond ymfudodd i weithio ym mhyllau glo'r De, ac ar ôl gwneud tipyn o enw iddo'i hun fel actor ar lwyfan, cafodd gyfle i gymryd rhan mewn dramâu radio. Fel yr un a hybodd ei yrfa, roedd T. Rowland Hughes yn ei adnabod yn dda, wrth gwrs, a does ryfedd iddo ddweud (â'i dafod yn ei foch) ar ddechrau'r nofel hon:

> Gan na chredodd neb mohonof pan ddywedais mai dychmygol oedd lle a chymeriadau fy nofel gyntaf, *O Law i Law*, efallai mai gwell imi ddweud bod hon yn wir bob gair.

Yr eironi yw mai codi yn y byd a wna William Jones mewn gwirionedd wedi symud i'r De, ac mae Leusa a'r lleill sy'n gwrando arno ar y radio gartref yn y Gogledd yn rhyfeddu at ei gamp. Mae yntau'n ei fwynhau'i hun yn fawr hefyd, ac ni wêl ond ochr orau bywyd y cymoedd. Newidia tôn y nofel yn raddol, wrth gwrs, ac mae William Jones ei hun yn tyfu ac aeddfedu, nes ei fod erbyn y diwedd yn cael ei ddyrchafu i safle Crad 'ym mhen y bwrdd'.

Mae yna groestyniadau di-rif ymhlyg yn y nofel hon, ond croestyniadau ydynt nad yw'r nofel ei hun yn mynd i'r afael â hwy o ddifri. Taenwyd gorchudd o ryw garedigrwydd dyneiddiol dros y cyfan, fel bod Mr Rogers y gweinidog a Shinc y Comiwnydd yn ymdoddi'n un, a William Jones y gwrth-arwr comig yn troi'n gysgod o arwr go-iawn erbyn y diwedd. Plastrwyd dros y craciau er mwyn diddanu yn anad dim arall. Does dim amheuaeth nad oedd profiad T. Rowland Hughes fel cynhyrchydd radio wedi rhoi iddo'r arfau technegol i greu diddanwch o'r radd flaenaf. Hon yn ddiau yw un o'r nofelau mwyaf poblogaidd a gyhoeddwyd erioed yn y Gymraeg, ac mae'n sicr y pery i roi pleser am genedlaethau eto. Dylai ei gwendidau hefyd fod yn bwnc trafod am flynyddoedd i ddod.

John Rowlands

1 *AR ÔL*

Canodd y cloc-larwm.

Gorweddai William Jones yn ei wely a'i freuddwyd yn un pêr. Gwelai wraig dyner a hardd yn ysgwyd cloch uwch ei ben ac yn gwenu'n gariadus arno. Deuai aroglau cig moch i fyny o'r gegin, a gwyddai fod y wraig dyner a hardd yn ei alw at ei frecwast. Cafodd gip ohono'i hun yn rhuthro i'w ddillad ac i lawr y grisiau i'r gegin; yno gloywai tân yn y grât ac wrth ei le ar y bwrdd yr oedd platiad o gig moch ac wyau. Dau wy. Ni fwytasai ef erioed ddau wy i frecwast, ond teimlai heddiw y gallai wneud cyfiawnder â'r wledd o'i flaen. . . . Yna deffroes, a diflannodd y breuddwyd.

Syllodd i dywyllwch yr ystafell, gan wrando ar sŵn y cloc-larwm yn gwanhau ac yn marw. Chwech o'r gloch. Teimlai'n swrth a blinedig, ond rhaid oedd ymysgwyd i fynd at ei waith. Pum munud bach eto, meddai wrtho'i hun; yr oedd hi'n braf ar ei gefn yn ei wely fel hyn. Caeodd ei lygaid i freuddwydio eto am y wraig dyner a hardd ac am y platiad o gig moch a'r ddau wy. A syrthiodd William Jones i gysgu.

Deffroes yn sydyn i weld goleuni'r dydd yn ymwthio i'r ystafell. Y nefoedd fawr, yr oedd hi'n siŵr o fod yn ganiad bron. *Bron* yn ganiad? Yr oedd hi *yn* ganiad. Clywai gorn y chwarel yn rhuo yn y pellter, a neidiodd o'i wely. Rhuthrodd i godi'r llen oddi ar y ffenestr, ac wrth redeg yn ei ôl i wisgo, llithrodd mat bychan dan ei draed. Saethodd William Jones i gyfeiriad y bwrdd crwn wrth ochr y gwely, a saethodd y bwrdd yntau i gongl yr ystafell, gan daflu'r cloc-larwm a gwydr y dannedd-gosod yn ffyrnig yn erbyn y mur. Dannedd-gosod ei wraig, hefyd.

'Yn enw popeth, be' wyt ti'n drio'i wneud, ddyn?' gofynnodd Leusa Jones o'r gwely.

'Gwneud campa,' meddai yntau rhwng ei ddannedd. Cafodd fawd ei droed chwith i mewn i dwll yn ei hosan, a rhegodd.

'Go damia!'

Gŵr mwyn a thawel oedd William Jones, uniawn ei ffordd a selog yn y capel. Ni fyddai byth yn rhegi. Teg ag ef ac â darllenydd y stori hon yw gwneud hynny'n berffaith glir ar y dechrau. Rhaid inni gofio inni ddigwydd ei ddal ar foment go anffodus yn ei hanes; dyma'r tro cyntaf erioed iddo fod yn hwyr i'r chwarel a'r tro cyntaf erioed iddo dorri dannedd-gosod ei wraig.

'Be' ddeudist ti?'

' "Go damia" ddeudis i a "Go damia" o'n i'n feddwl. Cyffra o'r gwely 'na, wir, i roi tamad yn fy nhun-bwyd i. Wyddost ti 'i bod hi wedi'r caniad, a bod dy ddannadd-gosod di yn yfflon ar y llawr 'ma, a bod y dŵr oedd yn y glàs . . . ?'

'Be'!' A chododd Leusa Jones o'i gwely mewn braw.

Rhuthrodd William Jones i lawr y grisiau yn nhraed ei sanau a mynd ati i dorri bara-ymenyn ar gyfer ei dun-bwyd. Nid oedd yn grefftwr yn hynny hyd yn oed ar ei orau, ond heddiw torrai 'wadnau clocsiau' o ryw fath ar frys ffyrnig. Yna trawodd ddarn o gaws yn y tun, ac wedi rhoi ei esgidiau am ei draed, rhedodd i'r drws ac o'r tŷ. Clywodd lais ei wraig yn swnian rhywbeth am ei dannedd-gosod druan, ond nid oedd ganddo amser i dalu sylw i'w chri.

Yr oedd y stryd yn wag; ef oedd yr olaf un. Brysiodd

ymlaen, gan wisgo'i goler a chau botymau ei wasgod. Daria, petai o wedi codi pan glywodd sŵn y cloc-larwm yn lle mynd i freuddwydio'n ffôl. Pam y breuddwydiodd o am y wraig honno a'r cig moch a'r wyau, tybed? Hy, am fod Leusa yn gorwedd yn ei gwely bob bore yn lle codi i'w gychwyn i'r gwaith. Ugeiniau o weithiau y ffraeasant ar y pwnc, a phob tro torrai Leusa i grio ac i gwynfan am wendid ei chalon. Byth er pan soniodd gwraig y drws nesaf fod wyneb go binc yn arwydd o galon wan, yr oedd Leusa'n berffaith sicr fod ei chalon hi ar ddiffygio. Ac ers tro bellach poenid hi gan fil a myrdd o afiechydon eraill.

'Ar ôl heddiw, William Jones?'

Nodiodd, gan wenu, a brysiodd ymlaen. Nid oedd ganddo amser i aros hefo rhyw greadur fel Now Portar. Ond brasgamodd Now wrth ei ochr, gan ddweud ei fod yntau hefyd yn hwyr i'w waith yn yr orsaf. Rhyw ddyn yn yfed ac yn rhegi ac yn curo'i wraig yn ei ddiod oedd Now Pritchard, ac ni bu erioed fawr ddim cyfathrach rhyngddynt. Ond heddiw rhoddai'r ffaith eu bod eu dau ar ôl yr hawl i Now Portar edrych arno fel cyfaill.

'Y ddynas 'cw, William Jones. Dim symud arni yn y bora. Mi fydda' i'n siŵr o gael y sac un o'r dyddia 'ma. Bydda', myn cythral i! Be' ma' gwraig yn dda os na fedar hi godi dyn at 'i waith yn y bora, 'ntê?' Troes i lawr tua'r orsaf, a brysiodd y chwarelwr ymlaen yn fân ac yn fuan.

Yr oedd hi'n fore braf o Orffennaf, ond ni sylwai William Jones ar ogoniant y dolydd a'r mynyddoedd, dim ond ar y ffordd a ddringai o'i flaen. Beth a ddywedai'r Stiward, tybed? Yr oedd Tom Owen, chwarae teg iddo, yn ŵr pur resymol a chyfeillgar, a rhoddai, y mae'n debyg, faddeuant llawn iddo am y trosedd hwn. Ond yr oedd un neu ddau o farcwyr cerrig a fuasai'n falch o gyfle i ddangos eu hawdurdod. Tom Owen, er hynny, oedd yr unig un a fyddai'n debyg o fod o gwmpas y Bonc Hir.

Cyrhaeddodd waelod y llwybr igam-ogam ar y llethr o dan y chwarel, a buan yr oedd yn sychu'r chwys oddi ar ei dalcen wrth geisio cyflymu hyd-ddo. Piti am ddannedd-gosod Leusa hefyd, ond arni hi yr oedd y bai yn gadael rhyw hen fatiau hyd y lle i gyd. Yr oedd Huws y Deintydd yn un go ddeheuig, meddent hwy, ac ni fyddai fawr o dro yn eu trwsio iddi. Gobeithio hynny, beth bynnag, neu ni fyddai diwedd ar y tafodi a gâi pan âi adref gyda'r nos. Yr oedd Leusa yn ei helfen yn dweud y drefn, a gwingasai William Jones o dan chwip ei thafod gannoedd o weithiau drwy'r blynyddoedd. Hi a'i dannedd-gosod! meddai wrtho'i hun, yr oedd hi'n hen bryd i rywbeth fel 'na ddigwydd.

Troes o'r llwybr a hanner-rhedeg hyd wastad y Bonc Hir. Y nefoedd, Tom Owen, y Stiward!

'Bora da, William Jones.'

'Y . . . Bora da, Mr Owen.'

'Bora braf.'

'Y . . . Ydi, wir, bora braf iawn. Y tro cynta' yn fy mywyd, Mr Owen, ac 'rydw i'n gweithio yn y chwaral ers yn agos i ddeugian mlynadd.'

'Peidiwch â phoeni, William Jones. Mae rhyw anffawd yn digwydd i bawb yn 'u tro. Be' fu?'

'Y cloc-larwm 'cw ddaru stopio yn y nos, ac fe gysgodd y wraig a finna tan ganiad.'

'Diar annwl! Ond 'dydi hi ddim ond wyth 'rŵan! Rhaid eich bod chi wedi rhuthro.'

'Do. Mi ddois i heb frecwast na dim. *Mae'n* ddrwg gin i, Mr Owen.'

''Rydw i'n clywad stori'r cloc-larwm wedi stopio bron

bob bora, William Jones, a phur anamal y bydda' i yn rhoi rhithyn o goel arni hi. Ond mi wn i fod pob gair ohoni yn wir y tro yma. Peidiwch â phoeni am y peth o gwbwl. Ond mi faswn i'n eich cynghori chi i ddibynnu, fel finna, ar y wraig yn lle ar y cloc-larwm. Welis i neb fel Mrs Owen acw am ddeffro yn y bora. I'r eiliad. I'r eiliad bob gafael . . . Ydi, wir, mae hi *yn* ddiwrnod braf. Wel, bora da 'rwân.'

'Bora da, Mr Owen, a diolch yn fawr i chi.'

Prysurodd ar hyd y bonc, heibio i wynebau agored y waliau lle'r oedd dynion yn hollti a naddu'r llechi. 'Dyma fo eto, Huw!' gwaeddodd Dic Trombôn. 'Yr un fath bob bora, yn sleifio at 'i waith, wel' di! 'Does dim modd achub hen bechaduriaid fel hyn, wsti!' A chwarddodd ef a'i bartner, Huw Lewis, yn uchel. Yr oedd Dic yn nodedig am ei gyfrwystra wrth sleifio i'r chwarel ymhell wedi'r caniad.

Cyrhaeddodd ei wal o'r diwedd a brysiodd iddi, gan dynnu ei gôt i'w hongian ar y darn o haearn a gurwyd i mewn i'r mur. Eisteddodd ar ei flocyn a dechreuodd hollti clwt o garreg. Aeth ei bartner, Bob Gruffydd, ymlaen â'i naddu wrth y drafel heb yngan gair. Gŵr hynod dawedog oedd ef.

'Be' ddigwyddodd hiddiw, William?' gofynnodd cyn hir.

'Y cloc-larwm, fachgan. Mi stopiodd yn y nos, ac 'roedd hi'n ganiad ar Leusa a finna yn deffro.'

Araf o gorff a meddwl oedd Robert Gruffydd. Cymerodd hanner munud cyfan i dreulio'r newydd cyn cael ei gynhyrfu i fynegi barn.

'Wedi anghofio'i weindio fo, William.'

'Na, stopio ohono'i hun ddaru o.'

'Taw, fachgan!'

Aeth hanner munud arall o dawelwch heibio cyn i Robert Gruffydd lwyddo i ymbalfalu am ei gwestiwn nesaf.

'Pryd daru o stopio, William?'

'Rhwng un a dau.'

'O.'

Naddodd ddwy lechen arall cyn troi at ei bartner eto.

'Be' wyt ti'n feddwl wrth "rhwng un a dau"?'

'Y?'

'Pan mae cloc yn stopio mae'i wynab o'n dangos pryd y mae o'n stopio. Os ydi o'n stopio am ugian munud i ddau, yna mae'i wynab o'n deud . . .'

'Hannar awr wedi un.'

'Y?'

'Hannar awr wedi un y daru o stopio.'

'O.'

Teimlai William Jones braidd yn anghysurus. Tybed a oedd Bob Gruffydd yn amau'r stori am y cloc yn stopio? Aeth y gŵr hwnnw ymlaen â'i naddu, ond ymhen ennyd arhosodd yn sydyn.

'Isio gwneud i ffwrdd â'r tacla sy,' meddai'n sur.

'Be'?'

'Yr hen glocia-larwm 'na. Mae gin i un yn y tŷ acw yn rhwla, ond 'dydw i 'rioed wedi'i ddefnyddio fo. Mae Jane acw yn deffro fel cloc bob bora. Ydi, fel cloc. Ddaru hi 'rioed fethu, fachgan, ha' na gaea'. Isio gwneud i ffwrdd â'r tacla i gyd sy.'

Efallai y teimlai dieithryn fod y sylw hwn yn un go anghyffredin, ond 'Bob Gwneud-i-ffwrdd' oedd llysenw Robert Gruffydd yn y chwarel. Gwneud i ffwrdd â phethau oedd ei uchel swydd mewn bywyd—yn ei sgwrs feunyddiol, yn nhrafodaethau'r caban-bwyta, yn y capel. Etholwyd ef unwaith ar bwyllgor Eisteddfod Siloh, a threuliodd noswaith gyfan yn cynnig gwneud i ffwrdd â Chadeirydd, gwneud i ffwrdd â gwobrau, gwneud i ffwrdd â'r 'hen ganu 'na', gwneud i ffwrdd â sylwadau'r beirniaid. Yn wir, pe cawsai Robert Gruffydd ei ffordd, prin y byddai dim ar ôl. Troes aelodau'r pwyllgor tuag adref heb fedru dewis na thestun na beirniad na dim, wedi gwastraffu oriau i geisio darbwyllo'r gwrthryfelwr ystyfnig. Cynhaliwyd y pwyllgor arall yn slei bach ymhen rhai dyddiau, ac uchel fu ymddiheuriad yr ysgrifennydd i Robert Gruffydd am iddo anghofio'i wahodd ef yno. Cadwodd Robert Gruffydd draw o bob pwyllgor ar ôl hynny. Dim amser, meddai ef, ac yr oedd hi'n hen bryd gwneud i ffwrdd â'r cwbl i gyd.

Wrth ruthro i'r chwarel ni chawsai William Jones amser i feddwl am ddigwyddiadau anffodus y bore, ond yn awr, yn nhawelwch y wal, teimlai'n anniddig iawn. I beth y mae gwraig yn dda os na fedr hi gychwyn dyn at ei waith?—dyna gwestiwn Now Portar. 'Neb fel Mrs Owen acw am ddeffro yn y bora', meddai Tom Owen, y Stiward. 'Fel cloc', meddai Bob Gruffydd am ei wraig. Trawodd ddau gŷn yn ei boced, a chododd oddi ar y blocyn.

'Mi bicia' i draw i'r efail am funud,' meddai. 'Fydd Sac y Go' ddim chwinciad yn rhoi min ar y cynion 'ma imi.'

Ymhell cyn iddo gyrraedd yr efail, clywai chwerthin dwfn Sac y Gof fel taranau mewn ogof. Ni chredai neb, heb ei glywed â'i glustiau ei hunan, ei bod hi'n bosibl i'r fath ddyfnderoedd o sŵn ddianc drwy'r genau dynol. Yr oedd Saceus yn gawr o ddyn llydan, tew, a chrynai trwch ar drwch o gnawd trosto i gyd bob tro y chwarddai. Safai yn awr wrth yr eingion yn gwrando ar un o storïau Dic Trombôn.

'Dyma iti un arall, Sac,' meddai Dic, gan nodio tuag at William Jones. 'Wyth o'r gloch arno fo'n dŵad at 'i waith bore 'ma. Wedi bod ar 'i sbri neithiwr, wsti, a mynd adra wedi'i dal hi! O, glywist ti'r stori honno am y bôi hwnnw o'r enw Jac Sir Fôn yn Chwaral y Coed?'

'Naddo, am wn i.'

'Wel, mae gynnyn nhw weiar rôp yn hongian o dop Chwaral y Coed i'r gwaelod, fel y gwyddost ti, a'r pwcedi mawr hynny yn cario rwbel i lawr hyd-ddi. 'Roedd hi ar fin canu pump, fachgan, un nos Wenar, a dyma Jac yn neidio i mewn i un o'r pwcedi i gael reid i'r gwaelod er mwyn 'i gwadnu hi adra i Sir Fôn. Diawl, pan oedd y bwcad hannar y ffordd i lawr, dyma'r corn yn canu!' Daeth pwl o chwerthin dros Dic a methai fynd ymlaen â'i stori. Edrychodd llygaid mawr Sac yn hurt arno; ni welsai ef eto ddim byd anarferol o ddigrif.

'Wel?' meddai Sac, braidd yn sarrug.

'Fe stopiodd y weiar rôp, a dyna lle'r oedd yr hen gono yn y bwcad i fyny yn yr awyr yn trio tynnu sylw'r dynion yn y chwaral.' Y tro hwn dechreuodd y plygiadau o gnawd ar gorff Sac y Gof gynhyrfu ac ysgwyd, ac agorodd ei enau anferth i ryddhau sŵn fel rhuadau tarw. Diawch, dyna rai rhyfedd oedd yn yr hen fyd 'ma, meddai William Jones wrtho'i hun ac wrth fegin fawr yr efail.

'Be' ddigwyddodd iddo fo, Dic?' gofynnodd Sac wedi i'w gnawd a'i lais ymdawelu am ennyd.

'Diawl, 'roedd hi'n nos Wenar Cyfri', a neb yn gweithio ddydd Sadwrn. Yn y bwcad y buo fo drwy'r nos a thrwy'r Sadwrn a'r Sul, yn sgrechian 'i ben i ffwrdd a neb yn 'i glywad o.'

Ymunodd William Jones yn dawel yn rhyferthwy'r chwerthin er bod dannedd-gosod Sac yn ei atgofio am rai Leusa. Gobeithio'r annwyl y gallai Huws y Deintydd eu trwsio iddi.

Ymhen tipyn yr oedd Sac y Gof yn ddigon sobr i roi min ar y ddau gŷn.

'Mynd i gysgu'n ôl ddaru chi, William Jones?' gofynnodd.

'Naci, wir, Sac. Yr hen gloc-larwm 'cw ddaru stopio. Rhwng un a dau. Hannar awr wedi un.'

'Sarah 'cw ydi'r cloc-larwm gora yn y wlad 'ma,' oedd sylw Sac, gan ddangos ei ddannedd-gosod mewn gwên fawr, ddoeth. 'Neb tebyg iddi hi am ddeffro yn y bora.'

Troes William Jones yn ôl i'w wal yn araf. Beth oedd yn bod ar bawb heddiw? Owen y Stiward, a Bob Gruffydd, a Sac y Gof—pob un yn canmol ei wraig. Ac eto, fe wyddai pawb fod Sarah, gwraig Sac, yn ei charpiau bron hyd y pentref a'i gŵr yn gwario'i amser a'i arian yn y Bwl. A dyma fo, William Jones, yn mynd â'i gyflog i gyd adref bob wythnos, ac yn rhedeg ar neges drosti, ac yn helpu yn y tŷ, ac yn . . .

Daeth llais Bob Gruffydd ato o geg y wal.

''Rydw i'n mynd i lawr i'r twll am dipyn, William.'

'O'r gora, Bob.'

Yr oedd yn dda ganddo gael y wal iddo'i hun. Teimlai hi'n anodd heddiw i siarad â phobl, a'i feddwl o hyd yn mynnu dianc yn ôl i helynt y bore. 'Roedd Leusa'n mynd o ddrwg i waeth, nid oedd dim dwywaith am hynny, yn gorwedd yn ei gwely bob bore, yn paratoi bwyd rywsut-rywsut, yn treulio oriau yn nhŷ Ifan ei brawd, yn mynd i'r sinema bob nos Lun a nos Iau, ac yn dal bws i Gaernarfon bron bob prynhawn Sadwrn.

'Stori dda oedd hon'na am y bôi 'na o Sir Fôn, yntê, William Jones?' Dic Trombôn oedd yn taro i mewn i'r wal ar ei ffordd i'r twll.

'Ia, wir, un dda iawn, Dic.'

'Ddaliodd Tom Owen chi bora 'ma?'

'Y . . . Do, fachgan, ond ddeudodd o ddim.'

'William Jones?'

'Ia, Dic.'

'Os byddwch chi'n hwyr eto . . .' Gostyngodd Dic ei lais a thaflodd olwg slei tua cheg y wal. 'Os byddwch chi'n hwyr eto, dowch i fyny drwy'r coed hyd ochor y llwybyr, a thros y doman i gefn y walia 'ma. Wêl neb mohonoch chi.' Poerodd Dic cyn chwanegu, 'Ches i 'rioed mo fy nal, William Jones.'

'Diolch, Dic, ond 'dydw i ddim yn debyg . . .'

'Wyddoch chi ddim. Mae hi'n job go anodd codi amball fore ac mi fydd Betsan 'cw yn gorfod fy nhynnu i o'r gwely. Mae hi'n un go dda yn y bore, chwara' teg iddi, ond fe fydd gin i ben fel meipan weithia ar ôl dŵr-golchi yr hen dafarn 'na. Llusgo'r dillad oddi arna' i y bydd Betsan a chydio yn fy nhraed i'm cael i o'r gwely. Diawch, 'rydw i'n cofio un bora . . .' Ond aeth y Stiward heibio, a brysiodd Dic ymaith tua'r twll.

Cerrig da, cerrig rhywiog, meddai William Jones wrtho'i hun, gan geisio rhoi ei holl sylw ar yr hollti. Yr oedd hi'n braf cael min go dda ar y cŷn a gweld y clwt o garreg yn troi'n grawiau tenau, hwylus o dan ei ddwylo medrus. Oedd, yr oedd yn rhaid i Leusa newid ei ffyrdd a rhoi'r gorau i'w chiamocs, neu . . . Neu beth? Ni wyddai William Jones. Ni fedrai roi cweir i'w wraig; nid un felly oedd ef. Un go sâl am ffraeo oedd o hefyd, a phetai'n bygwth ei daflu ei hun i'r Pwll Dwfn, ni wnâi Leusa ond chwerthin am ei ben a chynnig dod gydag ef i wylio'r oruchwyliaeth. Yr oedd y broblem yn un go anodd. Anodd iawn.

Aeth i lawr i'r twll rhag ofn bod ar Bob Gruffydd eisiau help llaw. Cafodd ef wrthi'n hollti plyg mawr i'w wneud yn bileri hwylus ar gyfer y wagen, a chydiodd William Jones yntau mewn morthwyl brasollt a chŷn bach. Gweithiodd fel un ar frys gwyllt, a chododd Robert Gruffydd ei aeliau wrth edrych arno. Beth oedd yn bod ar y dyn? Er hynny, ni ddywedodd air.

Troes y ddau i'r caban-ymochel pan ganodd y corn un ar ddeg.

'A diawl, i ffwrdd â fo i'r Sowth, hogia!' Dic Trombôn a oedd wrthi. Pan welodd Bob Gruffydd a'i bartner, gofynnodd, 'Glywsoch chi am Now John?'

'Clywad be'?' oedd ateb Robert Gruffydd mewn tôn a awgrymai yr hoffai 'wneud i ffwrdd' â thaclau cegog fel Dic Trombôn.

'Amdano fo'n 'i gwadnu hi i'r Sowth?'

'Naddo.'

Gan y swniai Robert Gruffydd yn sarrug, troes Dic i adrodd y stori wrth William Jones.

'Mi aeth adra echnos fel arfar,' meddai, 'a ffeindio bod y wraig wedi mynd am swae i Gnarfon. 'Roedd hi'n galifantio i rwla o hyd, o hyd, a 'doedd dim iws i Now godi'i gloch. Fel glaw ar gefn chwadan, William Jones. Dim swpar-chwaral, dim ond platiad o frôn a photal o bicyls. Wel, mi ddaeth hi adra tua chwech, gwneud tamad iddi hi'i hun, a pharatoi i fynd allan wedyn. "I b'le'r wyt ti'n mynd, Maggie Jane?" medda Now. "I'r pictiwrs," medda hitha yn reit siort. "Os ei di i'r pictiwrs 'na heno, 'nginath i," medda Now, "mi fydda' i'n deud gwd-bei wrthat ti a'th hen lol i gyd." "O," medda hitha, "i b'le yr ei di, mi liciwn i gal gwbod?" "I'r Sowth at Wil, fy nghefndar," medda Now. "Hy!" medda Maggie Jane, gan daflu'i phen a martsio allan o'r tŷ. Dyma Now yn mynd i fyny i'r llofft ac yn pacio'i fag, ac i ffwrdd â fo i'r Sowth hefo'r trên wyth bora ddoe. Ia, wir, 'tawn i'n llwgu.'

Sut y cafodd Dic fanylion dramatig y stori, ni wyddai neb, ond adroddai hwy gyda sicrwydd un â chanddo gwmwl o dystion at ei alwad. Gwenodd William Jones, gan ysgwyd ei ben yn freuddwydiol. Diawch, dyna bobol oedd yn yr hen fyd yma, onid e? Wrth gwrs, un ryfedd oedd Maggie Jane, gwraig Now John Ifans, dynes flêr, annosbarthus, gegog, ac nid syn fod Now yn dianc i'r Sowth. Na, nid oedd Leusa mor ddrwg â hynny, yn galifantio fel ffŵl ac yn . . . Wel, nac oedd, gobeithio, nid oedd hi fel Maggie Jane Ifans! Rhewodd y wên ar wyneb William Jones wrth iddo sylweddoli bod y meddyliau hyn yn ei ben.

'Sut mae Meri, dy chwaer, tua'r Sowth 'na?' gofynnodd Bob Gruffydd iddo wedi iddynt ddychwelyd at eu gwaith.

'Go lew, wir, Bob, ond fod Crad allan o waith o hyd, fel y gwyddost ti.'

'Plyg yn agor fel 'menyn ydi hwn, William.'

'Ia. Pam oeddat ti'n gofyn?'

'Gofyn be'?'

'Am Meri, fy chwaer.'

'O, dim ond digwydd meddwl amdani pan oedd Dic Jones yn deud y stori 'na.' Aeth ymlaen i drin y plyg, ond arhosodd ymhen ennyd.

'Rhyw le rhyfadd sy tua'r Sowth 'na,' meddai. 'Fûm i 'rioed yno, ond maen nhw'n deud 'u bod nhw'n byw ar draws 'i gilydd yno, ddwsina ym mhob tŷ, fachgan. Mae gin y wraig 'cw gnithar wedi priodi coliar yn y Rhondda 'na, ac, yn ôl yr hyn ydw i'n glywad, fedar hi yn 'i byw ddallt gair maen nhw'n drio'i ddeud wrthi hi. Hogan glên ofnadwy, hefyd.'

'Lol ydi hynny, Bob.'

'Be'?'

'Na fedar hi mo'u dallt nhw. Mae Meri, fy chwaer, yn dallt pob gair ac yn licio'r bobol yn arw. Pobol andros o ffeind, medda hi.'

Canodd corn hanner dydd cyn hir, a dringodd y ddau yr ysgol haearn i'r bonc, gan frysio i'w wal i nôl eu tuniau-bwyd. Wedi byw heb frecwast, teimlai William Jones yn bur newynog, ond nid edrychai ymlaen at ei ginio o 'wadnau clocsiau' a mymryn o gaws. Wrth fwrdd y caban-bwyta syllodd yn eiddigus ar y wledd a dynnai Robert Gruffydd o'i dun-bwyd. Un go arw am ei ystumog oedd Bob, a gofalai Jane Gruffydd am damaid blasus iddo bob dydd. Oedd, yr oedd ganddo rywbeth rhwng pob brechdan—cig rhwng rhai, letys rhwng eraill, mêl rhwng eraill, ac fel pe na bai hynny'n ddigon i dynnu dŵr o ddannedd dyn, dyna ddarn mawr o deisen a dwy neu dair o gacenni bychain crynion.

'Daria!'

'Be' sy, William?'

'Wedi anghofio te a siwgwr, fachgan. Dyna be' sy i'w gael am frysio fel ffŵl yn y bora!'

'Paid â phoeni. Mae gin i ddigon inni'n dau. Mi fydd Jane 'cw yn gofalu rhoi tipyn ecstra imi, rhag ofn y bydda' i'n teimlo'n o sychedig amball ddiwrnod. Hwda, cymer di'r banad gynta. A dyma fo'r siwgwr.'

Yr oedd ar William Jones gywilydd o'i frechdanau

afrwydd, a cheisiai eu cuddio rhag llygaid mawr, dwys ei bartner. Ond, ar ganol brechdan-gig flasus, peidiodd dannedd Robert Gruffydd â chnoi, a rhythodd ar y frechdan a godai William Jones i'w geg. Ond ni ddywedodd ddim.

'Ga' i fenthyg cloc-larwm gin ti heno, Bob?' gofynnodd William Jones ymhen ennyd.

'Cei, 'neno'r Tad. Be' wnei di, dŵad heibio i'r tŷ acw ar dy ffordd adra heno?'

'O'r gora, Bob.'

Gorffennodd William Jones hynny o fwyd a oedd ganddo yn fuan iawn, ac yna ceisiodd gadw ei lygaid i ffwrdd oddi wrth frechdanau ei bartner.

'Wn i ddim be' ddeudith Jane wrtha' i heno,' meddai Robert Gruffydd, gan ddechrau taro dwy frechdan a dwy gacen yn ôl yn ei dun-bwyd.

'Pam, Bob?'

'Mi fydd hi'n deud y drefn yn ofnadwy bob tro y bydda' i'n mynd â bwyd yn ôl adra, wsti. Ond wir, fedra' i ddim bwyta chwanag hiddiw. Y tywydd poeth 'ma, mae'n debyg.'

Trefnodd y brechdanau a'r cacenni yn ofalus yn y tun, ac yna cododd ei olwg, fel petai rhyw ysbrydiaeth sydyn wedi ei daro.

'Fedri di mo'u bwyta nhw imi, William?'

'Na, 'rydw i wedi gneud yn reit dda, fachgan.'

'Mi tafla' i nhw i'r adar rhag i Jane gael dim i'w ddweud.'

'Wel, os mai dyna wyt ti am wneud hefo nhw, Bob, 'falla y medra' i fwyta rhai ohonyn nhw iti.'

Diawch, yr oeddynt yn flasus hefyd, a bwytaodd William Jones y cwbl, bron heb sylweddoli ei fod yn gwneud hynny. Un dda am gacen oedd Jane Gruffydd, meddai wrtho'i hun.

'Y dentist gora yn yr holl sir, 'ngwas i. Mi elli fentro mynd at Huws i dynnu'r whôl blydi lot. A 'does neb tebyg iddo fo am ddannadd-gosod.' Huw Lewis, partner Dic Trombôn, oedd yn defnyddio'i lais uchel, treiddgar, ym mhen arall y caban. Agorodd William Jones ei glustiau. Nid oedd ganddo ddim i'w ddweud wrth ryw hen geg fel Huw Lewis, ond teimlai'n ddiolchgar iddo am gyhoeddi'r newydd da o lawenydd mawr.

Llithrodd y prynhawn heibio yn weddol gyflym, a theimlai William Jones yn ganmil llonnach nag a wnaethai yn y bore. Yr oedd Huw Lewis yn siŵr o fod yn gwybod am beth y siaradai. Crwydrodd draw i wal y gŵr hwnnw.

'Hylô, William Jones, dowch i mewn,' meddai Huw. 'Gwnewch eich hun yn gartrefol. 'Steddwch yn y gadair-freichia 'na wrth y tân.' Un digrif oedd Huw Joli.

'Dy glywad di'n sôn am Huws Dentist.'

'Y dannadd yn poeni, William Jones?'

'Ia, fachgan. 'U tynnu nhw i gyd fydd ora imi, mae arna' i ofn—y rhai top, beth bynnag—ond un peth ydi medru tynnu dannadd a pheth arall ydi medru trwsio . . . y . . . gwneud plât o ddannadd-gosod, yntê?'

'Neb tebyg i Huws, William Jones. Mi gafodd y wraig 'cw y set ddela' welsoch chi 'rioed gynno fo. Dim trwbwl yntôl hefo nhw. Dannadd *champion*, William Jones. Deudwch wrtho fo 'mod i wedi'ch gyrru chi yno. 'Rydan ni'n rêl *chums*, ydach chi'n dallt.'

Yn y Bwl gyda'r nos yr oedd Huws a Huw Lewis yn *chums*, wrth gwrs, ac am bob cwsmer a enillid iddo gan ddeiliaid y dafarn, fe dalai'r deintydd beint, ac weithiau ddau neu dri.

'Tynnu'r whôl lot faswn i, 'tawn i'n eich lle chi, William Jones,' meddai Huw yn ddwys, gan ei weld ei hun yn cael o leiaf dri pheint. 'Dyna wnaeth y wraig 'cw, a 'dydi hi ddim wedi cael traffarth o gwbwl hefo nhw.'

Galwodd William Jones yn nhŷ Robert Gruffydd ar ei ffordd adref o'r gwaith. Cyn gynted ag yr agorodd ei gŵr y drws, brysiodd Jane Gruffydd i'r gegin fach a dychwelodd hefo platiad mawr o datws a chig a moron a'i daro ar y bwrdd.

'William 'ma isio cael benthyg y cloc-larwm,' meddai Robert Gruffydd wrthi.

'Diar annwl, â chroeso.'

''I un o wedi cael damwain.'

'Na, stopio ddaru o,' cywirodd William Jones yn frysiog. 'Hannar awr wedi un.'

'Tewch! Mi a' i i'w nôl o rŵan.' Ac i ffwrdd â hi i'r llofft. Aeth ei gŵr allan i'r cefn i olchi ei ddwylo.

Edrychodd William Jones o amgylch y gegin. Glendid a chysur ym mhobman, sglein ar bopeth, lliain glân ar y bwrdd. A'r platiad bwyd 'na!

Daeth Alun, hogyn hynaf Robert a Jane Gruffydd, i mewn o'r gegin fach, a phin dur rhwng ei wefusau. Yr oedd ef yn yr Ysgol Ganolraddol ac yn cael hwyl arni yno, yn ôl ei dad.

'Lot o dasg heno, Alun?'

'Inglish a Welsh, William Jones.'

'O. Be' 'di'r Welsh?'

'Gneud *sentences* hefo geiria.'

'O. Pa eiria, fachgan?'

'Hefo *adjectives*.'

'O.' A nodiodd William Jones yn gall.

'Dyma fo,' meddai Jane Gruffydd, yn dychwelyd hefo'r cloc-larwm. 'Un bach da ydi o hefyd.'

'Diolch yn fawr. Dim ond nes ca' i amsar i brynu un. Wel, da boch chi 'rŵan.'

'Mi faswn i'n gofyn i chi gymryd tamad hefo Bob ond 'mod i'n gwbod bod y wraig yn eich disgwyl chi,' meddai Jane Gruffydd wrth ei hebrwng at y drws.

'Y wraig,' meddai William Jones wrtho'i hun. Rhyfedd fod pobl yn sôn am Leusa fel 'y wraig' yn lle ei galw wrth ei henw. Rhyfedd iawn, wedi meddwl am y peth. Am 'Jane' a 'Jane 'cw' y soniai ef, William Jones, wrth Bob pan ddôi rhywbeth am Jane Gruffydd i mewn i'r sgwrs. Ond dyna fo, ni fu Leusa erioed yn un gyfeillgar iawn hefo neb. Diawch, gobeithio bod Huws y Deintydd wedi llwyddo i drwsio'r dannedd yna.

2 *DIWRNOD I'R BRENIN*

Y mae'n debyg fod y darllenydd ar bigau'r drain ers meitin, heb wybod beth a ddigwyddodd i ddannedd-gosod Leusa Jones. O fwriad y cadwyd ef yn y tywyllwch, gan fod medru gwneud i filoedd ar filoedd o ddarllenwyr gnoi eu hewinedd yn enghraifft o athrylith y nofelydd. Gwn, ddarllenydd hynaws, dy fod yn methu â byw yn dy groen ers chwarter awr, a brysiaf i ddiwallu dy chwilfrydedd. Cofiaf imi ddarllen nofel yn fy ngwely ryw dro . . .

Ond rhaid imi ateb dy weddi a mynd ymlaen â'r stori hon.

Pan ruthrodd Leusa Jones i ddôr y cefn yn ei choban, â'i dannedd-gosod yn ei llaw, ni chymerodd ei gŵr un sylw ohoni, dim ond rhedeg am ei fywyd i gyfeiriad y chwarel. Erbyn iddo gyrraedd y llwybr i'r gwaith, penderfynasai ei wraig yn drist y byddai'n rhaid iddi fodloni ar dipyn o uwd i frecwast, a rhoes y darn o gig moch yn ei ôl yn y cwpwrdd-dan-grisiau. Yr oedd tamaid o gig moch mor flasus yn y bore, hefyd, ond ar ôl i'r ffŵl yna . . . Taflodd Leusa Jones ei phen ddwywaith neu dair yn ddig, a rhoes gic ffyrnig i'r gath. A hithau wedi meddwl mynd am dro i Gaernarfon heddiw i drio un neu ddwy o'r hetiau newydd hynny yr oedd y ferch wedi addo eu rhoi o'r neilltu iddi! Ond ni allai fynd i le felly heb ei dannedd-gosod.

Galwodd y dyn-llefrith cyn hir.

'Peint, fel arfar, Mrs Jones?'

'Ia, Wmffra.'

Pam yr oedd y creadur â'r wên yna ar ei wyneb?

'Wedi cael damwain, Wmffra. Torri fy nannadd-gosod bora 'ma.'

'Tewch, da chi! Maen nhw'n deud bod Huws 'ma yn un da iawn hefo dannadd-gosod. Mi trwsith o nhw i chi mewn dau funud. Be' ddigwyddodd, Mrs Jones?'

'Y . . . Syrthio ddaru nhw wrth imi'u llnau nhw wrth y feis.'

'Tewch, da chi!'

Wedi golchi a chlirio llestri'r brecwast, aeth Leusa Jones ati i wneud y gwely a thwtio'r llofft. Gan orfoleddu mewn gorthrymderau, daliai'r cloc-larwm i fynd yng nghanol pwll bychan o ddŵr ar lawr y llofft, y dŵr a ddihangodd o wydr y dannedd-gosod. Plygodd Leusa Jones i'w godi a gwelodd rywbeth bach brown ar y llawr wrth ei ymyl. Darn arall o blât ei dannedd-gosod! Go daria, a hithau wedi meddwl mai dim ond hollti'n ddau a wnaethai'r plât! Nid oedd diwedd i brofedigaethau'r dydd.

Curodd wrth ddrws y deintydd am naw o'r gloch i'r funud, ond ni chafodd ateb.

'Dim yn agor tan ddeg,' meddai rhywun a âi heibio, a throes hithau'n ôl yn ddigalon. Un diog oedd yr Huws Dentist 'na, hefyd!

I'r hon sydd yn curo yr agorir, a chafodd Leusa Jones ateb y tro nesaf, am ddau funud i ddeg. Mrs Huws a ddaeth i'r drws.

'Ydi Mr Huws i mewn?'

''I ddiwrnod o yn Llan-rhyd ydi heddiw, Mrs Jones. Fydd o ddim yma byth ar ddydd Iau. Wnewch chi alw bora 'fory?'

''Nannadd-gosod i sy wedi torri, Mrs Huws, a finna isio'u cael nhw ar unwaith, ydach chi'n dallt. Syrthio ddaru nhw wrth y feis.'

'Ydi'r plât wedi torri, Mrs Jones?'

'Ydi, yn ddau . . . y . . . yn dri.'

'Piti. Mi gymer wsnos iddo fo. Mae o'n brysur iawn y dyddia yma.'

'Wsnos!'

'O, hannar munud, Mrs Jones. Newydd gofio bod Huws 'ma yn mynd i ffwr' dros y *week-end* bora 'fory. Fydd o ddim yn agor y *surgery* tan fora Llun. 'Roeddwn i wedi anghofio'n lân am funud.'

'O diar, be' wna' i, deudwch?'

'Rhaid i chi aros tan fora Llun, mae arna' i ofn. Ond mi ofynna' i i Huws 'ma adal i chi 'u cal nhw cyn gyntad fyth ag y medar o.'

Rhoes Leusa gic arall i'r gath pan ddychwelodd i'r tŷ, a dywedodd wrth y dannedd-gosod yn ei llaw, heb flewyn ar ei thafod, nad oedd gan bobl fel yr Huws Dentist 'na ddim hawl i ddianc tros ddiwedd yr wythnos.

Beth a wnâi? Penderfynodd fynd i lawr i Gaernarfon i chwilio am ddeintydd yno. Faint gostiai'r peth tybed? Rhwng chweugain a phunt, y mae'n siŵr. A chan ei bod hi'n mynd i'r dref, gwell oedd iddi gael golwg ar yr hetiau hynny. Trawodd Leusa dair punt yn ei phwrs.

Yr oedd hi ar gychwyn am y bws pan ddaeth i'w meddwl y gallai'r deintydd ei chadw i aros oriau meithion am y dannedd. Gwell oedd iddi daro rhywbeth ar y bwrdd ar gyfer ei gŵr. Beth a gâi? Nid oedd ganddi ddim yn y tŷ, a rhedodd allan i siop Morus Bach, gan ddychwelyd hefo chwarter o frôn. Y brôn ar blât, potelaid o 'nionod wedi eu piclo, torth, ac ymenyn—a dyna'r swper-chwarel yn barod.

Daliodd fws hanner awr wedi deg, ac ynddo eisteddodd wrth ochr Susan, gwraig Huw Lewis.

'Hylô, Leusa,' meddai honno. 'Mynd i'r dre?'

'Ia. 'Nannadd-gosod i 'di torri, hogan.'

'Taw! Sut?'

'Y . . . Syrthio wrth y feis, cofia. Wrth imi'u llnau nhw bora.'

''Rwyt ti'n gneud yn gall yn mynd i'r dre. Un sâl gynddeiriog ydi'r Huws 'na. Fedra i fyta dim hefo'r rhai ges i gynno fo. Huw acw wnaeth imi fynd ato fo. Neb tebyg iddo fo, medda'r cradur wrtha' i, a mi fûm inna'n ddigon o ffŵl i wrando arno fo. Mi ges i sgegiad ofnadwy wrth 'u tynnu nhw, ofnadwy, nes yr o'n i'n sgrechian dros y lle, hogan. Ac wedyn dannadd fydda' i'n dynnu o'm ceg bob tro y bydda' i'n ista' i lawr wrth y bwrdd. 'Dydi'r Huws 'na ddim yn sobor hannar 'i amsar.'

Cychwynnodd y bws, a threuliodd y ddwy ddeng munud difyr iawn yn adrodd profiadau deintyddol. Yna, yn sydyn, cofiodd Susan am helyntion Maggie Jane Ifans a'r gŵr a giliodd i'r Sowth.

'Glywist ti am Now John Ifans?'

'Naddo. Be'?'

'Wedi gadal 'i wraig a mynd i'r Sowth, cofia.'

'Diar annwl, pam?'

'Wel, mi wyddost sut un ydi Maggie Jane—ddim yn codi yn y bora, na gneud bwyd, ac yn galifantio i Gnarfon o hyd. 'Roedd Huw 'cw yn deud mai i'r Sowth ne' rywla y basa fynta'n mynd hefyd 'taswn i yn byhafio yr un fath â hi. Yr hen gnawes iddi, yntê? A Now John yn ddyn bach mor glên a diniwed.'

Aeth Leusa yn syth at y deintydd pan gyrhaeddodd y dref, ond nid oedd ef yn rhydd am hanner awr. Troes i gaffi gerllaw am gwpanaid i ladd amser. Rhoes y ferch a weinyddai arni blatiad o gacenni hefyd ar y bwrdd, ond penderfynodd Leusa Jones wrthsefyll y demtasiwn. Ond yr oedd y cacenni yn rhai neis, rhai neis iawn. Dim ond un fach go feddal, meddai wrthi ei hun, *sponge* fach. A chan fod y nofel hon yn wir bob gair, y mae'n rhaid imi groniclo i'r wraig ddiddannedd a digywilydd hon glirio'r platiad i gyd.

Yr oedd yn wir ddrwg gan y deintydd, ond ni fedrai yn ei fyw addo'r dannedd mewn llai nag wythnos; digwyddai fod yn anarferol o brysur, a thrawyd ei gynorthwywr yn wael yn sydyn. Methu'n lân â dod i ben, Mrs Jones, popeth ar draws ei gilydd. Ond fe wnâi ei orau glas, hyd yn oed petai'n rhaid iddo aros ar ei draed drwy'r nos. Hm, ymh'le y cawsai Mrs Jones y dannedd hyn? Rhai go sâl, yr oedd yn rhaid iddo ddweud, rhai tila iawn. Gallai ddefnyddio rhai ohonynt os dymunai Mrs Jones hynny, ond ei gyngor ef oedd cael set hollol newydd. 'Rhai naturiol fel y rhai hyn, er enghraifft,' meddai, gan ddangos iddi gerdyn â rhes o ddannedd ynghlwm arno. Ni fyddai neb yn gwybod wedyn nad oedd gan Mrs Jones ei dannedd ei hun o hyd. Cytunodd Leusa fod y dannedd yn rhai hardd iawn a'i bod hi wedi meddwl ganwaith mor hyll oedd y rhai a fuasai ganddi hi. Campus, campus; fe ofalai ef y câi hi'r set odidocaf yn y sir, ac os byddai Mrs Jones mor garedig ag eistedd yn y gadair 'na am funud iddo gael cymryd *impression*. . . Thanciw, Mrs Jones, thanciw . . . Diwrnod braf? . . .

Crwydrodd Leusa heibio i'r siop hetiau ar ei ffordd o dŷ'r deintydd, a mawr oedd ei chyffro wrth weld y gair *SALE* ar draws y ffenestr. Siomedig, er hynny, oedd yr hetiau rhad—rhai gwellt i gyd, a hithau wedi meddwl cael un fach ffelt. Ffelt a ddeuai i'r ffasiwn at ddiwedd yr haf ac at yr hydref, ac yr oedd ganddi hi hetiau gwellt lawer gwell na'r un a welai yn y siop. Yr oedd Mrs Jones yn ffodus, meddai'r ferch—stoc o hetiau ffelt, y *very latest,* newydd gyrraedd y bore hwnnw. Treiodd Leusa un fach frown, ac uchel oedd syndod y ferch wrth syllu ar y gweddnewidiad ynddi. Pwy fuasai'n credu bod y fath beth yn bosibl? Edrychai Mrs Jones ddeng mlynedd yn iau, ac ni fyddai ei gŵr yn ei hadnabod. Ond teimlai Leusa fod ei gwallt yn hongian yn syth ac yn hir o dan y mymryn het. Oedd, cytunai'r ferch, yr oedd gwallt Mrs

Jones braidd yn syth a synnai hi iddi ei adael felly a phawb arall yn cael *perm.* Gwallt del hefyd, del iawn; yr oedd hi'n biti garw. Lluniwyd yr hetiau newydd hyn i roi cyfle i ddangos y gwallt, a dyma Mrs Jones hefo'r gwallt neis 'na heb un *wave* ynddo. Barbwr? O, yr oedd un yn syth tros y ffordd, y gorau yn y dref, artist wrth ei gwaith. Gyrasai hi ugeiniau o gwsmeriaid yno, a chanmol digymysg a glywsai gan bob un ohonynt. Wrth gwrs, yr oedd *perm* braidd yn ddrud ac yn cymryd amser, ond fe ddylai merch gael rhyw bleser mewn bywyd, oni ddylai, Mrs Jones? Prynodd Leusa'r het ac yna croesodd y ffordd i siop y barbwr. Lwcus, meddai wrthi ei hun, iddi ddod â digon o arian hefo hi i'r dref.

Hwyliodd merch fingoch a melynwallt tuag ati yn y siop, a chredai Leusa am foment iddi weld y dduwies o'r blaen mewn rhyw ffilm.

'Isio pyrmio fy ngwallt, *please.*'

'Oes gynnoch chi *appointment?*'

'Na, digwydd picio i'r dre wnes i hiddiw a meddwl y liciwn i 'i gael o wedi'i wneud.'

'*Sorry,* ond mae'n rhaid bwcio *in advance.* Mae *perm* yn cymryd tair awr, *you know.*'

'Duwcs annwl!'

Canodd y ffôn a throes y ferch i'w ateb. 'Hylô! Ia?' meddai'n frysiog a phwysig wrth y teclyn yn ei llaw. Yna, wedi iddi ddeall pwy a oedd y pen arall, aeth yn wenau ac yn foesgrymu i gyd. 'O, Mrs Ffoulkes Lloyd! Wnes i ddim recogneisio'ch llais chi o gwbwl . . . O, popeth yn iawn . . . O, piti, piti. *I'm so sorry . . .* Dydd Sadwrn? *Just a minute,* Mrs Ffoulkes Lloyd . . . Medrwn. Deg o'r gloch bore Sadwrn? *Ten o'clock. Very good,* Mrs Ffoulkes Lloyd, *very good. Good-bye. Good-bye,* Mrs Ffoulkes Lloyd.'

Dychwelodd y ferch at Leusa gyda'r newydd na theimlai rhyw Mrs Ffoulkes Lloyd yn dda ac yr hoffai ohirio'i hymweliad tan ddydd Sadwrn. Os dymunai Mrs Jones gymryd ei lle am ddau o'r gloch gallai Madam edrych ar ei hôl. Yr oedd hi'n ffodus iawn i gael Madam ei hun i ofalu amdani, gan mai dim ond rhai cwsmeriaid arbennig —Mrs Ffoulkes Lloyd, er enghraifft—a gâi'r fraint honno.

'Faint ydi o?' gofynnodd Leusa.

'Pob pris. Ond gini ydi'r un gora.'

'Duwcs annwl!'

Addawodd Leusa, er hynny, y dychwelai am ddau o'r gloch ac aeth ymaith i'r tŷ-bwyta lle cawsai'r cacenni blasus hynny yn y bore i gael tamaid o ginio.

Eisteddodd Leusa am deirawr yn siop Madam yn dioddef arteithiau lawer. Aeth ei phen drwy driniaeth ar ôl triniaeth, pob un yn fwy arswydus na'i ragflaenydd, ac yr oedd dychryn yn ei chalon. Ofnai fynd yn sâl â'i gwallt yn rhwym yn y peiriant mawr uwchben, a chofiai fod dihirod yn America yn cael eu dienyddio fel hyn â thrydan. A'r ofn a gurai ddycnaf yn ei chalon oedd y byddai'r oruchwyliaeth yn fethiant llwyr. Ond dyna, yr oedd hi'n rhy hwyr i edifarhau bellach; a wnaed a wnaed.

Cododd Leusa o'r gadair ychydig cyn pump o'r gloch, a'i hofnau wedi dianc a'i gwallt yn donnau hardd fel haearn sinc. Diar, haeddai gwpanaid ar ôl prynhawn mor anturus a chyffrous. Pum munud i bump; gallai ddal bws pump o'r gloch pe brysiai i'r Maes, ond yn wir, heb damaid o fwyd, fe lewygai. Brysiodd eto i'r tŷ-bwyta i adnewyddu ei nerth.

Pan gyrhaeddodd William Jones adref, nid oedd neb i mewn. Rhoes y cloc-larwm ar y dresel, ac yna safodd yn hir wrth y bwrdd yn syllu ar y platiad o frôn a'r botelaid o 'nionod wedi eu piclo. Wedi golchi ei ddwylo wrth y feis, eisteddodd wrth y bwrdd yn hurt, gan gnoi'r brôn yn beiriannol, fel gŵr mewn breuddwyd. Fforciodd ddau o'r 'nionod yn ffyrnig, gan ddyfalu sut y teimlai Now John echnos mewn sefyllfa go debyg. Gwthiodd y brôn a'r botelaid o 'nionod o'r neilltu a bodlonodd ar dorri ychydig o fara-ymenyn iddo'i hun. Penderfynodd hefyd gael cwpanaid o de, ond darganfu nad oedd diferyn o olew yn y stôf. Aeth ati i wneud tân i ferwi'r tegell, a mwynhâi ei drydedd gwpanaid o de pan ruthrodd Leusa i mewn i'r tŷ. Taniodd ei bibell yn araf a ffwndrus, heb edrych arni.

'Wyt ti wedi colli dy dafod, dywed?' gofynnodd hi cyn hir.

'Brôn a phicyls.'

'Y?'

'Brôn a phicyls.'

'Diolcha fod gin ti ddannadd i gnoi picyls.'

Cododd ei lygaid, gan feddwl dweud rhywbeth mawr, ond arhosodd ei geg yn agored fel safn pysgodyn ar ei anadliad olaf, a rhythodd ar ei phen.

'Lle andros yr wyt *ti* wedi bod?'

'Yng Nghnarfon i drio cal trwsio fy nannadd. Ac mi gefis i byrm yr un pryd. Ac mi brynis yno het hefyd, os ydi hynny o ryw ddiddordeb iti.'

Llyncodd William Jones ei boer a chaeodd ei ddannedd yn dynn.

'I b'le'r wyt ti'n mynd?'

'I weld Ifan, 'y mrawd. Ac wedyn, i'r pictiwrs.'

Caernarfon, brôn a phicyls, pictiwrs gyda'r nos—onid dyna oedd y stori am Maggie Jane, gwraig Now John?

'Os ei di i'r pictiwrs 'na heno ar ôl bod yng Nghnarfon drw'r dydd, mi fydda' i'n . . .' Arhosodd, heb wybod yn iawn beth a oedd yn ei feddwl.

'Mi fyddi'n be', mi liciwn i wbod?'

'Yn mynd odd'ma.'

'O? I b'le?'

'I'r Sowth yr un fath â Now John Ifans. At Meri, fy chwaer. 'Rydw i wedi hen flino ar y galifantio 'ma byth a hefyd a'r gorwadd yn y gwely bob bora a'r bwyd rwsut-rwsut 'ma a'r . . . a'r . . . a phopeth. 'Does dim synnwyr yn y peth. Dos di i'r pictiwrs 'na heno, 'nginath i, ac mi a' inna i'r Sowth ddydd Sadwrn. Ac mi arhosa' i yn y Sowth. Am byth.'

Yr oedd hon yn araith go hir i William Jones, a daethai rhyw gryndod dagreuol i'w lais cyn ei diwedd.

'Cadwa dy frôn a dy bicyls,' chwanegodd yn chwyrn wrth godi a mynd o'r gegin tua'r llofft i newid ei ddillad.

Beth a oedd yn bod arno heddiw? gofynnodd Leusa Jones iddi ei hun wrth gychwyn allan i dŷ ei brawd. 'Dos o dan draed, wnei di!' meddai'n wyllt wrth y gath a geisiai ei hatgofio ei bod hithau hefyd, yn anffodus, yn gorfod bwyta. Rhoes glep filain ar y drws wrth fynd allan.

Hen lanc oedd ei brawd, Ifan Davies, yn mynnu byw ar ei ben ei hun i arbed arian. Casglu 'siwrin oedd ei orchwyl, ac er nad oedd yn llwyddiannus iawn yn y gwaith, gwisgai a rhodiai fel pendefig. Dyn tal, main, ydoedd, un araf a phwysig ym mhopeth a ddywedai ac a wnâi. Os dywedai Ifan Davies wrthych ei bod hi'n ddiwrnod braf, gwyddech i chwi glywed ffaith sylfaenol, anhraethol bwysig. 'Ydi, wir, diolch,' fyddai eich ateb, gan deimlo mai ef a drefnasai'r awyr las a'r heulwen ar eich cyfer. Neu os cyhoeddai ei lais dwfn wrthych ei bod hi'n debyg i law, teimlech iddo wneud ei orau glas i drefnu pethau'n wahanol ond i Ragluniaeth—ar ôl ymgynghori ag ef, wrth gwrs—benderfynu'n anfoddog fod glaw yn rhan o'r arfaeth.

Cafodd Leusa ei brawd, â barclod amdano, yn glanhau tatws.

'Newydd ddŵad adra,' meddai ef, 'wedi bod yn Llanrhyd. A meddwl y liciwn i gal tipyn o *chips* i de.'

''Rydw inna'n ffond iawn o *chips*,' oedd sylw Leusa.

Gwyliodd Leusa yr ymdrechion go drwsgl i lanhau'r tatws. Yr oedd ei brawd yn un gofalus iawn, er hynny, meddai wrthi ei hun; nid oedd yn gwastraffu dim. Ni fuasai ganddi hi amynedd i lanhau tatws fel 'na.

'Mae hi isio swllt arall yn yr wsnos,' meddai Ifan Davies ymhen ennyd.

'Pwy?'

'Y ddynas drws nesa' 'ma. A finna'n talu coron iddi hi bob wsnos. Dim ond rhyw ddwyawr bob dydd mae llnau'r tŷ 'ma yn gymryd iddi hi, ac 'rydw i'n gneud fy ngolchi fy hun. Y rhan fwya' ohono fo, beth bynnag . . . Wel, dyna'r rheina. 'Rydw i isio bwyd, hefyd.'

Torrodd y tatws yn fysedd go afrwydd a thrawodd hwy yn y badell-ffrio. Wedi rhoi dŵr yn y tebot, aeth ati i dorri bara-ymenyn. Eistedd i'w wylio a wnâi Leusa, ond cododd Ifan Davies ei ben yn sydyn ac edrychodd tros ei sbectol wrth glywed ei chwaer yn sniffian crio.

'Be' sy, Leusa?'

'William 'cw sy'n gas wrtha' i.'

Chwarddodd Ifan Davies. William Jones yn gas! Ni wyddai y *medrai* William Jones fod yn gas.

'Mi elli di chwerthin, ond . . . ' Arhosodd, a'i theimladau yn ei llethu.

'Ond be'?'

'Mae o am fynd i ffwr' i'r Sowth, medda fo, wedi cal hen ddigon ar fyw hefo mi. A finna'n gneud fy ngora iddo fo.'

Chwarddodd ei brawd eto, ac yna rhoes naid tua'r grât i ofalu am y *chips*. 'Dy William di yn mynd i'r Sowth!' meddai. 'Be' nesa', tybad!'

'Yr un fath â Now John.'

'Pwy?'

'Now John Ifans. Mae o wedi mynd a gadal Maggie Jane. Ddoe.'

'Now John Ifans? Mae arno fo bres 'siwrin i mi. Heb dalu ers deufis. Sut mae cal gafal arno fo, tybad?'

'Wn i ddim, wir.'

Tywalltodd Ifan Davies y *chips* i blât ar y bwrdd a dechreuodd fwyta'n rheibus.

'Dim collad ar 'i ôl o,' meddai, 'dim ond bod y *Company* yn erbyn colli yr un cwsmar. Pedwar wedi mynd y mis yma . . . Be' sy wedi digwydd i'th ddannadd-gosod di?'

'Fo,' meddai Leusa Jones yn floesg.

'William?' Syllodd yn gegagored arni. Nid oedd hi'n bosibl fod ei frawd yng nghyfraith, y gŵr bach diniweitiaf a fu erioed, wedi dirywio'n sydyn a dechrau curo'i wraig. 'William?' gofynnodd eilwaith.

'Ia. 'Roedd o fel dyn gwyllt pan gododd o bora. Wn i ddim be' sy wedi dŵad drosto fo. Na wn i, wir. Rhoi cic i'r bwrdd bach wrth ochor y gwely. 'Roedd y glàs lle'r oedd fy nannadd i yn dipia ar y llawr. Mi es i at Huws Dentist y peth cynta' bora . . .'

'Dyna un arall! Piti imi 'i 'siwrio fo o gwbwl. Bob tro yr a' i yno mae o allan ne'n rhy brysur . . .'

'Fydd o ddim yno tan ddydd Llun, meddai'i wraig o. Felly mi es i i lawr i Gnarfon pnawn 'ma . . . O, wyt ti'n licio 'ngwallt i, Ifan?' A thynnodd ei het.

'Wn i ddim. Faint gostiodd o?'

'Gini, cofia.'

'Duwch annwl!'

'Ac mi brynis i het fach ffelt, y ddela' welist ti 'rioed.'

'Faint oedd hi?'

'Dim ond twelf and lefn.'

'Duwch annwl!' Awgrymai wyneb Ifan Davies iddi ddweud canpunt o leiaf.

'A phan ddois i adra dyma fo'n colli'i dempar yn lân a deud 'i fod o am fynd i'r Sowth.'

'Am iti wario'i bres o fel 'na?'

'Naci. 'Dydi o byth yn poeni llawar hefo pres. Wedi meddwl cal lobscows i'w swpar-chwaral yr oedd o, ac mi aeth yn gacwn gwyllt wrth weld nad oedd 'na ddim iddo fo heno. Be' wyddwn i be' oedd o wedi'i feddwl am gal?'

'Hŷ, hŷ, hŷ!' Daeth pwl o chwerthin dwfn dros Ifan Davies. 'Ac mae William am fynd i'r Sowth, ydi o!'

Rhoes Leusa yr het yn ôl ar ei phen a chododd i ymadael. 'Rhaid imi fynd, ne' mi fydda' i ar ôl,' meddai.

'Nos Iau. Yr hen bictiwrs gwirion 'na, mae'n debyg?'

'Ond mae 'na lun spesial yno heno. Ronald Colman.'

'Pwy?'

Ond ni wastraffodd Leusa amser i egluro ymhellach.

'Lle mae William?'

'Tyt, yn mynd i'r Seiat, mae'n siŵr.'

''Rydw i'n meddwl yr a' inna i'r Seiat heno. Fûm i ddim yno ers tro. Ac mae arna' i isio cael gair hefo Lloyd y Gweinidog ynglŷn â 'siwrio'r ferch 'na sy gynno fo. Hŷ, hŷ, hŷ, William yn mynd i'r Sowth!'

Dechreuodd Leusa hefyd chwerthin, ond cofiodd yn sydyn fod *gwenu* yn fwy addas i un heb ddannedd-gosod. Taflodd ei phen ddwywaith neu dair wrth adael y tŷ, ac yna brysiodd i gyfeiriad y sinema fawr newydd yng ngwaelod y pentref. Wedi galw yn siop Jackson i brynu siocled, talodd am docyn swllt wrth ddrws y sinema a dringodd y grisiau â'i phen yn y gwynt. Suddodd i'r sedd gyffyrddus a thynnodd ei het.

'Diar, 'doeddwn i ddim yn dy 'nabod di, Leusa,' meddai Maggie Jane Ifans, a eisteddai y tu ôl iddi. 'Wir, *mae* o'n neis. Mi ges inna byrm echdoe. Yng Nghnarfon.'

Aeth y golau allan, ac eisteddodd Leusa Jones yn ôl i gael dwyawr o fwynhad digymysg. Nid aflonyddwn arni.

3 *AMYNEDD*

Un o hanfodion nofelydd gwir fawr, meddant hwy, yw'r gallu i ddarlunio cymeriad. Gyda braw, ddarllenydd hynaws, y sylweddolaf imi anghofio tynnu darlun o William Jones, arwr y nofel hon. Brysiaf i gywiro'r diffyg.

Wrth imi geisio dwyn i gof a ysgrifennais eisoes, ofnaf imi gamarwain y darllenydd. Dangosais y gwron yn fyr ei dymer ac yn dweud pethau cas wrth ei wraig ac yn bygwth ei gadael am y Sowth. Rhuthraf i'w amddiffyn. Cwynasai William Jones wrtho'i hun filwaith drwy'r blynyddoedd, gan ddioddef yn dawel a thrist. Pe cawn i fy ffordd, newidiwn y frawddeg 'amynedd Job' yn 'amynedd Job a William Jones'. Neu—a gwell fyth—yn 'amynedd William Jones' yn syml ac yn blaen. Wedi'r cwbl, bu raid i Job gael edliw a dadlau a chau ei ddyrnau, ond pur anaml y gwnâi William Jones bethau felly.

Pam y priodasai ddynes fel yna, ynteu? Wel, y mae'r stori honno yn un go faith ac nid oes gennym le i fanylu arni yma. Wedi dwy flynedd o ymladd yn Ffrainc, dychwelodd William Jones i Lan-y-graig yn dipyn o arwr. Preifat bach fuasai yn y Fyddin, wrth gwrs, un cydwybodol a gweithgar iawn, ond ni feddyliodd neb am daro streipen ar ei fraich. Yna, yn wythnos olaf y rhyfel, syfrdanwyd ardal gyfan gan y newydd i William Jones ennill medal. Cafodd ef a'i fam weddw siwrnai i Lundain ac i blas y Brenin, a gofalai'r hen wraig ddangos y fedal i bwy bynnag a alwai yn y tŷ.

Un nos Sadwrn tua'r amser hwn y dechreuodd gymryd diddordeb yn y ferch siaradus, Leusa Davies. Digwyddai hi deithio wrth ei ochr yn y bws o Gaernarfon, ac yr oedd hi'n sâl—wedi bwyta gormod o hen geriach yn y dref, y mae'n debyg. Gofalodd William Jones yn dyner iawn amdani a'i hebrwng adref y noson honno. Ac ar waethaf cynghorion dwys ei fam ac awgrymiadau pigog Meri ei chwaer, gofynnodd iddi ei briodi. Ac, wedi hen flino ar gybydd-dod ei thad, yr hen Isaac Davies, cytunodd hithau.

Go gyffrous fu'r cyfnod hwnnw ym mywyd William Jones. Daeth Leusa i fyw ato ef a'i fam, a threuliai ein gwron ei oriau hamdden yn ceisio cadw'r ddysgl yn wastad rhwng y ddwy. Ac yn union tros y ffordd iddynt yr oedd cartref Meri a Chrad a'u dau blentyn, Arfon ac Eleri—Meri'n casáu'r Leusa Davies 'na â chas perffaith, a Chrad yn un go fyr ei dymer a diofal ei dafod. Cannwyll llygaid y teulu oedd y babi, Eleri, a manteisiai Leusa ar bob cyfle i'w sarhau trwy ofidio trosti. Dyna biti fod ei choesau braidd yn gam, onid e? A'i gwallt mor syth? A'i thrwyn mor fawr? A'i bod mor araf yn dod i siarad yn eglur? Ac i sylwi ar bethau? Yn wir, pe gwrandawai'r teulu ar Leusa, credent y tyfai Eleri yn rhyw anghenfil. A phrin y gwelai Arfon, y bachgen dwyflwydd, aeaf arall.

Yna penderfynodd Crad adael y chwarel am y gwaith glo. Gwnaeth William Jones—gan hanner-credu mai dianc oddi wrth Leusa yr oedd ei chwaer a'i frawd yng nghyfraith—ei orau glas i'w ddarbwyllo, ond ni wrandawai Crad ar ei ddadleuon. 'Gwynt teg ar 'u hola nhw,' oedd sylw Leusa, gan ymroi i fwynhau ei bywyd fel boneddiges. 'Fel boneddiges', gan mai'r hen wraig a ofalai am lanhau'r tŷ a gwneud bwyd; beth a wnâi Leusa heblaw crwydro a chlebran, ni wyddai neb. Ac felly y bu pethau am ddeng mlynedd, hyd at farwolaeth Ann Jones. Go chwithig y teimlai Leusa hi ar ôl claddu'r hen wraig; yr oedd yn rhaid iddi wneud rhyw gymaint o waith wedyn. Mwy chwithig y teimlai William Jones hi; ni wybuasai fod y fath duniau o fwyd a ffrwythau i'w cael mewn siop. Yr oedd y bwced-ludw yn hanner-llawn o'r taclau bob wythnos, a phur anaml y câi ef bryd o fwyd a fwynhâi mewn gwirionedd. Yn 1929 y bu farw Ann Jones, ac aethai chwe blynedd go annifyr heibio er hynny, chwe blynedd o fyw di-hid a diog ar un llaw ac o amynedd arwrol ar y llall. Teg â'r gwron yw croniclo'r ffeithiau hyn.

Ond yn ôl at y darlun o William Jones. Uwchlaw coesau disylw iawn, corff cymharol lydan a graenus ar waethaf ymdrechion Leusa i'w newynu. Pen bychan ar wddf byr; gên go grwn, heb fawr o benderfyniad ynddi; gwefusau llawn, rhadlon; trwyn braidd yn smwt; llygaid mawr, breuddwydiol dan aeliau trwchus; talcen llydan yn ymestyn i ddwy fodfedd o foelni y ceisiai'r perchennog ei guddio trwy gribo'i wallt tenau, brith, i lawr arno; corun moel. Dyna William Jones, yn ŵr tros ei hanner cant. Manylais gan fwriadu cael fy nghyfrif ymhlith y nofelwyr mawr.

Ei ddillad? Fel rheol, het galed ddu am ei ben; siwt nefi blŵ bob gafael; coler las a thei du; esgidiau duon a sanau tywyll. Gwnâi Leusa ymdrech deg weithiau i'w gael i brynu dillad gorau ac esgidiau brown, ond methiant fu pob dadl a phob her.

Dyn bychan oedd William Jones. Ni chofiaf yn iawn beth a ysgrifennais wrth ei ddilyn ef a Now Portar. Os dywedais ei fod yn brasgamu wrth ochr Now, yna gwneuthum gamgymeriad dybryd. Ni frasgamodd William Jones erioed, ac ni frasgama byth. Am y rheswm syml fod ei goesau'n rhy fyrion i wneud y fath beth. Ni wisgodd erioed siwt redi-mêd, er iddo chwilio'n ddyfal yn siopau'r dref am ddillad felly. Y gôt a'r wasgod yn ei ffitio i'r dim bob tro, ond y llodrau fodfeddi'n rhy hir. Nid oedd dim amdani ond mynd at Williams y teiliwr i gael ei fesur ac i glywed yr un ffraethineb barfog am adael i'r pentref dynnu ei goes yn amlach. Sut y camodd William Jones mewn rheng o filwyr oedd yn ddryswch mawr, a bu'n destun trafodaeth adeiladol iawn yn y Bwl un noswaith. Rhoi dau gam am bob un i'r lleill oedd barn bendant Twm Bocsar ar ôl ei bumed peint, ac ni feiddiai neb o'r cwmni anghytuno â Thwm.

Gadawsom ein gwron ar ei ffordd i fyny'r grisiau i newid ei ddillad. Sylweddolodd, ac yntau ar y chweched gris, fod ei esgidiau hoelion mawr am ei draed o hyd. Yr argian fawr, beth a ddywedai ei fam druan, petai hi'n fyw? Camodd i lawr yn ysgafn ac aeth i eistedd yn y gadair freichiau wrth aelwyd y gegin. Tynnodd yr esgidiau, ac yna syllodd yn chwyrn ar y botel bicyls. Wrth gwrs, rhyw greadur go ryfedd oedd Now John, yn yfed yn wastadol, ond cydymdeimlai William Jones ag ef y tro hwn. Diawch, yr oedd yntau hefyd wedi bygwth mynd i'r Sowth. Dydd Sadwrn, os âi Leusa i'r pictiwrs heno. Ond ni fyddai hi mor ffôl â hynny. Dim perygl!

Aeth i fyny'r grisiau eilwaith, ac wedi iddo newid a chychwyn i lawr yn ei ôl, tybiodd y clywai besychiad yn y gegin. Pan gyrhaeddodd yno, dyna lle'r oedd Bob Gruffydd, ei bartner, yn eistedd yn y gadair freichiau.

'Wyt ti'n dŵad i'r Seiat, William?' gofynnodd.

'Ydw, fachgan. Ond mae hi'n ddigon buan, on'd ydi?'

'Ydi. Lle mae Leusa gin ti?'

'Wedi rhedag i dŷ Ifan, 'i brawd. Rhywun wedi deud wrthi nad ydi o ddim hannar da.'

'Taw, fachgan!'

'Ia. 'I. . .'i. . .'i 'stumog o.'

'O. Ydi o yn 'i wely?'

'Y. . .ydi, ers oria. Mi fuo'n rhaid i Leusa fynd ar frys—heb glirio'r bwrdd na dim.'

Aeth William Jones i'r gegin fach i nôl ei esgidiau ysgeifn. Daria unwaith, heb eu glanhau! Rhwbiodd gadach yn frysiog trostynt a dychwelodd i'r gegin i'w taro am ei draed. Syllodd yn eiddigus ar y gloywder ar esgidiau ei bartner.

'Wel, mi awn ni'n ara' deg, Bob,' meddai.

Nifer bach a oedd yn y Seiat—rhyw ddwsin o wŷr, hanner dwsin o ferched, a phedwar neu bump o blant anfoddog eu trem. Y mae'n debyg y cytunai'r plant â barn Robert Gruffydd ei bod hi'n hen bryd 'gwneud i ffwrdd' â'r Seiat.

Daeth Ifan Davies dal a phwysig i mewn ar ganol yr

emyn cyntaf, a theimlai William Jones yn bur anghysurus. Taflodd olwg slei i gyfeiriad ei bartner, ond ymddangosai ef fel petai wedi anghofio bod Ifan Siwrin yn ei wely'n sâl. Un anghofus iawn oedd Robert Gruffydd, meddai William Jones wrtho'i hun.

Wmffra Roberts oedd prif areithiwr y Seiat. Gan na weithiai'r hen frawd bellach yn y chwarel, treuliai ei ddyddiau'n traddodi areithiau seiatyddol wrtho'i hun hyd y lle, gan ymbaratoi'n gydwybodol iawn ar gyfer y brodyr a'r chwiorydd yn Siloh. Gallai Mr Lloyd y Gweinidog fod yn berffaith sicr y llanwai Wmffra Roberts chwarter awr o amser y Seiat, a bendith fawr oedd hynny a'r cwmni'n un mor dawedog. Yn wir, pan oedd Wmffra'n wael yn ystod y gaeaf, gwaith anodd iawn fu cadw'r cyfarfod ymlaen, gan mai gwŷr wedi eu breintio â'r ddawn o ysgwyd eu pennau oedd y mwyafrif. Ni roddid i William Jones gyfle hyd yn oed i hynny; gwyddai'r gweinidog na themtiai holl aur Periw a pherlau'r India bell y gŵr bach i godi ar ei draed a 'dweud gair'. Ond yr oedd ganddo galon heb ei hail, meddai Mr Lloyd wrtho'i hun yn ystod yr ail emyn, a gwnâi byth a hefyd gymwynas â rhywun a oedd yn sâl neu mewn trallod. Trueni bod ei wraig yn un mor . . . Ond dyna, hawdd iawn oedd beirniadu ein cyd-ddynion, onid e? Gwenu ar y cyfiawn a'r anghyfiawn, gwenu'n batriarchaidd a maddeugar, oedd polisi Edward Lloyd. 'Parhaed brawdgarwch' oedd arwyddair ei fywyd, a gallai ymffrostio na chwythasai i'w eglwys erioed un awel groes. Yr oedd hyd yn oed y cythraul canu'n addfwyn a brawdol yn Siloh.

'Y brawd Ifan Davies, gawn ni air bach gynnoch chi? . . . Dowch, frawd, dowch, gair bach.'

Dywedodd Ifan Davies ei bod hi'n fraint fawr i'r saint gael cyfarfod yn y deml fel hyn. Lle bynnag yr oedd dau neu dri o'r ffyddloniaid . . . Yr oedd bywyd yn beth ansicr iawn; fe welai ef hynny yn ei waith bob dydd. Ond diolch am Ras, onid e? Diolch am y drefn i achub holl drueiniaid y byd. Meddiannu darfodedig bethau'r llawr oedd uchelgais llawer un, heb gofio bod y gwyfyn a'r rhwd yn llygru cyfoeth a bod pleserau'r byd yn diflannu fel y mân us a chwâl y gwynt ymaith. Nid oedd ond rhyw ugain ohonynt yn y Seiat, ond diolch fod ugain â'u traed ar y llwybr cul, yn chwilio am y manna yn yr anialwch . . . Teimlai William Jones y rhoddai lawer am fedru siarad fel ei frawd yng nghyfraith. Cawsai yrfa ddisglair yn y *Band of Hope* ac yn y *Penny Reading*—fel canwr ac adroddwr a storïwr—ond ni fedrai yn ei fyw ymwroli digon i areithio yn y Seiat. Cadwodd ei gannwyll dan lestr, er iddo lunio llawer araith ysgubol yn ddistaw bach wrtho'i hun. Y drwg oedd fod meddwl William Jones yn anniddig os nad oedd ystyr geiriau'n berffaith glir iddo. Yr oedd llu o eiriau na fedrai ef yn ei fyw eu deall. Y gair 'gras' er enghraifft. Deuai hwnnw i mewn yn aml i'w areithiau ysgubol, ond petai rhywun yn dechrau ei holi'n fanwl yn ei gylch, gwyddai y deuai atal-dweud i'w leferydd. A bu William Jones o'r herwydd yn rhy onest i stwnsian yn y Seiat.

I'r un perwyl ag Ifan Davies y siaradodd dau arall, a theimlai Mr Lloyd yn ddiolchgar iddynt am lenwi'r chwarter awr cyntaf o brofiadau; neilltuasai ef yr ail chwarter awr ar gyfer huodledd parod Wmffra Roberts.

Pan gyrhaeddodd William Jones y tŷ, taflodd olwg eiddgar drwy ffenestr y gegin, ond caledodd ei wyneb ar unwaith. Aeth i eistedd eto yn y gadair freichiau, gan syllu'n ddicllon ar y botel bicyls a deyrnasai o hyd ar ganol y bwrdd. Hylô, yr oedd y plât lle buasai'r brôn yn wag, ac edrychai'r gath yn bur euog pan droes ei meistr ati. 'Mi wnest yn iawn, yr hen gariad,' meddai wrth ei harwain i'r gegin fach am lymaid o lefrith. Ymh'le yr oedd Leusa, tybed? Os aeth hi i'r sinema 'na heno, yna. . . Yna beth? Mewn tymer wyllt peth go hawdd oedd bygwth mynd i'r Sowth, ond yn awr, â'i feddwl yn dawelach, ni theimlai fod gwrhydri Now John Ifans ganddo ef.

Clywodd sŵn traed ar lechi'r cefn, ac yna rhoes Robert Gruffydd ei ben i mewn.

'Bron imi ag anghofio'n lân, fachgan.'

'Anghofio be', Bob?'

'Isio dy help di, os byddi di mor garedig. Alun 'cw yn tyfu, fel y gwyddost ti, a dim lle gynno fo yn y llofft i gadw'i ddillad. Finna'n meddwl symud y jest o drôrs i'w lofft o. Os ca' i dy help di, William.'

'Â chroeso, Bob. Mi ddo' i hefo chdi ar unwaith.' Ac i ffwrdd â'r ddau.

Pan glywodd hi sŵn tuchan a stryffaglio yn y llofft, rhuthrodd Jane Gruffydd i fyny'r grisiau.

''Neno'r dyn, be' ydach chi'n drio'i wneud?' gofynnodd i'w gŵr.

'Symud y jest o drôrs 'ma, Jane.'

'Felly yr ydw i'n gweld.' A phlannodd ddau lygad aruthr arno.

'Meddwl 'i rhoi hi yn llofft Alun. Ond prin y medrwn ni 'i symud hi.'

'Dim rhyfadd, a phob drôr yn llawn o ddillad a blancedi a phetha!'

'Ia, yntê! Wnes i ddim meddwl am wagio'r drôrs, hogan.'

'A 'dydach chi ddim yn mynd i wagio'r drôrs chwaith, mi ofala' i am hynny. Be' ydach chi'n feddwl ydw i yn fy nhŷ fy hun? Ornament? Beth petaswn i'n dŵad i'r chwaral i ddangos i chi sut mae rhedag y lle?'

Troes Robert Gruffydd ei gefn ar ei bartner, a thynnu ystumiau ar ei wraig. Ond ni chymerodd hi yr un sylw ohonynt.

'Dŵad i mewn o'r cefn a chlywad sŵn rhwbath yn cal 'i lusgo yn y llofft 'ma. Ydach chi'n dechra drysu, ddyn?'

'Alun yn tyfu ac isio lle i gadw'i betha.' A cheisiodd Robert Gruffydd eto daflu winc anferth ar ei wraig.

'Cadw'i betha, wir! Beth petaswn i'n deud wrthach chi fod gynno fo *dressing-table* yn 'i lofft a bod un drôr ynddo fo'n hollol wag?'

'Y?' Yr oedd y ffaith anhygoel hon yn ddigon i Robert Gruffydd agor ei geg a'i dal hi'n agored am funud cyfan.

'Dowch i gal eich swpar, ddyn,' meddai ei wraig, 'rhag ofn i chi gymryd yn eich pen i ddechra symud y gwely 'ma i lawr i'r parlwr.'

Wedi iddynt gyrraedd y gegin, cychwynnodd William Jones am y drws yn o frysiog. Teimlai iddo yntau hefyd bechu, er na wnaethai ond rhoi help llaw i'w bartner.

'Paid â mynd, William, ne' mi fydda' i yn cal coblyn o row, wsti. Cymar smôc yn y gadair 'na am funud. Mi a' i i olchi 'nwylo.'

Brysiodd Robert Gruffydd allan i'r cefn, ond arhosodd yn y gegin fach ar ei ffordd.

'Yr wyt ti yn un ddwl, hefyd!' sibrydodd wrth ei wraig. 'Isio rhyw esgus i'w gal o yma yr oeddwn i.'

'I be'?'

'Iddo fo gal tamad o swpar hefo ni. Dim ond tipyn o frôn gafodd o pan ddath o o'r chwaral. Ac mae'r bwrdd heb 'i glirio o hyd.'

Wedi golchi ei ddwylo, dychwelodd i'r gegin, a dilynodd Jane Gruffydd ef a dechrau gosod y bwrdd.

'Gymwch chi damad o swpar hefo ni, William Jones?' gofynnodd.

'Dim diolch, mae'n rhaid imi fynd. Mi fydd Leusa yn fy nisgwyl i.'

'Ond mae gin i rwbath arbennig heno. Ffa wedi'u berwi fel y bydda Mam yn 'u berwi nhw. Un o Sir Fôn oedd Mam, ac mi fydda'n berwi ffa hefo tamad o gig moch bob amsar. Mae'n rhaid i chi drio platiad bach.'

Mwynhaodd William Jones y ffa'n fawr iawn; yn wir, bwytaodd ddau blatiad ohonynt gyda blas, a throes tuag adref yn teimlo'n llawer hapusach. Pan gyrhaeddodd y Stryd Fawr, llifai tyrfa'r sinema hyd y ffordd. Byddai Leusa gartref erbyn hyn, y mae'n debyg, a châi hi glywed un neu ddau o wirioneddau pwysig ganddo. Yr oedd yn hen bryd iddo ddangos ei awdurdod a phrofi ei fod yn frenin yn ei dŷ ei hun.

Ond nid oedd hi yn y tŷ. Dechreuodd glirio'r bwrdd, ond cofiodd y byddai angen swper ar Leusa. Ysmygodd yn fyfyriol wrth yr aelwyd, gan syllu'n freuddwydiol o amgylch y gegin. Ia, hawdd iawn oedd bygwth mynd i'r Sowth. Yma, yn y gegin hon, y chwaraesai wrth draed ei fam, ef a Meri ei chwaer; yma yr oedd ei atgofion, ei fywyd oll. Yma. . . Clywodd gamau cyflym Leusa yn y cefn.

'Lot yn yr hen siop *chips* 'na,' meddai. 'Ac mi fu'n rhaid imi aros.'

Ni ddywedodd William Jones air, dim ond syllu'n ddig arni'n gwagio cydaid o *chips* i bowlen. Swper go wahanol i'r un a gawsai Bob Gruffydd, meddai wrtho'i hun.

'Lle buost ti, Leusa?'

'Yn y pictiwrs, debyg iawn. *Any objection*?'

'Mi wyddost be' ddeudis i cyn iti fynd yno.'

'Gwn.' A chwarddodd Leusa'n uchel.

'Be' sy?'

'Mi ddeudis i wrth Ifan, ac 'roeddan ni'n dau yn chwerthin nes oeddan ni'n sâl. 'Roedd Ifan yn 'i ddybla.'

Soniais mai gŵr mwyn a thawel oedd William Jones a phwysleisiaf hynny yn awr, yn yr argyfwng hwn yn ei hanes. Nid oedd yn ei galon na malais na chenfigen tuag at undyn byw. Na, y mae'n rhaid imi dynnu'r geiriau yna'n ôl ar unwaith; ni allai ei gariad brawdol gofleidio'i frawd yng nghyfraith, Ifan Davies. Yn wir, a bod yn onest, yr oedd yn ei gasáu. Y mae gan bob un ohonom ei feddyliau cudd, y rhai hynny y gwnawn ymdrech deg i'w cuddio â gwên-wneud wrth sôn am rywun neu rywbeth diflas. Corddai teimladau a meddyliau annifyr yn ymysgaroedd William Jones bob tro y deuai Ifan Siwrin i'w olwg neu i'w sgwrs, er iddo wneud ei orau glas i fod yn gyfeillgar tuag ato. Dywedasai ganwaith mai arno ef ei hun yr oedd y bai, a phenderfynasai droi wyneb hoffus at ei frawd yng nghyfraith y tro nesaf y gwelai ef. Ond methiant fu pob ymdrech—ei wyneb yn teimlo fel darn o does ar ei waethaf a'i lais yn swnio'n wan ac ymhell. Ac yr oedd clywed am Ifan Davies yn ei ddyblau'n chwerthin am ei ben yn gwneud iddo gau ei ddyrnau a llyncu ei boer.

'Tyd at dy swpar,' meddai Leusa, yn rhannu'r *chips* rhyngddynt.

Y mae'n rhaid imi, i fod yn eirwir, groniclo ateb William Jones.

'Cadw dy blydi *chips,*' meddai. A thynnodd ei esgidiau'n ffyrnig a'u taflu o dan gadair cyn brysio o'r gegin ac i fyny'r grisiau.

Dyma ddiwedd y bennod hon. Ond ni allaf ei gollwng o'm dwylo heb wneud un ymgais arall i amddiffyn William Jones. Gwn, ddarllenydd hynaws, dy fod yn codi dy ddwylo mewn braw a ffieidd-dod, gan benderfynu llosgi'r llyfr rhag ofn iddo lygru moesau dy geraint a'th gyfeillion. Yn gyntaf, hoffwn gyhoeddi'r ffaith mai dyma'r *unig dro yn ei fywyd* i William Jones ddefnyddio'r gair anfelys a ysgrifennais uchod. Ymh'le y daethai o hyd i'r gair, ni wn, oni chlywsai ryw feddwyn yn ei adrodd yn ddifeddwl ryw nos Sadwrn. Y mae'n rhaid bod y gair yn ymguddio'n slei yn un o gilfachau ei feddwl ac, ar ôl hen flino ar anghofrwydd anhyglod, wedi penderfynu ennill amlygrwydd sydyn a beiddgar. Yn ail, cawsai ein gwron ddiwrnod anniddig iawn, ac yr oedd pall hyd yn oed ar amynedd William Jones. Sut y teimlet ti, gyfaill mwyn, yn yr un sefyllfa? Mi wn y buaswn i—ond dadl go wan yw'r gymhariaeth honno, gan na'm bendithiwyd i ag amynedd o gwbl.

Dywedodd rhyw ddyn mawr—nid wyf yn sicr nad myfi oedd y gŵr hwnnw—fod gan bawb ei deimlad. A gawn ni gofio'r gwirionedd sylfaenol hwnnw wrth farnu William Jones?

4 *GOLDEN STREAK*

'Gŵr mwyn' y gelwais i William Jones, onid e? Credaf fod y disgrifiad yn un cywir a theg, ond yn wir, wrth imi fanylu ar ei hanes cythryblus, y mae'n rhaid imi gyfaddef bod cysgodion o amheuaeth yn tueddu i grynhoi yn fy meddwl. Efallai am fod y gair drwg a ddefnyddiodd cyn troi i'w wely wedi rhoi ysgytiad go arw imi.

Disgwyliwn i'r 'gŵr mwyn' fynd ar ei liniau wrth ei wely a chrefu am faddeuant iddo ef ei hun ac i'w wraig. Hoffwn pe medrwn gofnodi hynny, ond y mae'n rhaid imi gadw at y ffeithiau. Na, yn syth i'w wely, gan deimlo'n ffyrnig at y byd a'r betws, yr aeth William Jones. Gwelai drwy'r ffenestr aur a phorffor y machlud ym mhellterau nef y gorllewin, ond ni chymerodd yr un sylw o ogoniant yr hwyrddydd. Gorweddodd ar ei ochr dde, yna ar ei gefn, yna ar ei ochr chwith, ond ni allai gysgu. Arhosodd Leusa i lawr yn o hwyr, yn mwynhau rhyw nofel Saesneg am wraig a chanddi gariad ar y slei, a chymerodd ei gŵr arno chwyrnu'n groch pan ddaeth hi i'w gwely. Syrthiodd Leusa i gysgu ar unwaith, gan freuddwydio am Ronald Colman yn ei hachub o grafangau William Jones, ac aeth y gŵr mwyn ac amyneddgar wrth ei hochr ati i gyfrif defaid. Yr oedd wedi corlannu dau gant tri deg a naw pan ddechreuodd genau Leusa gynhyrchu sŵn go angherddorol. Chwyrnu yw enw'r sŵn pan ddaw o enau dynion, ond gan na chwyrnodd un ferch erioed, ni ddyfeisiwyd enw arno pan fo'n deillio o'i genau hi. Collodd William Jones ei afael yn y ddafad nesaf, ac aeth y cwbl i gyd, fel defaid William Morgan, ar grwydr. Bodlonodd wedyn ar gyfrif tipiadau'r cloc, ond yr oedd anadlu trwm Leusa fel pe'n mynnu gwrthod cadw amser gyda'r cloc.

Ia, peth hawdd oedd bygwth mynd i'r Sowth, ac nid rhyfedd bod Ifan Siwrin yn chwerthin am ei ben. Beth a wnâi ef yn y Sowth, yng nghanol y paganiaid powld a swnllyd a oedd yn byw ar draws ei gilydd yn hagrwch cymoedd culion? Eto, rhoddai Meri ei chwaer air da i Fryn Glo, y lle a ddewisasai hi a Chrad a'r plant i fyw ynddo. Ond heb waith yr oedd cannoedd yno, a Chrad yn eu plith, a heb waith, efallai, y byddai yntau ped âi. Efallai? Na, byddai'n fwy na thebyg, gan na wyddai ef ddim am dorri glo. Ac eto . . .

Clywodd gloc y gegin yn taro un o'r gloch. Beth a wnâi Now John Ifans yn y Sowth, tybed? Twt, ni fyddai'n ddim gan hwnnw gardota hyd yr ystrydoedd ond iddo gael arian i yfed. Ond ni allai ef, William Jones, fyw bywyd felly. Na, ffolineb oedd bygwth fel y gwnaethai; fe wellhâi pethau yfory, byddai Leusa'n diwygio, a'i fyd ef yn llawer esmwythach.

Llithrodd i gysgu cyn hir, a breuddwydiodd fod Ifan Siwrin yn ei arwain fel mwnci wrth gadwyn drwy gwm poblog yn y Sowth. Dilynid hwy gan dyrfa fawr yn chwerthin am ei ben ac yn taflu wyau drwg ato. Crechwen Leusa oedd yr uchaf, a gwelai hi yn ymwthio drwy'r dorf ac yn lluchio dyrnaid o *chips* i'w wyneb. Deffroes, yn chwys i gyd, i wrando ar y cloc yn taro pedwar ac ar Leusa'n dal i anadlu'n swnllyd wrth ei ochr.

Wedi rhyw awr o droi a throsi penderfynodd godi. Rhuthr gwyllt oedd hi arno ef bob bore fel rheol, a dyma gyfle, meddai wrtho'i hun, i baratoi brecwast blasus a chymryd amser i'w fwynhau ac i gael mygyn braf uwch cwpanaid o de. Chwarter wedi pump, meddai cloc y gegin. Wedi cynnau tân a chludo'r pethau i'r bwrdd, eisteddodd yn y gadair freichiau i aros i'r tegell ferwi. Rhyfedd fel y collasai'r gegin ei graen yn ddiweddar! Cofiai'r cadeiriau a'r dresel a'r jygiau copr arni a'r canwyllbrenni ar y silff-ben-tân, y cwbl yn sglein i gyd. Ond yn awr, llwch ar bopeth. Hylô, onid arferai pum pâr o ganwyllbrenni addurno'r silff-ben-tân? Nid oedd ond tri yno yn awr, ac yr oedd ef yn berffaith sicr . . . O, Leusa wedi eu rhoi o'r neilltu, y mae'n debyg . . . Gormod o waith i'w glanhau—er nad oedd llawer o ôl rhwbio ar y rhai hyn. Ac eto . . .

Torrodd fara-ymenyn ac yna trawodd ddarn o gig moch yn y badell ffrio. Os na chodai Leusa i wneud bwyd iddo yn y bore, fe ofalai ef amdano'i hun. O, gwnâi. Penderfynodd gael wy hefyd, ond er dyfal chwilio yn y gegin fach ac yn y cwpwrdd dan y grisiau, ni ddarganfu un. Dim gwahaniaeth, dim ots o gwbl.

Yr oedd ar ganol ei frecwast pan chwalwyd y distawrwydd gan sŵn y cloc-larwm yn y llofft. Gwenodd. Ni wnâi ddrwg i Leusa gael ei hysgwyd allan o'i chwsg swnllyd. Cig moch da. Pur flasus. Clywodd gamau brysiog yn dod i lawr y grisiau, ac agorodd ei lygaid yn llon. Leusa yn diwygio o'r diwedd!

'Be' sy?' gofynnodd hi pan ddaeth i mewn i'r gegin yn ei choban.

'Y?'

'Yr hen gloc 'na yn fy neffro i, a dim golwg ohonat ti yn y llofft.'

'Mi godis i cyn i'r larwm fynd.'

'Pam na fasat ti'n symud y nobyn ar ben y cloc 'ta? A'r doctor wedi deud wrtha' i . . . '

'Doctor?'

'Mi es i ato fo'r diwrnod o'r blaen. Peidio ag ecseitio, medda fo.'

'O.'

Troes yn ei hôl tua'r grisiau, gan daflu ei phen a cheisio ymddangos yn urddasol yn ei choban.

'Leusa!'

'Ia?'

'Sawl pâr o ganwyllbrenni oedd gynnon ni ar y silff-bentân 'ma?'

'Pump.'

'Dim ond tri sy 'na 'rŵan.'

'Gormod o waith llnau arnyn nhw o lawar.'

'Lle mae'r lleill?'

'Mi gwerthis i nhw.'

'O? I bwy?'

'I ryw ddyn o Fangor ddaru alw yma. 'Roedd o isio prynu'r dresal, ond mi wrthodis i. Dyn clên iawn.' A diflannodd Leusa i fyny'r grisiau.

Torrodd William Jones frechdanau ar gyfer ei dun-bwyd yn hamddenol, a chwiliodd eto yn y gegin fach ac yn y cwpwrdd dan y grisiau am rywbeth blasus i'w roi rhyngddynt. Tamaid o gaws go sych oedd ffrwyth yr ymchwil.

'Be' sy hiddiw, William?' oedd cwestiwn Bob Gruffydd iddo yn y wal wedi ysbaid hir o dawelwch rhyngddynt.

'Dim byd. Pam?'

'Dy weld di'n o dawal a phell, fachgan. Ydi'r hen ddannodd 'na yn dy boeni di?'

'Ddannodd?'

'Huw Lewis yn deud dy fod ti isio tynnu dy ddannadd. Ac isio imi dy berswadio di i fynd at Huws Dentist. Ond gair go sâl ydw i'n glywad i hwnnw, wir. Mae'r dyn yn yfad yn o drwm, meddan nhw.'

'Yr ydw i'n drofyn mynd ers tro, Bob. Ond i Gnarfon yr a' i, mae'n debyg. Maen nhw'n fy mhoeni i'n o arw hiddiw.'

Rhoes Robert Gruffydd y gyllell-naddu heibio a chododd oddi ar y drafel.

'Wyt ti am ddŵad i lawr i'r twll, William?'

'Mi ddo' i ar dy ôl di, Bob, wedi imi orffan hollti'r clytia yma.'

'O'r gora.'

Tawelwch i feddwl a geisiai William Jones. Beth arall a roes Leusa i'r dyn hwnnw o Fangor, tybed? Pam y cuddiasai hi'r peth rhagddo ef? Cofiai mor falch oedd ei fam o'r canwyllbrenni hynny ac fel y glanhâi hwy'n gyson. Dyna a drawai ddyn pan âi i mewn i'r gegin—y triongl hardd o ganwyllbrenni ar y silff-ben-tân. Pam y gwerthasai Leusa hwy? Rhoddai ef arian da iddi bob wythnos—yn wir, ei gyflog bron i gyd—ac ni wariai hi lawer ar fwyd iddo ef, yr oedd hynny'n amlwg ddigon.

'Wedi gwneud eich meddwl i fyny, William Jones?' Huw Lewis oedd wrth geg y wal.

'Am be', Huw?'

'Y dannadd 'na.'

'Wel, naddo, wir, fachgan. Maen nhw'n . . .'

'Mi fydda' i'n gweld Huws heno, mae'n bur debyg. Fasach chi'n licio imi wneud apwyntment i chi? Be' am nos Lun?'

'Wel, na, yr ydw i am ohirio'r peth, Huw. Mae'r boen wedi mynd, fachgan, ac mae'n well imi . . .'

'Gadewch imi gael 'u gweld nhw.' Ac aeth Huw ar ei gwrcwd o flaen William Jones.

'Y nefoedd fawr!' meddai mewn dychryn pan agorodd y gŵr â'r ddannoedd ei geg.

'Be', Huw?'

'Paiarïa!'

'Y?'

'Paiarïa.' Ac ysgydwodd Huw ei ben yn drist, gan edrych fel un a welai ŵr condemniedig ar ei ffordd i'r grocbren.

'Be' 'di hwnnw, Huw?'

'Gadwch imi'u gweld nhw eto, William Jones.'

Rhythodd ar y dannedd, ac yna rhoes ebychiad o ryddhad.

''Dydi hi ddim yn rhy hwyr,' meddai. 'Gwenwyn ydi'r paiarïa 'na, ond 'dydi o ddim wedi cal gafal yn eich cês chi. Mi fyddwch yn iawn, William Jones, ond i chi 'u tynnu nhw ar unwaith. Mi wna' i apwyntment i chi ar gyfar nos Lun os medar Huws eich ffitio chi i mewn. Peth ofnadwy ydi'r paiarïa 'na, wyddoch chi. Pobol yn marw hefo fo bob wsnos a nhwtha ddim yn gwbod 'i fod o arnyn nhw. 'Roedd Huws yn deud wrtha' i . . .'

'Mae'n rhaid imi fynd i'r Cwarfod Gweddi nos Lun, Huw.'

'O. Nos Fawrth 'ta.'

'Na, yr ydw i wedi . . . wedi addo rhoi help i Bob 'ma i . . . i drwsio'r tŷ.'

'Wel, mi siarada' i hefo Huws heno i weld pryd y medar o'ch ffitio chi i mewn. Mi ro' i wbod i chi fora Llun, William Jones.'

'Dyna chdi, fachgan.'

Wedi i Huw Lewis ei adael, suddodd eto i fyfyr dwys. Oedd, yr oedd pethau'n mynd o ddrwg i waeth yn ei hanes ef a Leusa, ac yr oedd hi'n hen bryd iddo wrthryfela, taro'i ddwrn ar y bwrdd, dangos ei awdurdod, rhoi ei wraig yn ei lle. Cofiai'r tro hwnnw yn y fyddin pan ddywedodd wrth y sarsiant am feindio'i fusnes. Disgwyliasai gael wythnos o garchar am ei haerllugrwydd, ond ni wnaethai'r sarsiant ond agor ei geg ac yna troi ymaith fel un a welsai ddwsin o ysbrydion. Dyna'r ffordd i drin rhywun fel Leusa, yn lle rhoi i mewn iddi o hyd, o hyd. Pan âi adref heno . . .

Yr oedd hi'n 'greisis', chwedl y pregethwyr, yn hanes William Jones. Darllenais rywdro yn rhywle am hen fynach yn ei gau ei hun yn ei gell i droi a throsi'n noethlymun ar wely o ddrain. Felly y teimlai William Jones yn unigrwydd ei wal, er bod trowsus melfaréd a chrys gwlanen amdano. Ei feddyliau ef a droai ac a drosai'n ddiorffwys, a holltai'r clytiau o gerrig yn beiriannol hollol, gan nodio'n freuddwydiol ar hwn a'r llall a âi heibio ar eu ffordd i'r twll. Cododd oddi ar ei blocyn o'r diwedd yn benderfynol o ddangos i Leusa pwy oedd pwy a be' oedd be'.

Teimlai'n sychedig, a phenderfynodd fynd i'r caban am ddiod o ddŵr; câi air hefyd â'r hen Ddafydd Morus a ofalai am y lle. Dyna i chwi gymeriad! meddai William Jones wrtho'i hun ar ei ffordd drwy'r bonc. Trigai'r hen frawd ar ei ben ei hun ar fin y pentref, a thalai'r gwaith gyflog bychan iddo am ofalu am y caban; derbyniai hefyd geiniog y pen yr wythnos gan aelodau'r caban. Fel 'Dafydd Gwen' yr adwaenai pawb ef, gan mai ei gwmni gwastadol oedd ei gath, Gwen. Cludai hi i'r chwarel bob dydd mewn basged o dan ei fraich, a siaradai â hi o fore tan nos. Cafodd William Jones ef yn pwyso ar goes ei frws llawr ac yn siarad â Gwen a eisteddai ar gongl un o'r byrddau; gan fod yr hen frawd yn bur drwm ei glyw, ni chlywsai'r sŵn traed yn nrws y caban.

'Waeth gin i be' ddeudi di,' oedd y geiriau a ddaeth i glustiau William Jones, 'ond 'tydi'r byd 'ma ddim yn mynd yn well wrth fynd yn waeth. Ydi o?' Ni wyddai'r gath. 'Faint oedd yn y Cwarfod Gweddi nos Lun? Y?' Ni chofiai Gwen. 'Wel, mi ddeuda' i wrthat ti. Deg. Ar hugain? Naci, dim ond deg. A 'doedd dau o'r rheini ddim yn cyfri'. Dŵad yno i ganu'r organ yr oedd hogyn Dic Jones, a dŵad i agor a chloi'r capal yr oedd Ned Williams. A faint oedd yn y Seiat?' Collasai'r gath bob diddordeb a mynd ati i lyfu ei phawen. 'Gwranda di arna' i pan ydw i'n siarad hefo ti, 'rŵan. Gofyn yr oeddwn i faint oedd yn y Seiat, yntê? Tri ar ddeg, ac 'roedd 'na bedwar o blant ymhlith rheini. A dyma iti gwestiwn arall. Be' ddaw o'r capal ymhen ugain mlynadd? Y? Wyddost ti ddim? Wn inna ddim chwaith. Ond paid ti â meddwl mai'n capal ni ydi'r unig un sy fel 'na. O, na. Mae hi'r un fath yn Hebron ac yn Siloh. A be' ydi'r risylt? Mi ddeuda' i wrthat ti. Pobol yn anwadal—dim dal ar neb. Dyna ti'r John Wilias 'na yn addo dŵad â benthyg *Yr Herald* imi ddydd Mawrth. Pa ddiwrnod ydi hi hiddiw? Y? Wel, mi ddeuda' i wrthat ti. Dydd Gwenar. A welis i ddim golwg o'r papur eto . . .' Aeth William Jones i'r caban, gan gymryd arno mai newydd daro i mewn yr oedd.

'Ga' i ddiod o ddŵr gynnoch chi, Dafydd Morus?'

'Mi gei di rywbath gwell na dŵr, William, 'machgian i.' A thynnodd jwg a chwpan i lawr oddi ar silff. 'Diod o lemonêd. Mi fydda' i'n dŵad â dau lemon hefo mi i'r chwaral yn reit amal yn yr ha' fel hyn . . . Wyt ti'n 'i licio fo?'

'Reit dda, wir, Dafydd Morus.'

''Ro'n i'n clywad dy fod ti'n hwyr at dy waith ddoe. Cysgu'n hwyr, William?'

'Y cloc-larwm ddaru stopio, ac mi gysgis nes oedd hi wedi'r caniad.'

'O. Y wraig hefyd, William?'

'Ia. 'Dydi hi ddim hannar da.'

'Y?'

'Ddim hannar da,' gwaeddodd William Jones yng nghlust yr hen ŵr.

'Taw, fachgian. Nid 'i chalon hi, gobeithio?'

Nodiodd William Jones, ac yna ysgydwodd ei ben yn drist.

'Cymar di ofal ohoni hi, William, 'machgian i. Yntê, Gwen fach? Dyna oedd ar Elin, y ferch 'cw, a finna'n deud y drefn wrthi hi am fethu fy neffro i amball fora. Mi rois i dafod iddi hi y bora y bu hi farw, wsti. Ond wyddwn i ddim 'i bod hi'n sâl, na wyddwn, Gwenno? 'Tasa hi wedi mynd at y doctor yn lle diodda'n dawal . . . Gymeri di ddiferyn arall, William?'

'Dim, diolch, Dafydd Morus.'

Dychwelodd i'w wal ac aeth ymlaen â'i hollti, er iddo fwriadu mynd i lawr i'r twll at ei bartner. Beth a ddywedasai'r doctor yna wrth Leusa, hefyd? Dweud wrthi am beidio â'i chynhyrfu ei hun, onid e? Daeth i'r casgliad cyn bo hir fod calon Leusa'n un bur wan, ac nad oedd yntau'n un hawdd iawn i fyw gydag ef, ac mai ei ddyletswydd oedd mynd â hi am dro i Landudno drannoeth. Erbyn hanner dydd, pan ganodd y corn ac y daeth Bob Gruffydd i'r wal o'r twll, teimlai'n addfwyn ac edifeiriol iawn. Cofiasai hefyd fod gan Leusa bob math o boteli yn y llofft—pils at y peth yma, tabledi at y peth arall, ffisig at hyn, balm at y llall. Oedd, yr oedd yn rhaid bod Leusa'n bur wael.

'Hylô, yr hen Bob!' meddai wrth ei bartner, yn hynod garedig a chroesawgar. Edrychodd hwnnw arno â'i amrannau'n crychu mewn syndod.

'Wyt ti'n dŵad i'r caban, William?' gofynnodd.

Un tawel a myfyriol uwchben ei fwyd yn y caban oedd William Jones fel rheol, ond, a'r weledigaeth newydd yn goleuo'i feddwl ac yn cynhesu ei galon, rhoes glust astud a llygaid effro i bopeth o'i amgylch. Dangosodd ddiddordeb eithriadol, er enghraifft, yn helyntion ieir John Williams, a manteisiodd John ar hynny i adrodd wrtho ef ac wrth wynebau diflas a gelyniaethus y lleill y stori am yr hen geiliog a fynnai hebrwng pob iâr i'r nyth ac aros wrth ei hymyl i ofalu ei bod hi'n cyflawni ei dyletswydd cyn iddo glochdar yn llon a'i hebrwng yn ôl o'r cwt. Gan y gwrandawent ar y stori am y canfed tro, syllai pob un ar ei fwyd mewn anobaith llwyr. Pob un ond William Jones, a borthai John Williams yn eiddgar. Rhythodd Bob Gruffydd ar ei bartner. A oedd y dyn yn drysu?

Yna, wedi i'r ceiliog hebrwng yr iâr olaf un o'r cwt, troes William Jones glust tua phen y bwrdd, lle'r oedd Huw Lewis yn egluro rhagoriaethau a gwendidau nifer o geffylau a oedd i redeg ras drannoeth. Ar ôl gorffen bwyta, cododd a chrwydrodd draw i loetran yn astud wrth ymyl y betwyr.

'Ac mi glywodd Huws y peth gan 'i gefndar sy'n 'nabod rhywun sy'n perthyn i'r dyn sy'n gweithio yn stabal *Golden Streak.*' Yr oedd Huw Lewis yn bur awdurdodol. '*Golden Streak* pia' hi 'fory, yntê, William Jones?'

Chwarddodd pawb, gan fod gofyn barn William Jones ar bwnc o'r fath yn beth digrif dros ben.

'Pwy oedd 'i fam o?' gofynnodd Huw, yn null yr hen bregethwyr. '*White Hare.* A phwy treiniodd o? Y dyn ddaru dreinio *Derby Jane* y llynadd. A phwy ydi'r joci? Jack Sparrow. Yr ydw i'n deud wrthach chi y bydd *Golden Streak* wrth y post cyn i'r lleill wbod bod y ras ymlaen.'

Dychwelodd William Jones i'w wal yn llawen.

'Hylô, yr hen Bob,' meddai eto wrth ei bartner, a theimlai hwnnw'n berffaith sicr erbyn hynny fod rhyw afiechyd mawr ar feddwl ei gyfaill.

'Y drwg hefo ni'r chwarelwyr, Bob,' sylwodd William Jones ymhen tipyn, 'ydi ein bod ni'n rhy sobor a difrifol o lawar, fachgan. Ddim yn mwynhau bywyd fel y dylen ni, wsti.'

'Os wyt ti am ddeud wrtha' i fod gwrando ar hanas ceiliog John Wilias a cheffyla Huw Lewis yn fwynhau bywyd, William . . .' Ni orffennodd Bob Gruffydd y frawddeg, ond chwanegodd ymhen ennyd, ''Tawn i'n clywad bod ceiliog John Wilias a'r *Golden Steak* 'na . . .'

'*Golden Streak*, Bob.'

'Wel, beth bynnag ydi'i enw fo. 'Taswn i'n clywad bod ceiliog John Wilias a cheffyl Huw Lewis wedi'u claddu yn yr un bedd, mi faswn i'n dawnsio o lawenydd.'

Gan na hoffai feddwl am Robert Gruffydd yn dawnsio, llawenydd neu beidio, newidiodd William Jones y stori.

'Yr ydw i am fynd i Landudno 'fory, Bob,' meddai.

'O? Be' wnei di yn y fan honno, dywad?'

'Rhoi diwrnod i Leusa wrth lan y môr. Mi wneiff les mawr iddi hi.'

Gwnâi diwrnod *yn* y môr fwy o les iddi, meddai Robert Gruffydd wrtho'i hun, ond ceisiodd amlygu diddordeb yn y cynllun.

'Mae hi'n dipyn brafiach arnon ni'r dynion nag ydi hi

ar y merched, wsti, Bob,' chwanegodd William Jones. 'Mae gynnon ni ddigon i'w wneud yn y chwaral a digon o gyfle am sgwrs hefo'n gilydd a thipyn o hwyl yn y caban a'r cwt-'mochal-ffaiar. Ond 'i hun bach yn y tŷ y mae'r wraig druan, a'r diwrnod yn hir iddi hi.'

Oedd, yr oedd William yn dechrau drysu, sylwodd Robert Gruffydd yn drist wrth y gyllell-naddu.

Edrychai William Jones ymlaen yn eiddgar at bump o'r gloch, a gwenodd yn gyfeillgar ar bawb drwy'r prynhawn. Canodd y corn o'r diwedd, a throes ef a'i bartner tua'r swyddfa am eu cyflog ac yna tuag adref, gan longyfarch ei gilydd ar fis pur lewyrchus yn eu hanes.

'Mi ddo' i â phresant i Alun o Landudno 'fory,' meddai William Jones wrth adael ei bartner. 'Inja roc.'

'Mae o'n rhy hen i inja roc,' oedd ateb cynnil Bob Gruffydd.

Clywodd William Jones rywun yn galw ei enw pan gyrhaeddodd ganol y pentref. Adnabu'r llais ar unwaith fel eiddo Sally Davies, hen wraig gyfoethocaf yr ardal a pherchen tair stryd o dai. Croesodd y stryd ati.

''Dydw i ddim yn licio sôn wrthach chi, William Jones, ond gwraig weddw ydw inna, ac mae'r hen drethi 'ma mor drwm a hen gosta byth a hefyd ar dai. Y to yn y tŷ yma a'r ffenast yn y tŷ arall a'r feis yn y nesa', a'r hen drethi 'ma yn mynd ag arian rhywun i gyd. Eich mam druan! Y gynta' yma'n talu'r rhent bob mis. Ac 'rydach chitha, chwara' teg i chi, wedi talu'n brydlon iawn. *Mae* hi'n anodd imi sôn am y peth wrthach chi, William Jones, ond gwraig weddw ydw i, yntê . . .'

Beth gynllwyn a geisiai'r ddynes ei ddweud?

'Mae'n ddrwg gin i, Mrs Davies, ond wn i ddim . . .'

'Ia, William Jones, mae pethau'n troi'n o chwithig weithia. Ond mae'n rhaid i minna fyw, ac mae'r hen drethi 'ma yn mynd â'r arian i gyd. Ddeudis i ddim wrthach chi am ddau fis, ond 'roedd hi'n dri mis ddydd Llun dwytha', on'd oedd? A finna'n wraig weddw heb neb yn gefn imi, yntê?. . .'

'Mi ddo' i â'r arian heno, Mrs Davies. Yn ddi-ffael.' A brysiodd ymaith.

Y nefoedd fawr! Y rhent heb ei dalu ers tri mis! Hyd ychydig fisoedd cyn hynny ef a ofalai am y rhent, ond rhoddai'r arian i Leusa yn awr, gan y cwynai Sally Davies am y bobl a'i cadwai yn ei thŷ gyda'r nos. Aeth y meddwl a fuasai'n drobwll am oriau yn ystod y dydd yn awr yn grochan berw.

Daeth sŵn y peiriant gwnïo i'w glustiau pan gyrhaeddodd y tŷ. Eisteddai Leusa wrth fwrdd y gegin, ac o'i blaen anialwch o sidanau. Cadwasai ryw droedfedd glir ym mhen y bwrdd, ac ar hwnnw yr oedd platiad o fara-ymenyn a phlatiad o samon a rhai llestri te. Yr oedd darnau o edau a thameidiau o sidan ym mhobman hyd y llawr, ac yng nghongl y gegin crochleisiai rhyw ferch drwy'r set-radio.

Trawodd William Jones ei dun-bwyd ar gornel y dresel yn chwyrn, ac yna aeth yn syth i fyny'r grisiau i'r llofft gefn. Yno, dan glo mewn drôr fechan, cadwai ddecpunt bob amser; credai mewn cael arian wrth law at unrhyw alwad sydyn. Cymerodd bedair ohonynt, ac, wedi cloi y drôr yn ofalus, brysiodd i lawr y grisiau.

'I b'le'r wyt ti'n mynd?'

'I dalu'r rhent.'

Aeth Leusa ymlaen â'i gwnïo.

Pan ddychwelodd William Jones, cafodd y fraint o

fwyta'r samon i gyfeiliant y peiriant gwnïo a'r radio, a chyn hir rhoes ei gyllell a'i fforc i lawr yn ddig.

'Rho dipyn o heddwch i ddyn gael 'i fwyd, wir,' meddai gan godi i dawelu'r gantores ar y radio.

'Mae'n rhaid imi orffan hefo'r patrwm yma,' oedd ateb Leusa. 'Mi gefis 'i fenthyg o pnawn 'ma gan 'Fanwy May, ac 'rydw i wedi addo mynd â fo yn 'i ôl heno. Mae'r *material* 'ma gin i yn y tŷ ers wythnosa, wedi methu cal patrwm o'n i'n licio ar 'i gyfar o. A phan ydw i'n *cal* patrwm, y mae'n rhaid i ti. . .' A dechreuodd Leusa sniffian.

Fel rheol, rhoddai'r sniffian crio daw ar ddadleuon William Jones, a chodai mewn brys i roi ei fraich am wddf Leusa ac i'w hargyhoeddi ei fod yn bechadur trist ac edifeiriol. Ond y tro hwn ni wnaeth ond edrych yn ddiymod arni heibio i'r peiriant gwnïo. Gwelodd nad oedd deigryn yn ei llygaid, a daeth i'w feddwl mai ffug fuasai'r wylo funud ynghynt.

'Tra byddi di'n rhoi gorffwys i'r peiriant yna,' meddai, 'efallai yr hoffet ti egluro be' ddigwyddodd i arian y rhent.'

Pwl arall o grio oedd ateb Leusa, gan swnian rhywbeth am bethau'n mynd yn ddrud a hithau'n ei gweld hi'n anodd i gael y ddau ben llinyn ynghyd.

'Rho'r gora i'r sŵn 'na ac ateb fy nghwestiwn i.'

Ond ni fedrai William Jones gael gair synhwyrol ganddi, a bodlonodd ar anwybodaeth—a thawelwch i fwyta'r samon. Wedi gorffen ei fwyd, cododd ac agor drôr y dresel.

'Be' wyt ti isio yn fan 'na?' gofynnodd Leusa'n frysiog.

'Y llyfr rhent. Mi anghofis fynd â fo hefo mi gynna. Mi bicia' i eto i dŷ Sally Davies. . . Hylô, be' ydi hwn?'

'Be'?'

'Y papur bach 'ma . . . *Golden Streak*.'

'Wn i ddim. O, yr ydw i'n cofio 'rŵan. 'I godi o ar y ffordd y diwrnod o'r blaen a meddwl . . .'

Gwelodd William Jones fod wyneb ei wraig yn fflam.

'Paid ag ecseitio, rhag ofn i'th galon di stopio.' Ac aeth tua'r drws â'r llyfr rhent yn ei law.

'Wyt ti'n siŵr nad *carlamu* i mewn yma ddaru o?' gwaeddodd o'r drws.

5 *DEUD GWD-BEI*

Wedi i'r hen Sally Davies arwyddo llyfr y rhent a chael cyfle arall i rwgnach am gostau byw, troes William Jones gamau araf tua'r mynydd. Yr oedd yr hwyr yn fendigedig, ond er iddo ddweud wrth amryw ar y ffordd fod y noson yn braf, ni theimlai ef hynny. Ac yntau yn ei wae, pa hawl a oedd gan Natur i liwio'r hwyr mor gain? Rhoi ei arian ef ar geffylau! Ni ddisgwyliasai ddirywiad mor ofnadwy â hynny.

Aeth heibio i lonyddwch gwasgarog, coch, yr ysgol, ond nid oedd ganddo atgofion melys am y lle. Cansen fawr Huws Bach y Sgŵl, cyfarth y Miss Edwards honno a ddysgai Standard III, aroglau dillad plant ar ddiwrnod glawog, bwrn y Saesneg tragwyddol, diflastod diderfyn y wers olaf bob bore a phob prynhawn bron—pethau felly a ddeuai i'w feddwl. A chofiai adael am y chwarel yn llawen, gan gerdded yn dalog drwy'r pentref o'r gwaith gyda'r nos heb gymryd yr un sylw o athro neu athrawes a ddigwyddai ei gyfarfod ar y ffordd. Dysgodd ddarllen yno—ond yn awr ni ddarllenai ond y papur newydd wythnosol. Dysgodd ysgrifennu—ond nid ysgrifennai ond pwt o lythyr weithiau at Meri ei chwaer. Dysgodd gyfrif—i fesur llechen a sicrhau bod ei gyflog yn iawn a llyfr y siop yn gywir. Crychodd William Jones ei drwyn.

Y mae arnaf ofn bod athrawon ac athrawesau lu yn fy meio am groniclo anniolchgarwch ffiaidd William Jones i'r gyfundrefn addysg. Beth, gofynnant, a allai neb ei wneud â'r hogyn swil ac ofnus a mud a oedd yn un o ryw ddeugain ac ychwaneg ym mhob dosbarth? Hawdd iawn yw beirniadu, meddant, a rhoi bai ar yr athrawon truain. Ond hanner munud, ni feirniedais i neb, dim ond darlunio William Jones yn mynd am dro heibio i'r ysgol. Er hynny, gan fy mod yn ei adnabod yn weddol drwyadl, credaf y dylwn sôn am dair elfen yn ei natur na ddarganfu'r ysgol mohonynt o gwbl.

Yn gyntaf, yr oedd yn gerddor—neu, beth bynnag, yr oedd ynddo ddeunydd cerddor. Ef oedd seren ddisgleiriaf *Band of Hope* Siloh, enillydd cyson mewn cystadlaethau cerddorol ac unawdydd pêr ym mhob sosial. Cantor a oedd yn ddiwygiwr hefyd, yn ddadleuwr eiddgar iawn dros Ddŵr, dŵr, dŵr i bob sychedig un, a thros beidio â gwawdio'r meddwyn Na all symud cam, ond Cofio'i fod yn blentyn I ryw dyner fam. Wili Jôs oedd y bachgen a alwai Huws Roberts allan i'r Sêt Fawr fel esiampl i'r plant eraill sut i ganu'r *modulator,* a gallai gyfieithu 'Dyma Feibl annwyl Iesu' i gyd i sol-ffa yn ddibetrus. Oedd, yr oedd yn gerddor, ond beth a wnaeth yr ysgol ddyddiol â'i athrylith? Dim. Dywedaf eto—dim. Ni allai William Jones gofio ond un gân a ddysgasai yn yr ysgol, a 'Now the day is over' oedd honno. Ni chafodd gyfle hyd yn oed i ddadlau tros Ddŵr, dŵr, dŵr. Felly y collodd Gwlad y Gân un o'i chantorion melysaf.

Yn ail, yr oedd William Jones yn adroddwr—neu, beth bynnag, yr oedd ynddo ddeunydd adroddwr. Nid oedd ei debyg, yn ôl Wmffra Roberts, am adrodd 'Arwerthiant y Caethwas' a 'Bedd y Dyn Tylawd' yn y *Penny Reading*. Nid anghofiai yn y pennill cyntaf fel Huw Êl ac ni thorrai i grio fel Jennie Mabel. Na, fe safai Wili'n gadarn ar ei draed, gan edrych yn syth i wyneb y cloc a chodi ei lais i bawb ei glywed. Y mae'n wir y rhythai ar y cloc ac y gwlychai ei wefusau ar ddiwedd pob llinell, ond arwyddion o'i ymgysegriad i'w waith oedd y rhai hynny. A chyn cysgu'r nos, fe freuddwydiai Wili amdano'i hun yn adrodd 'Bedd y Dyn Tylawd' o flaen y Brenin a hwnnw'n tynnu ei fodrwy oddi ar ei law ac yn ei rhoi ar ei law ef ac yn ei osod, â chadwyn aur am ei wddf, ar holl wlad yr Aifft. Ond beth a ddigwyddodd yn yr ysgol bob dydd? 'Twincyl, twincyl, licyl star' oedd yr ateb a ddeuai i feddwl William Jones. Ac felly y collodd Cymru adroddwr gwir fawr.

Yn drydydd, yr oedd Wili Jôs yn nofelydd—neu, beth bynnag, yr oedd ynddo ddeunydd nofelydd. Y wers a fwynhâi fwyaf oedd honno a gâi yn ystod yr hanner awr olaf ar ddydd Gwener yn Standard IV. Darllen stori a wnâi'r athro, Mr Richards, stori Saesneg am drysor cudd mewn ynys bell a rhyw ddihiryn ungoes ac unllygeidiog yn ceisio'i ddwyn oddi ar yr arwr. Darllenai Mr Richards baragraff yn araf ac yna troai'n ôl i'w ddechrau i adrodd ei gynnwys yn Gymraeg. Ni ddeallai Wili Jôs y Saesneg, ond perliai ei lygaid pan siaradai Long John Silver Gymraeg. 'Twt, mae'r llyfr gin i gartra,' meddai Now Dic Tŷ Ucha' wrtho un diwrnod, 'ac 'rydw i wedi'i ddarllan o i gyd.' Gan yr ysai am wybod beth a ddaeth o'r anturiaethwyr a'r trysor, holodd Wili ei gyfaill yn fanwl. Ond ni chofiai Now Dic ac nid oedd yr helyntion ffôl o un diddordeb iddo. Ni ddeallai Wili hynny o gwbl, a gofynnodd am fenthyg y llyfr. Ond wedi ei gael, araf a diflas fu ei daith o ddalen i ddalen, a dychwelodd ef i'w berchennog heb gael dim mwynhad ynddo. Caeodd yr ysgol am yr haf heb i chwilfrydedd Wili gael ei ddiwallu. Felly, cyn cysgu'r nos ac wedi deffro yn y bore, creodd benodau cyffrous a rhamantus am helyntion y gwŷr a geisiai'r trysor yn yr ynys bell. Wili ei hun, wrth gwrs, a ddaeth o hyd i'r aur a'r perlau, ac ef, ag un llaw yn gwarchod Enid May Owen, a oedd yn byw tros y ffordd, a laddodd Long John Silver â'i gleddyf. Yna daeth tyrfa o Indiaid Cochion o rywle, ond carlamodd Wili ac Enid May â'r trysor tros fynyddoedd creigiog a thrwy fforestydd tywyll i'r llong a oedd yn eu disgwyl mewn cilfach ddirgel.

Creodd Wili gyfrolau enfawr o anturiaethau yn y dyddiau hynny, nofelau Cymraeg a suddodd, ysywaeth, i ebargofiant. Yn eu lle llanwyd ei feddwl â ffeithiau pwysig a buddiol—mai o Yarmouth (ac nid o Nefyn fel y tybiasai ef) y daw penwaig; bod pobl yn cael eu brecwast yn New York pan oedd ef, Wili Jôs, ar ei ffordd i'r ysgol bob prynhawn; bod mynyddoedd yr Himalaya yn uchel iawn, iawn; bod Tiber, tad Horatius, yn falch iawn o'i fab am ddal y bont; bod Abou Ben Adem ar ben rhyw restr am fod yn hogyn da; bod rhyw Frenin Charles wedi cael torri ei ben; ac mai ei le ef, Wili Jôs, oedd trio bod yn debyg i Nelson a Wellington, gwŷr na ddaliwyd mohonynt erioed yn dweud celwydd. Oedd, yr oedd Wili'n wybodus iawn. Gallai enwi siroedd ac afonydd Iwerddon i gyd, a gwnâi'r un gymwynas â Sgotland hefyd cyn gadael Standard V, gan daflu'r mynyddoedd i mewn yn y fargen. Gwn y dygaf anghrediniaeth i wyneb y darllenwr hynaws, ond mynnaf hefyd gyhoeddi'r ffaith y gallai Wili, ac yn Saesneg bob gair, roddi iddo restr gyflawn o allforion Jamaica. Anfelys i'r eithaf, er hynny, yw gorfod croniclo iddo fethu â gwerthfawrogi breintiau addysg, gan ddyheu am drowsus melfaréd a llwch y chwarel. Aeth y nofelydd, fel y cerddor a'r adroddwr, i drin llechi.

Dringodd William Jones heibio i'r eglwys, a heb yn wybod iddo'i hun bron, troes i mewn i'r fynwent ac ymlwybro i'r pen pellaf at fedd ei dad a'i fam. Wrth syllu ar enw ei dad ar y llechen, llithrodd ei feddwl yn ôl i'w fachgendod, a safodd yn hir wrth fin y bedd a'i feddwl yn llawn atgofion.

Ni buasai Wili a'i dad yn gyfeillion mawr; yn wir, bron nad oeddynt yn ddieithriaid yn byw yn yr un tŷ. Y gŵr a ofalai ei fod yn mynd i'r Cyfarfod Gweddi a'r Seiat oedd Richard Jones i'w fab, y dyn a wgai arno bob tro y rhwygai ei drowsus, ac a'i daliodd un hwyr yn ysmygu papur llwyd yn y tŷ-bach. Ni welai'r bachgen ei dad yn ystod y dydd, wrth gwrs, ac yna, gyda'r nos, yr oedd rhywbeth yn y capel i'w cadw ar wahân. Edrychai Richard Jones â balchder mawr ar gerddor ac adroddwr disglair y *Band of Hope* ac ar yr hogyn a orfodai i ddysgu pennod gyfan ar gyfer y Seiat, ond nid oes gennyf braw fod yr un edmygedd yn y mab tuag at y gorfodwr. Mewn gair, pan bechai mewn rhyw ffordd, neu pan oedd rhyw ddyletswydd anfelys yn yr arfaeth, yr oedd y gyfathrach agosaf ac amlaf rhwng y ddau. Ei dad a ofalai ei fod yn 'hogyn da', ac ni hoffai Wili fod yn greadur felly.

Yna, pan oedd Wili'n ddeuddeg oed, newidiodd

pethau. Arhosai ei dad, a fuasai'n cwyno ers tro, gartref bob dydd, a châi'r bachgen ei gwmni bob pryd bwyd ac yn aml ar y ffordd i'r ysgol. Gwnaeth afiechyd y gŵr llym yn llariaidd ac ofnus, yn un a syllai'n ffwndrus-freudd-wydiol ar bawb a phopeth. Lle chwyrnai gynt, fe agorai ei lygaid mawr yn ofidus yn awr; lle bu gorchymyn, yr oedd cais tawel a thrist. Nid oedd Wili ar un cyfrif i gynhyrfu'i dad, rhag ofn i bwl o besychu ysgwyd ei gorff bregus. Ac ufuddhaodd Wili, gan deimlo nad oedd gwialen fedw ar ei gefn yn ddim wrth y penyd hwn.

Difeddwl iawn yw hogyn deuddeg oed, a phrin y sylweddolai Wili fod llaw tlodi yn tynhau ei gafael ar ei gartref bob dydd. Câi ef a Meri eu dimai bob un ar ddydd Sadwrn o hyd, a galwai eu mam yn siop Huws Becar i brynu teisen-bwdin iddynt bob prynhawn Llun. Ni phoenai Wili fod ei ddillad yn fwy clytiog ac y gwisgai glocsiau yn lle esgidiau; yn wir, teimlai y rhoddai'r breintiau hynny hawl iddo i fod yn fwy eofn a mentrus yn ei chwarae. Gallai ddringo coed ac ymwthio drwy wrychoedd drain yn awr heb boeni os rhwygai ei drowsus, ac onid dyfais ar gyfer cic-tun oedd clocsiau?

Yr hyn a ddiflasai Wili oedd y golchi a'r manglio a'r smwddio tragwyddol a âi ymlaen yn y tŷ. Byddai ei fam wrthi bob bore ymhell cyn iddo ef godi; ac wedi gosod brecwast iddo ef a Meri, ymaith â hi i'r cefn neu i'r cwt i ddilyn ei gwaith. Llawer hwyr ar ôl yr ysgol, yr oedd yn rhaid iddo ef droi'r mangyl yn lle brysio i'r coed, lle'r oedd gwersyll *Scouts* Huw Êl. Gan fod Wili'n swyddog go uchel yn yr urdd honno (yr oedd ganddo dri marc coch ar ei frest, ac ef oedd perchennog dwy sach, yr hen badell ffrio, a dwy fforc), annheg iawn oedd ei gadw ef yn y tŷ, yn enwedig gan fod y Ciaptan, Huw Êl, yn gorfod edrych ar ôl y babi ambell noson.

Sosbenni, padelli, heyrn smwddio, dillad yn hongian yn y cefn ar dywydd sych ac yn y gegin ar dywydd gwlyb—dyna'r pethau a lanwai feddwl William Jones wrth iddo gofio'r amser hwnnw. A gwelai, yn wyneb llwyd ei dad, ddau lygad dwys a syn yn dilyn symudiadau cyflym ei wraig aflonydd, weithgar. Eisteddai Richard Jones drwy'r rhan fwyaf o'r dydd yn ei gadair freichiau wrth y tân, yn plygu ymlaen at y gwres, yn ŵr tawel a thrist a rhynllyd. Gwellhaodd dipyn at yr haf, a chrwydrai hyd y pentref ac i'r mynydd hefo Mot, ei gi. Rhoes yr haul wrid ar ei ruddiau, a gallai gynorthwyo ychydig hefo'r golchi a'r manglio, gan ddechrau sôn eto am ailgychwyn yn y chwarel. Ond wedi pwl o besychu un diwrnod, syllodd yn hir ar yr ysmotyn o waed ar ei gadach poced, a'i fraw yn floedd yn ei galon. A chyn hir aeth yr ysmotyn yn ystaen.

Pan aeth ei dad i orwedd, ymddiswyddodd Wili o *Scouts* Huw Êl, gan sylweddoli bod yn rhaid iddo ef a Meri wneud a allent i helpu eu mam. Ni sylwasai ar y tywydd o'r blaen, dim ond beio'r glaw weithiau am ei gadw rhag mynd allan i chwarae, ond yn awr, yn ddistaw bach, chwanegai weddi am wynt a haul at ei bader bob bore a phob nos. A threfnodd Rhagluniaeth Fedi a Hydref sych a chynnes i Wili, heb resi o ddillad gwlybion yn hongian uwch aelwyd y gegin; rhoes hefyd geiniogau lawer yn y jwg ar y dresel, y fan lle cadwai Ann Jones y pres a enillai. A chafodd Wili a Meri ddillad newydd.

Ni welai'r plant lawer ar eu tad y pryd hynny, ond gyrrai eu mam hwy i fyny i'r ystafell wely am ychydig ambell gyda'r nos. Âi eu gweld yn drech nag ef, a thorrai i grio'n rhwydd iawn. Ni ddeallai Wili hynny o gwbl, ac ni hoffai'r peth; 'hen fabi' oedd bachgen a griai yn yr ysgol, ac un o reolau *Scouts* Huw Êl oedd y diaelodid unrhyw un â deigryn yn ei lygaid.

Yna, yn sydyn, dug Tachwedd ei dywydd gwlyb ar waethaf paderau Wili. Y niwl yn treiglo i lawr o'r mynydd byth a hefyd, y glaw syth, diderfyn, y dillad gwlybion yn hongian ar draws y gegin, aroglau sebon a soda drwy'r tŷ i gyd, niwlen las ar ddodrefn a drysau, y ffenestri agerog yn cau allan y byd soeglyd—ni hoffai William Jones atgofio'r dyddiau hynny. Ac yna, wedi i'r niwl a'r glaw fynd heibio, rhuthrai'r gwyntoedd ystormus i daflu'r llond lein o ddillad ar ddaear wleb yr ardd. A phan flinai'r gwyntoedd, deuai'r rhew i droi'r dilladau ar y lein yn ystyllod diymadferth, llonydd. Anamlach ydoedd tincian y ceiniogau yn y jwg yn awr.

Dydd Sul oedd hoff ddiwrnod Wili yn y cyfnod hwnnw, y dydd pryd na fyddai un golwg o'r sosbenni a'r padelli a phan safai'r heyrn smwddio mewn llonyddwch disglair ar y pentan. A dyna gysurus a chyfeillgar oedd y tân ar y Sul! Buasai'n ffwrnais drwy'r wythnos, ond câi ef a'r tŷ i gyd a'r fam ddiwyd ysbaid o orffwys yn awr. Yr oedd Wili yn hoff iawn o'i fam bob Sul, gan y cymerai hi hamdden i fwyta gyda hwy wrth y bwrdd yn lle rhuthro ymaith i symud tegell oddi ar y tân neu i droi lliain er mwyn iddo gael sychu'r ochr arall. A chymerai hamdden hefyd i siarad â hwy, amdani ei hun yn ferch fach ym Meirion, ac am ei thad yn gyrru gwartheg bob cam i Lundain, ac am ei hewythr, y llongwr a aethai droeon o amgylch y byd. A châi Mot, y ci, faint a fynnai o fwyd a mwythau ar y Sul.

Syllodd William Jones yn freuddwydiol ar y garreg o'i flaen. 'Ebrill 10, 1896', meddai hi, a chofiai'n glir yr hwyrnos pan ddaeth ei fam i lawr y grisiau i roddi ei breichiau am ysgwyddau Meri ac yntau, gan wylo a dweud wrthynt fod yn rhaid iddynt fod yn ddewr iawn. Tair ar ddeg oedd ef a Meri'n ddeuddeg, ond ni wyddai Wili pam yn y byd yr oedd yn rhaid iddo fod yn ddewr. Yn wir, pan ddeallodd y câi adael yr ysgol ar unwaith a mynd i'r chwarel, curai ei galon â llawenydd mawr. Dewr? Ac yntau wedi gofyn a gofyn am y fraint o weithio yn y chwarel.

Yr oedd Wili'n falch o gael gadael yr ysgol er iddo syrthio dros ei ben a'i glustiau mewn cariad yno. Y mae'n wir fod llygaid croes gan Enid May, ond yr oedd ganddi wallt du fel y frân a'r chwerthin pereiddiaf a glywsai neb erioed. Yr oedd hi bob amser yn chwerthin; beth bynnag a ddywedech neu a wnaech, fe chwarddai Enid May dros bob man. Ac ef, Wili Jôs, a ddeffroai'r chwerthin hwnnw'n fwy na neb. A chyn cysgu'r nos fe freuddwydiai amdano'i hun yn darganfod cyfandir newydd ac yn marchogaeth gydag Enid May drwy Lundain i sŵn cymeradwyaeth anferth y tyrfaoedd hyd fin y strydoedd. Ond wedi i Wili fynd i'r chwarel, cafodd Now Dic y maes iddo'i hun, ac er na chwarddai Enid May lawn cymaint yn ei gwmni ef, ymddangosai'n hapus ddigon.

'Heddwch i'w llwch', meddai'r llechen las o'i flaen, ond ni allai William Jones feddwl am ei fam yn mwynhau 'heddwch'. Er bod ei dwylo'n gignoeth bron yn nyddiau'r golchi, yr oedd yn rhaid iddi gael glanhau'r tŷ a thynnu'r llwch oddi ar y dodrefn byth a hefyd. 'Y mae'n rhaid i chi fynd at Jones Drygist i gael rhywbeth at eich dwylo, Mam,' fyddai sylw Meri yn aml bob gaeaf. 'Ydi,

Meri fach,' fyddai'r ateb. 'Mi a' i yno 'fory.' Ond ni ddeuai'r yfory, a bodlonai Ann Jones ar rwbio lard a brwmstan i'w dwylo a cheisio lleddfu'r boen trwy eu dal o dan ei cheseiliau. Beth pe gwelai hi'r hen dŷ yn awr? gofynnodd y mab iddo'i hun—llwch yn amlwg ar bopeth, tyllau yn y matiau ac yn llenni'r ffenestri, a'r dodrefn oll yn ddi-sglein. Pa bryd oedd hi? O, ia, bore heddiw pan gododd y syllodd ar olwg tlodaidd y gegin. Ysgydwodd William Jones ei ben yn drist.

Gadawodd y fynwent a dringodd y ffordd i fyny'r Fron, gan droi cyn hir i'r llwybr a arweiniai i'r Hendre. Yno y trigai Twm Ifans, ei gyfaill pennaf. Buasai'r ddau yn bartneriaid yn y chwarel am flynyddoedd, ond cawsai Twm orchwylion ffarmwr a chwarelwr yn ormod iddo, a dewisodd ymgysegru i ofalu am y tyddyn yn unig. Gwelai William Jones ei gyfaill wrth gytiau'r ieir yng nghongl cae uwchlaw'r tŷ, a brysiodd ato. Yr oedd wrthi'n hongian cadwyn haearn o frig to un o'r cytiau.

'Mi ges lwynog yma neithiwr, fachgan,' meddai, 'ac mi laddodd ddeg o ieir.'

'Be' wyt ti'n wneud hefo'r tsiaen 'ma?'

'Yr hen Richard Huws, yr Hafod, oedd yn pasio gynnau. Hongian tsiaen wrth y cwt, medda fo, ydi'r peth gora i ddychryn llwynog. Mi tria' i o, beth bynnag. Sut hwyl sy arnat ti, William?'

'Dŵad i ddeud gwd-bei wrthat ti, Twm.'

'Y?'

'Dŵad i ddeud gwd-bei wrthat ti.'

'O? Wyt ti'n mynd i'r 'Merica?'

'I'r Sowth. 'Fory.'

Adroddodd yr hanes i gyd wrth Twm Ifans, ac adwaenai hwnnw ei hen bartner yn ddigon da i wybod ei fod o ddifrif. Pan dawodd William Jones, pwysodd Twm yn erbyn ochr y cwt a syllodd yn hir ar flaen ei esgid dde.

'Wn i ddim be' i'w ddeud wrthat ti, wir, fachgan,' meddai o'r diwedd, gan boeri ar y llawr. 'Rhyw le go ryfadd sy tua'r Sowth 'na, lle gwyllt, ryff ofnadwy, meddan nhw i mi. Y mae 'na filoedd allan o waith yno. Fydda ddim yn well iti roi dy droed i lawr hefo Leusa, dywad, a gofalu'i bod hi'n cael llawar llai o arian i'w trin?'

'Yr ydw i wedi penderfynu, Twm.'

Trawodd Twm Ifans y morthwyl ym mhoced ei gôt.

'Tyd i lawr at y tŷ inni gal gair hefo'r hen wraig,' meddai.

Wedi iddynt gerdded rhyw ugain llath, safodd Twm yn stond. 'Y cythral bach!' meddai, gan ruthro tua'r tyddyn. Dilynodd William Jones ef i ddarganfod Meurig, hogyn hynaf Twm, yn gwthio berfa ac ynddi dri o blant swnllyd ar draws ei gilydd. Diflannodd y tri i'r tŷ pan nesaodd eu tad, ond safodd Meurig ei dir.

'Dos â'r ferfa fudur 'na yn ôl i'r beudy, wnei di!' meddai Twm, gan roi clusten gynnes i'r hogyn. 'Wyddost ti mai cario tail y bydd dy dad yn hon'na? Gwadna hi ar unwaith!'

Aethant i gyfeiriad yr ardd yng nghefn y tŷ, ac yno, mewn cadair ysgafn o dan goeden afalau, eisteddai Elin Ifans, mam Twm, yn gweu hosan.

'Ga' i ddeud wrthi hi?' sibrydodd Twm.

'Cei, am wn i, wir.'

Adroddodd Twm y ffeithiau pwysicaf wrth ei fam, ond daliai hi ymlaen â'i gweu yn hamddenol. Gwraig denau, go dal, oedd hi, yn tynnu at ei phedwar ugain, ond yn gyflym iawn ei thafod a'i cham o hyd.

'Wel, yr hen wraig?' gofynnodd Twm o'r diwedd.

'Mi yrra' i'r ci ar 'i ôl o y tro nesa' y daw o yma hefo'i hen sbectol fawr a'i lais pwysig.'

'Pwy, Mam?'

'Yr Ifan Siwrin 'na. Mi fedri di edrach ar ôl dy bres heb 'i help o. Plant yr hen Isaac Davies ydi o a Leusa, a ddaw dim daioni ohonyn nhw byth. Mi fasai'r hen Isaac, pe medrai o, yn dwyn y llefrith allan o de rhywun! A be' sy wedi dŵad o'i blant o? Yr Ifan Davies 'na yn ormod o hen gyb i roi dima' at ddim, a'i chwaer o, Leusa, yn gwastraffu fel ffŵl. Cofia fi at Meri, dy chwaer, pan ei di i'r Sowth, William.'

'A finna'n meddwl y basach chi'n 'i berswadio fo i ail-feddwl,' meddai Twm.

'Ailfeddwl? Pam?'

'Wel, lle ofnadwy sy tua'r Sowth 'na, meddan nhw, a . . .'

'Medda pwy?'

'Wel, mi glywis i . . .'

'Paid â lolian. Fuost ti yno 'rioed?'

'Wel, naddo, ond . . .'

'Dos di i'r Sowth, William, am dipyn,' meddai'r hen wraig, heb gymryd sylw o ddarluniau anghyflawn ei mab o'r lle. ''Dydi hi ddim yn rhaid iti aros yno os na leici di dy le, wel' di. Mi wneiff les i Leusa dy golli di am gyfnod a gorfod byw ar lai o arian. Cofia na yrri di ddim mwy na phunt yr wsnos iddi hi am y rhent a chwbwl. Mae hynny'n hen ddigon iddi hi. Diar annwl, ydi. Mi fagais i deulu mawr ar lai na hynny. Do, 'neno'r Tad. Yr ydw i'n cofio pan briodis i . . .' Ond troesai'r ddau tua'r tŷ erbyn hyn.

Yr oedd plant ei gyfaill yn hoff iawn o William Jones, oherwydd dywedai stori wrthynt bob tro y galwai yn y tŷ. Cydiodd Gwen a Megan ynddo yn awr, un ym mhob llaw, a'i arwain i'r parlwr, lle ceisiai Wil bach a Meurig, â'u gweflau'n las i gyd, dynnu lluniau.

'Stori, Yncl William!' gwaeddodd y lleisiau oll.

'Na, mae Yncl William wedi blino,' meddai eu tad, 'a 'does gynno fo ddim stori heno.'

Ond ni wrandawai'r plant ar ryw esgusion felly, a gwthiwyd y storïwr i gadair freichiau.

'Mi a' i i fwydo'r ieir,' meddai Twm. Ac ymaith ag ef.

Pennod o'i nofel gynnar am y trysor cudd yn yr ynys bell a roddai William Jones iddynt fel rheol, ond dywedodd stori newydd sbon y tro hwn. Nid oes gennyf na'r gofod na'r gallu i'w hailadrodd yn ei eiriau ef, ac felly bodlonaf ar roi crynodeb byr ohoni. Gweld Cymro, ci'r Hendre, yn gorwedd yn yr haul y tu allan i'r ffenestr a ddug y stori'n ôl i'w gof. Cydymaith ffyddlon ei dad pan oedd yn wael fuasai Mot, y ci a arferai gyfarfod Wili Jôs o'r ysgol bob dydd. Ci du a gwyn ydoedd, rhyw gymysgedd o gi defaid a sbaniel, a thyfasai'n un o'r teulu, yn cael ei ddifetha gan bawb. Rhoddai Ann Jones ddigon o fwyd iddo bob dydd i'w gadw i fynd am flwyddyn, a gofalai Wili a Meri nad oedd ar ôl o felysion pan oedd ganddynt rai. 'Lle mae Mot?' fyddai'r cwestiwn aml oni ddigwyddai'r ci fod yn y cwmni ar yr aelwyd. Rhuthrai i fyny'r grisiau bob bore i ddeffro'r plant, a dilynai hwy i'r ysgol a'u cyfarfod ar ddiwedd y bore a'r prynhawn, gan fynnu cludo rhywbeth yn ei geg bob gafael. A phan aeth Richard Jones yn wael, dilynai'r ci ef i bobman. Yna, un diwrnod, daeth Huw Rags ar ei rawd i'r pentref, ac wrth droi'n ôl i'r dref, dug y ci gydag ef yn slei bach. Mawr ond ofer fu'r holi a'r chwilio: gwerthasai Huw Rags ef i ryw ddyn a oedd yn byw ddeugain milltir i ffwrdd, a chadwodd hwnnw ef yn rhwym am ddyddiau. Ond rhyw noson, deffroes Richard Jones i glywed cwynfan a chyfarth ymbilgar o dan ei ffenestr. Brysiodd ei wraig i lawr y grisiau i ddarganfod y ci truan wrth ddrws y cefn. Cododd y teulu i gyd i weinyddu arno, a thrist iawn oedd canfod ei ludded a'i loes. Yr oedd yn rhy flinedig bron i ysgwyd ei gynffon, a syllasant â braw ar y doluriau ar ei gefn, ac ar ei bawennau gwaedlyd. Ymwthiasai, yr oedd yn amlwg, o dan weiren bigog. Ond er ei flinder a'i anafau, ymlusgodd i fyny'r grisiau y bore trannoeth at erchwyn gwely ei feistr claf, a buan y gwellhaodd o'i glwyfau ac y tewychodd eto fel cynt.

Cytunodd y plant i gyd ei bod hi'n stori dda iawn ac yr haeddai ei hawdur, fel chwedleuwr yr hen ddyddiau, bryd o fwyd am ei dweud. Ond yr oedd Mrs Jones yn ei ddisgwyl adref, meddai ef, a chododd i gychwyn ymaith. Daeth yr hen wraig i mewn o'r ardd a'i wthio'n ôl i'r gadair, gan benodi'r plant yn warcheidwaid arno tra byddai hi a'i merch yng nghyfraith yn paratoi swper.

Yr oedd hi wedi naw o'r gloch ar William Jones yn cyrraedd adref, ac oeraidd fu ei groeso. Safai'r peiriant gwnïo ar y bwrdd o hyd yng nghanol pentwr o sidanau lliwiog, a rhoddai chwaneg o'r samon urddas i'r droedfedd glir ar ben y bwrdd. Aeth yn syth i'r llofft fach a thynnodd y fasged wellt o'i chongl yno a'i chludo i'w ystafell wely. Crysau, hosanau, coleri, esgidiau, ei siwt ail-orau, dillad isaf—trefnodd y pethau'n ofalus yn y fasged. Yr oedd hi bron yn llawn pan ddaeth llais Leusa o'r gegin.

'William!'

'Ia?'

'Ymh'le'r wyt ti? Tyd i gal dy swpar. Mae arna' i isio'r bwrdd 'ma i orffan fy ffrog newydd.'

Gwenodd yntau. 'Yr ydw i wedi cael digon o samon am hiddiw,' gwaeddodd.

Pan glybu hi ei sŵn yn agor drôr ar ôl drôr, brysiodd i fyny i'r llofft.

'Wel, y nefoedd fawr!' meddai, â pheth dychryn yn ei llais. 'Be' andros wyt ti'n 'i wneud?'

'Dim ond mynd i'r Sowth.'

Edrychodd arno â'i cheg yn agored.

'Bora 'fory,' chwanegodd, rhag ymddangos yn greadur anfoesgar. 'Trên wyth.'

Ni chredai ei fod o ddifrif, a chwarddodd. Gwenodd William Jones a nodio'n gyfeillgar arni, eto rhag bod yn anghwrtais. Darfu chwerthin Leusa a dechreuodd ar ei hwylo diddagrau. Yr oedd yn berfformiad digon da i dwyllo William Jones am funud, ac wrth edrych arni'n eistedd yn y gadair â'i phen i lawr, daeth pwl o edifarhau drosto. Efallai fod llawer o fai arno yntau hefyd, meddai wrtho'i hun. Gwelodd fod gwallt Leusa'n dechrau gwynnu, a chofiai mor loyw-ddu yr ydoedd gynt. Efallai petai mwy o fynd ynddo ef. . .

'Oes 'na bobol yma?' gwaeddodd rhywun o'r gegin.

Brysiodd Leusa i ben y grisiau, ac yr oedd *chwerthin* yn ei llais wrth ateb.

'Oes, Ifan. Tyd i fyny yma os wyt ti isio hwyl!'

Hwyl! Caeodd William Jones ei wefusau'n dynn.

'Hylô! Be' 'di hyn?' gofynnodd Ifan Davies pan ganfu'r fasged wellt.

'Mae o'n deud 'i fod o am fynd i'r Sowth bora 'fory.

Welist ti'r fath giamocs yn dy fywyd? Fo a Now John am agor gwaith glo newydd yno!'

'Diawch, mae gynno fo lot o deis, hefyd, hogan! Mwy o lawar nag sy gin i.' Ac eisteddodd Ifan Siwrin ar erchwyn y gwely, gan syllu tros ei sbectol i'r fasged. 'Wyddwn i ddim fod gin ti dei coch, William. Mi fydd 'i isio fo arnat ti tua'r Sowth 'na, wsti. Pwy sy'n mynd i gario'i fasged o i'r stesion, Leusa?' A chwarddodd y ddau.

'Hancesi pocad,' oedd unig ateb William Jones, gan fynd i'r drôr i'w hymofyn. Cofiodd hefyd am y drôr fach gloëdig lle'r oedd y chwe phunt, a rhoes yr arian yn llogell ei drowsus. Anwybyddodd ei frawd yng nghyfraith yn llwyr.

'Be' 'di'r lol yma, William?' gofynnodd hwnnw ymhen ennyd.

'Llyfr y Post Offis. Mae gin i dros ganpunt yn fan 'no.' A dychwelodd y paciwr i'r drôr fach i nôl y llyfr. Penderfynodd Leusa grio eto.

'Hancas,' meddai William Jones, gan estyn un iddi.

'Tria roi rhyw synnwyr yn 'i ben o, Ifan,' ochneidiodd hithau.

'Petha shefio . . . Na, mi fydda' i isio'r rheini bora 'fory.'

'William!' meddai Ifan Davies yn ei lais mwyaf awdurdodol.

''Sgidia gwaith. Gwell imi fynd â nhw.' A brysiodd i lawr y grisiau.

Arhosodd y brawd a'r chwaer yn syn ac amyneddgar wrth y fasged wellt, ond ni ddychwelodd ei pherchennog ati. Yn lle hynny, brysiodd drwy'r pentref i 'ddeud gwd-bei' wrth Bob Gruffydd, ei bartner. Cafodd hwnnw ar fin troi i'w wely, a gwrandawodd ef a'i wraig yn gegagored ar stori William Jones. Beth am ei waith yn y chwarel? Beth a wnâi ym 'mhen draw'r byd', a miloedd yno yn gorfod loetran wrth gonglau'r ystrydoedd? Beth ped âi Leusa at gyfreithiwr? Beth am y tŷ a'r rhent a'r dodrefn? Beth am . . . ? Ond ymddangosai'r dihiryn fel petai uwchlaw mân ofidiau'r llawr. 'O, mi fydda' i'n olreit,' oedd ei ateb i bopeth.

Yr oedd ei gamau'n rhai cyflym a chadarn drwy'r pentref pan droes adref tuag un ar ddeg.

6 *ANHUNEDD*

Ni fedrai William Jones gysgu winc. Nid am fod Leusa'n chwyrnu—yr oedd hithau'n bur anesmwyth, yn troi a throsi wrth ei ochr—ond am fod ei feddwl fel môr tymhestlog. Dyma fo, meddai wrtho'i hun, yn ŵr hanner cant a dwy â'i gorun yn foel, yn rhoi clep ar ddrws ei gartref ac yn ei gwadnu hi am y Sowth. Ped awgrymasai rhywun wrtho wythnos yn ôl fod y fath beth yn bosibl, fe ddywedasai nad oedd y proffwyd hwnnw'n hanner call. Ond yn awr . . . Troes William Jones ar ei gefn, gan anadlu'n ddwfn a rheolaidd. Ond nid i ddim pwrpas; daliai nerfau'i ystumog i geisio sefyll ar eu pennau.

Dywedir—ni wn ar ba sail nac awdurdod—bod ei fywyd i gyd yn ymrithio drwy feddwl gŵr sydd ar foddi. Profiad felly a gâi William Jones yn ei wely; aeth eto i'r ysgol i eistedd wrth ochr Enid May, eto i droi'r mangyl i'w fam, eto i angladd ei dad, eto'n dalog i'r chwarel, eto i'r brwydrau erchyll yn Ffrainc . . . Daria, anghofiasai ei fedal yn llwyr wrth bacio. Âi â honno gydag ef; byddai plant Meri a Chrad yn falch o'i gweld.

Daeth iddo ddarlun ohono'i hun yn gorwedd eto yn Nhir Neb rhwng ffosydd y gelyn a'r ffosydd Prydeinig. Yr oedd tri ohonynt yno yn y twll a wnaethai rhyw dân-belen yn y ddaear—ef a Mills, dyn o Lundain, a Howells, llanc o swyddog. Wrth ddwyn cyrch ar ffosydd y gelyn yn y nos, bu raid iddynt gilio'n ôl, a llusgodd y ddau ohonynt Mills i'r twll yn y ddaear. Darfu'r tanio, ac yno yr oeddynt fel llygod yn y distawrwydd wedi'r drin. Pan ddaeth y wawr, nid oedd dim amdani ond gorwedd yno heb feiddio codi eu pennau, ac ofnent bob munud y clywai'r gelyn riddfannau Mills, a glwyfwyd yn o arw. Pan dawelodd ef a syrthio i gwsg anesmwyth, treuliodd William Jones a Howells yr amser yn sibrwd hanes eu bywyd wrth ei gilydd. Gwelsai William Jones lawer ar y llanc o swyddog o gwmpas y ffosydd cyn hynny, a chlywsai ei Saesneg uchel, mursennaidd yn ei dyb ef. Rhyw sbrigyn o swyddog go haerllug fuasai ei farn amdano, a theimlai'r chwarelwr yn llai nag ef ei hun yng nghwmni pobl felly, gan fod ei Saesneg ef mor garbwl. Dyna falch oedd i gael gweini'n brysur ar Mills, heb orfod dweud fawr fwy na 'Yes, sir' neu 'No, sir' wrth Howells. Ond pan syrthiodd Mills i gysgu, aeth y mudandod rhyngddynt yn beth anghysurus i'r eithaf.

'Beginning to rain, sir,' meddai William Jones o'r diwedd.

'Yes. . . O b'le ŷch chi'n dod, Jones?'

Bu bron i Jones ag eistedd i fyny'n syth, Germans neu beidio.

'O Lan-y-graig, syr, yn Sir Gaernarfon.'

Ysgydwodd Howells ei ben, â gwên freuddwydiol ar ei wyneb. Buasai ef yn Llan-y-graig ddwy flynedd cyn hynny ar ei wyliau o Rydychen, yn cael amser bendigedig yn cerdded y bryniau ac yn dringo'r mynyddoedd. A adwaenai Jones fachgen o'r enw Glyn Williams yn Llan-y-graig, un a fuasai'n fyfyriwr yn Rhydychen? Diar annwyl, fe adwaenai Jones ef yn dda iawn—hogyn Now Williams *Bon Marche*. Chwarddodd Howells yn dawel wrth gofio Glyn yn dynwared pregethwyr yn y 'Dafydd', fel y galwai Gymdeithas Dafydd ap Gwilym. Siaradodd lawer am Glyn ac yntau yn Rhydychen—am feicio drwy'r wlad oddi amgylch, am fechgyn diddorol yn y gwahanol golegau, am brynhawniau heulog ar yr afon. Yna aeth i sôn am ei gartref yng Nghwm Rhondda, am y côr yr oedd ei dad yn arweinydd arno, am ei frawd a chwaraeai rygbi tros ysgolion Cymru, am ei chwaer a enillasai ar ganu mewn llawer eisteddfod. Ond yn fwyaf oll, am ei fam, y wraig fach orau yn y byd. Gwelai William Jones y rhoddai'r parablu ryddhad mawr i'r bachgen, a phorthodd ef â chwestiynau. Tywalltai'r glaw arnynt, crynent yn yr oerni, a chloai'r gorwedd disymud, llechwraidd, bob cymal yn eu cyrff, ond llithrodd yr oriau heibio'n gymharol gyflym mewn atgofion melys. Eglurodd William Jones sut yr oedd rhwygo craig a hollti a naddu, a chafodd hwyl ar ddarlunio rhai o gymeriadau od y chwarel. Yn wir, petai hi'n dywydd braf, a phetai ganddynt fwyd a hawl i gael smôc, byddai'r diwrnod yn un hapus.

Deffroes Mills tua diwedd y prynhawn, gan ddechrau griddfan yn uchel eto, ond yn ffodus, aildaniai'r gynnau mawrion erbyn hynny. Rhoesant ddŵr iddo i'w yfed a cheisio'i wneud mor esmwyth ag yr oedd modd, ond yr oedd yn amlwg fod rhyw dwymyn ffyrnig yn gafael ynddo, ac anodd fu ei gadw'n llonydd ar lawr y twll. Mawr yr edmygai William Jones amynedd tawel y bachgen o Gwm Rhondda, a rhyfeddai iddo ffurfio barn mor gyfeiliornus amdano o'r blaen. Yna, yn sydyn, chwibanodd tân-belen i'r ddaear gerllaw, a chodwyd y tri ohonynt droedfeddi i'r awyr a'u gollwng drachefn mewn cawod o faw. Ymlusgodd William Jones at Mills i'w droi yn ôl ar ei gefn ac i sychu'r baw oddi ar ei wyneb, ac yna clywodd anadlu trwm y bachgen o swyddog. Gwelodd fod gwaed yn llifo o'i dalcen ac yn ei ddallu'n llwyr. Beth a wnâi? Rhoesent eu cadachau poced am y clwyf ar goes Mills, a rhaid oedd cael rhywbeth glân ar dalcen Howells yn awr.

Derbyniasai lythyr oddi wrth ei fam y diwrnod cynt; agorodd yr amlen a tharo'r tu glân ar y clwyf, a'i rwymo â'i *puttee.* Gwelai fod gwefusau'r bachgen yn wyn, ac ofnai y llewygai ar ôl colli cymaint o waed, ond gwenodd y llanc yn ddewr arno, gan sibrwd ei ddiolch.

Troes y glaw yn niwl cyn hir, a daeth yr hwyrnos yn gyflym. Pur anaml oedd fflachiadau'r gynnau yn awr, a gweddïai William Jones na wasgerid goleuadau *Verey* uwchben. Yn ffodus, dyn cymharol fychan oedd Mills, a chredai y gallai ei gario'n weddol rwydd. Beth am Howells? Gobeithio'r nefoedd y medrai ei lusgo'i hun yn ôl i'r ffosydd.

'*Lieutenant* Howells,' sibrydodd yn y tywyllwch.

'Ie?'

''Falla mai dyma'r siawns ora gawn ni. Beth am 'i thrio hi 'rŵan, syr?'

'O'r gore, Jones.'

'Mi gymera' i Mills ar fy nghefn. Mi fydd yn rhaid inni lusgo ar ein hwyneba, mae arna' i ofn. Triwch gadw wrth fy ochor i, syr.'

Llwyddodd William Jones i gael Mills ar ei gefn, ac yna ymlusgodd y ddau, fesul modfeddi, tua'r ffosydd. Nid anghofiai'r chwarelwr mo'r daith honno byth—y symud araf, araf; y llaid soeglyd o dan ei ddwylo; y darn o weiren bigog a dorrodd i mewn i'w ben-glin; y teirgwaith y llithrodd ei faich oddi ar ei gefn; yr ofn bod nerth Howells yn pallu. Gorffwysodd y ddau ymhen amser.

'Ydach chi'n iawn, syr?'

'Odw, diolch.'

Goleuodd tân-belen y lle am ennyd, a gwasgodd y ddau eu cyrff yn dynn yn erbyn y ddaear.

'Cadwch eich talcen o'r mwd os medrwch chi, syr.'

Tybiai William Jones fod anadlu'r bachgen yn drwm ac ansicr.

'Ydach chi'n iawn, syr?' sibrydodd eto.

'Odw, diolch.'

'Ymlaen â ni, 'ta.'

Deng munud arall o ymlusgo drwy'r llaid oer, ac yna gorffwys eilwaith. Yr oeddynt yn ddigon agos yn awr i glywed lleisiau isel yn y ffosydd gerllaw.

''Rydan ni bron wedi cyrraedd, syr.'

Nid oedd ateb.

'Bron wedi cyrraedd, syr.'

Dim ateb yr eildro.

'*Lieutenant* Howells! *Lieutenant* Howells!'

Y nefoedd fawr, beth pe collasent ei gilydd yn y tywyllwch niwlog! Na, yr oedd yn sicr fod Howells wrth ei ochr funud ynghynt. Rhoes ei law chwith allan—i gyffwrdd ag wyneb oer, marw. Dyna'r foment fwyaf ofnadwy a gofiai William Jones, a bu fel drychiolaeth yn ei feddwl ddydd a nos am fisoedd wedyn. Druan o'r fam y soniasai'r bachgen mor annwyl amdani! Ac o'r arweinydd côr yng Nghwm Rhondda! Ac o'r bachgen a chwaraeai rygbi a'r ferch a enillai mewn eisteddfodau! Gwelsai William Jones olygfeydd erchyll iawn yn Ffrainc, ond dyna'r tro cyntaf iddo dorri i wylo. Criodd fel plentyn yno yn y tywyllwch, gan felltithio pob un a ddadleuai tros ryfel. Pan ddaeth ato'i hun, penderfynodd dynnu'r gadwyn oddi am wddf y bachgen, a rhoes ei law allan eto. Mor oer oedd ei wyneb! Ond sut y gallai un a oedd newydd farw fod mor oer? Efallai mai rhywun arall . . . Ymlusgodd yn ei ôl, gan ymbalfalu i dde ac aswy, a rhoes ei galon naid o lawenydd pan gyffyrddodd â llaw gynnes y llanc.

Beth a wnâi yn awr? Ni allai yn ei fyw gario'r ddau ohonynt, ac yr oedd Mills yn gowlaid go anesmwyth erbyn hyn. Pe cludai Mills i'r ffosydd, gan fwriadu dychwelyd i nôl Howells, efallai y collai'r llanc yn y tywyllwch. A byddai'r sarsiant yn ei alw wrth bob enw ac yn ei ystyried yn hollol wallgof yn mentro eto i Dir Neb. Chwibanodd cawod o fwledi tros ei ben a gorweddodd mor llonydd â'r dyn marw a gyffyrddasai funud ynghynt. Fflachiodd tân-belen ar ôl tân-belen uwchben, gan droi'r glaw niwlog yn gochni swrth bob tro. Crynai fel deilen yn yr oerni, er bod chwys ar ei dalcen. Saethodd bwledi i'r ddaear gerllaw, un ohonynt yn ymyl ei law dde. A ddarganfu'r gelyn hwy, tybed? Gorweddodd felly, yn ofni anadlu bron, am ddeng munud, gan gau ei lygaid a'i ddannedd bob tro y symudai ac yr ochneidiai'r gŵr clwyfedig ar ei gefn. Yna tawelwch eto, llonyddwch trwm, llawn disgwyl, fel hwnnw a ddeuai rhwng y ffrwydradau i un o dyllau'r chwarel.

Y peth gorau i'w wneud oedd cludo Mills ychydig o lathenni ac yna cropian yn ôl am y bachgen. Ia, dyna a wnâi. Ymlusgodd ymlaen am dipyn, ac yna ceisiodd ollwng y baich oddi ar ei gefn. Ond am ryw reswm gafaelai Mills yn dynn am ei wddf yn awr, ac ni fedrai yn ei fyw ddadblethu ei ddwylo. Llwyddodd o'r diwedd a throes yn ei ôl i ymbalfalu am y llanc. Credasai mai gwaith hawdd fyddai ei ddarganfod, ond bu'n ymlusgo i dde ac aswy yn hir cyn ei gael. Cymerodd ef yn ei hafflau, gan ddefnyddio'i draed a'i benelinoedd i ymwthio'n ôl i gyfeiriad griddfan Mills. Gwnaeth hynny dro ar ôl tro nes cyrraedd yn agos i'r ffos.

Ar ei gefn yn ei wely'n methu cysgu, gwenodd William Jones ar y tywyllwch wrth gofio'r munud hwnnw pan gyrhaeddodd o fewn llathen neu ddwy i fin y ffos. Credasai y byddai ei helyntion ar ben ond iddo fedru ymlusgo i'r fan honno, ond rhythodd yn hir i'r tywyllwch o'i flaen, gan ddychmygu y gwelai ffroenau hanner dwsin o ynnau yn anelu ato. Beth gynllwyn a wnâi? Penderfynodd sibrwd yn Gymraeg, gan fod y rhan fwyaf o hogiau'r ffos yn Gymry.

'Hei! Oes 'na rywun yna? Hei, hogia, hogia!'

Daeth yr ateb ar unwaith.

'Oi, mates, did you hear that? A bloody Jerry right on top of us!'

'No. Welshman, Welshman. Bill Jones. Wil Llan-y-graig.'

Clywodd lais Llew Gruffydd, hogyn o Bwllheli.

'Don't shoot, Bert. . . Wil! Wil!'

'Ia, Llew, fi sy 'ma.'

'Be' gythral wyt ti'n wneud yn fan 'na? Rhywun hefo ti?'

'Oes. Corpral Mills a *Lieutenant* Howells—y ddau wedi'u clwyfo'n o arw.'

'Reit. Gwthia un ohonyn nhw ymlaen inni gael gafal ynddo fo.'

A chafwyd dwylo parod i dynnu'r tri ohonynt o dan y weiren bigog i mewn i'r ffos.

Âi, fe âi â'i fedal gydag ef, meddai William Jones wrth dywyllwch ei ystafell wely. Ymh'le yr oedd y llanc o swyddog erbyn hyn, tybed? Llanc? Aethai dwy flynedd ar bymtheg heibio er hynny ac yr oedd Howells yn ddyn bellach. Gwelsai William Jones ef yn Llan-y-graig yr haf ar ôl y rhyfel, a chofiai'r diwrnod hwnnw y daethai ef a Glyn Williams *Bon Marche* i'r chwarel am dro. Ond bu Glyn farw yn fuan wedyn—effaith y clwyfau a gawsai yn Ffrainc, yn sicr—ac ni chlywsai William Jones ddim am Howells ers tro byd. Gwyddai ei fod yn athro ysgol i lawr yn y De, ond dyna'r cwbl. Arno ef yr oedd y bai, gan i'r bachgen ysgrifennu ato ddwywaith, ond yn wir, un sâl iawn am lythyr oedd William Jones. Eisteddasai i lawr i yrru gair ato droeon, ond wedi iddo sôn am y tywydd a hysbysu ei fod mewn iechyd, ni fedrai yn ei fyw grafu unpeth arall i'w ddweud. Efallai y câi ei weld yn awr; byddai ganddynt lawer i sgwrsio yn ei gylch.

Troes William Jones ar ei ochr eto i drio cysgu. Ond yr oedd mor effro â'r gog.

Ymh'le yr oedd strap y fasged wellt, hefyd? O, ia, ar y bachyn yn y llofft fach. Diar, yr oedd blynyddoedd er pan baciasai ef yr hen fasged i fynd am dro i Ynys Manaw. Yr haf ar ôl iddynt briodi oedd hwnnw, a mynnai Leusa gael mynd 'am change'. Diawch, dyna le! Pobl fel morgrug hyd y tipyn traeth, sŵn gramaffôn aflafar ym mhobman, merched yn hanner noeth, llanciau a llancesi yn bwyta a dawnsio, dawnsio a bwyta, drwy'r dydd. Ac yntau yn ei ddillad nefi blŵ a'i het fowlar a'i goler galed yn trio'i argyhoeddi ei hun ei fod wrth ei fodd yno. Yn ffodus, trawodd ar Now Dic yr ail fore, a rhoes y ddau berffaith ryddid i Leusa ac Enid May i grwydro i'r lle y mynnent ond rhoi llonydd iddynt hwy i eistedd yn y parc i sgwrsio am y chwarel. A byth er hynny, aethai Leusa am wythnos at ei chyfnither yn y Rhyl bob Awst.

Gwenodd William Jones wrth gofio'r siwrnai i Lerpwl bob haf pan oedd yn hogyn. Pam gynllwyn yr aent yno, ni wyddai, oni theimlai ei dad fod yr wythnos yn Lerpwl yn sicr o fod yn addysg i'w blant. Arhosent hefo Jim Roberts, a gadwai siop fechan yno, a threuliai eu tad y rhan fwyaf o'r wythnos yn siarad am Lan-y-graig a'r chwarel hefo Jim, gan wgu ar bob gair o Saesneg a glywai yn y siop ac ar y stryd. Arhosai Ann Jones hefyd yn y tŷ, yn mynnu glanhau'r llofftydd a pharatoi bwyd a golchi llestri, gan roi hanes hon-a-hon a hwn-a-hwn yn bur fanwl i Fargiad Roberts. Pan gaeent y siop am hanner diwrnod, âi Jim a'i wraig â hwy oll am dro i weld gogoniant y dref a'r dociau, ond hyd yn oed yng nghanol twrf Lime Street, am Lan-y-graig yr oedd y sgwrs. Câi Wili a Meri ddigon o geiniogau i'w gwario, wrth gwrs, a chyfle i rythu ar siopau a thramiau a threnau trydan, ond darn gorau'r wythnos i Richard ac Ann Jones oedd y siwrnai adref, ef yn dyfalu sut yr aethai pethau yn y Bonc Lydan a hithau'n gobeithio i Feic y Cigydd gadw tamaid o *lamb* iddi ar gyfer y Sul. Er hynny, pan ddeuai'r haf wedyn, dyna bacio'r hen fasged wellt eto a chychwyn am Lerpwl a rhyw her anturiaethus yn llygaid y rhieni, ac yn eu trem, pan lifai'r don o Saesneg tuag atynt ar ben eu taith, y gwg a'r elyniaeth a ddywedai y dylai pawb yn y lle roi'r gorau i'w cybôl a siarad Cymraeg.

Ei fedal. A oedd rhywbeth arall y dylai ei daro yn y fasged? Ei Feibl. Rhyfedd iddo anghofio'i Feibl. Âi â'r Beibl bach hwnnw a gawsai'n anrheg gan y capel pan ymunodd â'r Fyddin. Teimlai William Jones, ar ei ochr yn ei wely, yn dawelach ei feddwl ar ôl iddo benderfynu mynd â'i Feibl i'r Sowth; yn ŵr pur grefyddol.

Ni ddarllenai'r llyfr, dim ond yn nosbarth Wmffra Roberts yn yr Ysgol Sul, ond gwyddai fod ynddo wirioneddau mawr, sylfaenol, arhosol, a gallai adrodd rhai penodau pan oedd yn hogyn. Rhyw lyfr go sych a fuasai'r Beibl i William Jones, a dweud y gwir, yr un yr oedd yn rhaid iddo ddysgu adnodau ohono ar gyfer y Seiat, yr un y buasai pob athro Ysgol Sul a gawsai yn hollti blew wrth chwilio am ystyr ei eiriau, yr un a ddarllenai Lloyd y Gweinidog bob amser mewn llais angladdol, yr un y dyfynnai'r hen ragrithiwr Isaac Davies, tad Leusa, mor rhwydd ohono. Na, nid oedd yn hoff o'r Beibl, ond teimlai y dylai ei gludo fel rhyw swyn cyfrin yng nghornel y fasged wellt. Beth bynnag a ddigwyddai iddo ar y daith neu yn y Sowth, gallai ddweud bod ei Feibl ganddo.

Ac wrth feddwl am ei Feibl, daeth iddo ddarlun o'r Hen Gron.

Clocsiwr oedd yr Hen Gron, yn byw y drws nesaf iddynt pan oedd William Jones yn ifanc. Dyn llwyd, esgyrniog, tros ei chwe throedfedd o daldra. O daldra? Nage, o hyd, gan fod hanner uchaf ei gorff bron yn gyd-wastad â'r llawr. Pan godai i bwnio'r tân neu i gymryd rhywbeth oddi ar y silff yn y cwt lle gweithiai, ni fyddai ei ben yn agos i'r nenfwd ond ymestynnai ei gorff tenau ar draws y cwt. Felly y cofiai Wili yr Hen Gron, bob amser wrth ei waith yn y cwt, heb fyth fentro allan i'r pentref, yn cnoi da-da *extra-strong* ac yn darllen ei Feibl. Ni welech ef heb ei Feibl yn agored o'i flaen ar y fainc-weithio, ac wrth ochr hwnnw yr oedd cwdyn papur yn cynnwys y da-da bychain crynion. Pen moel anferth, fel chwysigen o lard, rhyw hanner dwsin o ddannedd go ddrwg yn ei geg, tei heb goler am ei wddf hir, ac ychydig o flew ar ei gorun yn atgofio un i wallt fod yno unwaith. Cofiodd William Jones yr oriau a dreuliai, yn hogyn, yng ngweithdy'r Hen Gron, yn ei wylio wrth y fainc ac yn gwrando ar ei storïau ac yn cael ei gyfran o'r *extra-strong*. A gwrandawai'n astud ar yr hen glocsiwr yn dadlau â rhywun am ei arwr, yr Apostol Paul.

Yna, rai blynyddoedd wedyn, aeth Meri i weini at yr hen frawd.

Er bod Wili'n ennill ychydig yn y chwarel a'i fam wrthi hefo'r golchi o fore tan nos, ni ddeuai'r ddau ben-llinyn ynghyd. Penderfynasai Ann Jones gadw Meri yn yr ysgol, ond bu raid iddi ei thynnu oddi yno yn y diwedd a'i gyrru i weini i dŷ Huws y Stiward. Câi redeg adref i de bob prynhawn Mercher a dyfod i'r capel bob nos Sul, ac ymddangosai'n bur hapus. *Ymddangos* felly yr oedd, gan siarad pymtheg y dwsin i guddio'i hannedwyddwch. Rhedai adref weithiau gan benderfynu na ddychwelai i dŷ Huws, ond pan welai ymdrech ddewr ei mam hefo'r golchi, ymwrolai a chuddio'r ing yn ei chalon. Yna, un diwrnod, torrodd i feichio crio uwch ei the.

Diwrnod tua diwedd Mawrth oedd, a gwynt y dwyrain yn rhewi pob pwll a phob afon. Yn gynnar yn y bore, gyrrodd Jane Huws Meri i'r llofftydd i lanhau'r ffenestri. Hyd yn oed ar dywydd braf, casâi hi'r gwaith, oherwydd yr oedd yn rhaid iddi eistedd ar silff ffenestr gan gydio yn y ffrâm ag un llaw a glanhau'r gwydr â'r llall, heb feiddio taflu golwg i'r ardd islaw. Y bore hwnnw o Fawrth, cyn gynted ag yr agorodd y ffenestr, neidiodd y gwynt arni, gan chwibanu a chwerthin a bloeddio fel un gwallgof. Er hynny, ymlusgodd i eistedd ar y silff ac, er bod ei dwylo wedi fferru, rhwbiodd y gwydr yn wyllt. Yn sydyn llithrodd hanner isaf y ffenestr, a bwysai ar ei gliniau, i fyny ychydig, a gollyngodd hithau ei chadachau, gan sgrechian mewn dychryn a chydio yn y ffrâm â'i dwy law. Chwarddodd y gwynt yn uchel, gan chwipio'i chorff eiddil yn ddidostur. Ymgripiodd yn ôl i'r llofft, a'r munud hwnnw daeth Jane Huws i mewn trwy'r drws.

'Wel? Wedi gorffan?'

Sychodd Meri'r dagrau a chwipiasai'r oerwynt i'w llygaid.

'N . . . naddo, Meistras. Mae . . . mae arna' i ofn.'

'Ofn? Be' nesa', tybed! Pan oeddwn i dy oed di, 'nginath i . . . Tyd yn dy flaen.'

'Mae'n ddrwg gin i, Meistras, ond . . . yr hen wynt oer 'na a . . . a . . .'

'Mi glywist be' ddeudis i. Mae arna' i isio'r ffenestri 'na wedi'u llnau. Ac ar unwaith.'

'Na wna'.'

'Be'?'

'Fedra' i ddim, Meistras. Mae arna' i ofn. Gadwch imi 'u llnau nhw 'fory, Meistras. Mi driais i, ond mi fûm i bron â syrthio, ac mae'r hen wynt 'na . . . Gadwch imi 'u gneud nhw 'fory, Meistras.'

'Mi wyddost pa ddiwrnod ydi hi hiddiw, Meri?'

'Dydd Merchar.'

'Y diwrnod yr wyt ti'n cal mynd adra i weld dy fam, yntê?'

'Ia, Meistras.'

''Rwyt ti'n licio mynd adra i weld dy fam, on'd wyt, Meri?'

''Rydw i'n . . . 'rydw i'n byw i hynny.'

'Ac 'rwyt ti isio mynd hiddiw, on'd oes?'

'Mae hi'n ddiwrnod fy mhen blwydd i hiddiw, Meistras, ac mae Mam wedi addo . . .'

'Te spesial?'

'Ia, Meistras.'

'Wel, gawn ni weld. Un ai mi fydd y ffenestri 'ma wedi'u llnau ne' mi fydd rhywun yn aros yma pnawn i ddechra ar y *spring cleaning*. Mi ro' i'r dewis i ti.'

A brasgamodd allan, gan glepian y drws o'i hôl.

Aeth Meri'n araf i lawr y grisiau ac i'r ardd i nôl y cadachau a gollasai, a chafodd i'r gwynt eu chwythu ar draws yr ardd i waelod y gwrych o goed gwyros. Yn araf hefyd y dychwelodd tua'r llofft, a'i phryder a'i hofn yn cymylu ei llygaid. Safodd yn hir wrth y ffenestr, yn casáu'r drych hirgrwn, euraid, a wnâi iddi edrych mor fechan ac mor unig yng ngwacter oer yr ystafell. Yna, â'i nerfau'n dynn, gwthiodd y ffenestr i fyny a dringodd ar y silff, a'r gwynt yn ei fflangellu.

Pan gyrhaeddodd adref y prynhawn hwnnw, cafodd ei mam yn manglio yn y cwt, ac aeth ati i droi yn ei lle, gan ddywedyd ond ychydig. Yr oedd llygaid Ann Jones fel pe'n treiddio i ddyfnder ei chalon.

'Be' sy hiddiw, Meri?'

'Dim byd, Mam . . . Yr hen wynt oer yna'n chwythu o hyd, o hyd. Piti na fasa fo'n stopio am dipyn. 'Rydw i wedi bod bron â rhynnu drwy'r bora.'

Cyn hir, aethant i'r gegin am de cynnar, ac edrychodd Meri'n syn ar y wledd o'i blaen. Yr oedd yno jeli coch, bara gwyn a brown a brith, teisen o fwyar duon cadw, a phlatiad o gacenni bychain a wnaed ar y radell. P'le y cawsai ei mam amser ac arian i baratoi'r fath wledd? Torrodd Meri i feichio wylo, a llwyddodd ei mam i gael peth o hanes Jane Huws ganddi.

Wedi iddynt orffen bwyta, cododd Ann Jones â gwên galed ar ei hwyneb.

'Helpa fi hefo'r llestri 'ma, Meri fach, ac wedyn mi awn ni â'r fasgedaid yna o ddillad i dŷ Nel Owen.'

'Ond mi a' i â nhw, Mam, ar fy ffordd yn ôl, fel arfar.'

''Rydw' i'n dŵad hefo ti hiddiw. Mae gin i isio deud un ne' ddau o betha wrth y Jane Huws yna.'

Dyna ddiwrnod olaf Meri yn nhŷ mawr y Stiward, a dangosodd Ann Jones y prynhawn hwnnw fod huodledd rhyfeddol ynghudd ynddi, gallu eithriadol i lunio brawddegau miniog. Gartref y bu Meri drwy'r haf hwnnw'n cynorthwyo'i mam hefo'r golchi, a disgynnai'r ceiniogau'n aml a llon i'r jwg ar y dresel. Ond gyda'r gaeaf, daeth eto orthrwm y glaw a'r niwl a'r rhew a hunllef bod mewn dyled am y rhent. ''Roeddwn i wedi gobeithio medru dy gadw di gartra hefo mi, Meri fach,' meddai Ann Jones un gyda'r nos, 'ond wir, mae hi'n mynd yn o gyfyng arnon ni eto. Ond 'fallai y gwellith petha cyn hir. Dos â'r clocsia 'ma i'r Hen Gron, 'nginath i.'

Rhedodd Meri drwy'r cefn i gwt yr hen glocsiwr a'i gael ef, fel arfer, yn cnoi *extra-strong* a darllen ei Feibl wrth ei waith. Rhoes y clocsiau iddo a safodd wrth ei ochr ennyd yn ei wylio'n rhoi pedol ar glocsen. Daeth curo ysgafn o'r tŷ.

'Martha druan yn curo yn y llofft eto,' meddai'r hen frawd, gan godi o'i sedd. 'Yr hen riwmatic 'na'n ddrwg iawn arni hi hiddiw, Meri fach. Rhed i fyny i'r llofft i weld be' mae hi isio, 'nghariad i.'

Brysiodd Meri i'r tŷ ac i fyny i'r llofft gefn. Eisteddai Martha Williams ar fin y gwely, wedi methu ymlusgo at y ffenestr i'w chau. Hen wraig fechan, grychiog, ydoedd, a'i dwylo tenau wedi'u cloi gan gryd cymalau.

'Chdi sy 'na, Meri fach?' meddai, a'i hwyneb o femrwn yn crychu mewn gwên. 'Yr hen ffenast' 'na heb 'i chau yn dynn, hogan, a finna'n methu'n lân â'i chau hi. Gwthia hi fyny i'r top, 'nginath i, a rho ddarn o bapur ne' rwbath i'w dal hi yn 'i lle.'

Llwyddodd Meri i gau'r ffenestr yn dynn, ac yna cynorthwyodd yr hen wraig yn ôl i'w gwely.

'Diar annwl, yr ydach chi'n crynu fel deilan, Mrs Wilias fach. 'Rŵan, i'r gwely 'na ar unwaith, yn lle sefyllian ar yr hen *oilcloth* 'na. Ga' i redag i lawr i roi bricsan yn y tân i chi 'i chael hi wrth eich traed?'

'Cei, os byddi di mor ffeind, 'nghariad i. Sut siâp oedd ar betha i lawr 'na? Popeth ar draws 'i gilydd, mae'n debyg?'

'Na, wir, 'roedd y gegin yn edrach yn reit daclus, Mrs Wilias.'

Lapiodd Meri'r fricsen yn ei darn o wlanen a brysiodd i lawr i'r gegin. Tân sâl iawn a oedd yno, a rhedodd i'r cwt am ddyrnaid o naddion i'w ailgynnau. Cyn hir yr oedd fflamau gwresog yn y grât, a thrawodd Meri'r tegell ar y tân i wneud cwpanaid o de i'r hen wraig. Pan fustachodd yr hen Gron i fyny i'r llofft ymhen rhai munudau, cafodd ei wraig yn eistedd i fyny yn ei gwely hefo siôl am ei hysgwyddau a chwpanaid o de yn ei llaw, yn chwerthin yn llon wrth wrando rhyw stori a ddywedai Meri wrthi. Edrychodd yr hen ŵr yn hir ar ferch y drws nesaf, ac yna, heb un rhagymadrodd, 'Faint oeddat ti'n gael yn nhŷ Huws y Stiward, Meri fach?'

'Tri swllt yr wsnos, Mr Wilias.'

'Ddoi di i weithio yma at Martha a finna am yr un arian? Mi elli fynd adra i gysgu bob nos os lici di, a fydden ni ddim isio iti aros yn hwyr un noson.'

'O, mi faswn i wrth fy modd, Mr Wilias. Mi reda' i adra 'rŵan i ofyn i Mam.'

Cofiai William Jones lawenydd Meri wrth ddychwelyd i'r tŷ ac mor eiddgar yr erfyniai am gael mynd i weini at yr hen Gron. Ac yno, yn gofalu am yr hen bâr duwiol a charedig, y bu am dair blynedd, nes i angau leddfu loes y cryd cymalau ar Fartha a rhoi'r hawl, tua'r un adeg, i'r Hen Gron ymsythu yn ei arch.

Gwenodd William Jones wrth gofio'r Hen Gron a'i Feibl a'i *extra-strong*, ac yna syrthiodd i gysgu.

7 *Y NEFOEDD, DYMA LE!*

Tynnai William Jones tua phen ei daith; rhyw chwarter awr arall, a byddai ym Mryn Glo. Hyderai i Grad dderbyn y teligram a yrasai iddo o Gaer ac y deuai rhywun i'w gyfarfod i'r stesion.

Arhosodd y trên mewn gorsaf fechan yng ngwaelod y cwm, a syllodd William Jones braidd yn ofnus ar y pentref a ddringai'r llethr gerllaw. Strydoedd sythion, unffurf, o gerrig llwyd, yn hongian o dan ryw dip glo anferth. Daeth dau ŵr canol oed i mewn i'r cerbyd.

'Shwmâi?' meddai un.

'Go lew, wir, diolch.'

'O, Northman, ifa?'

'Ia, o Lan-y-graig. . . Sir Gaernarfon.'

'Shwd ma' petha'n dishgwl yn y chwareli 'na 'nawr?'

'Y?'

'Shwd ma' petha'n mynd yn y chwareli lan 'na?'

'O, go lew, wir.'

'Gwd, w. Mae'n dwym 'eddi.'

'Y?'

'Hoil twym?'

'Ydi wir.' Hyderai William Jones iddo roi'r ateb cywir.

Suddodd y glöwr yn ôl i'w sedd, gan sychu ei dalcen; gwthiai ei gyfaill ei wefusau allan wrth geisio tanio pwt o sigarét go amharchus ei liw a'i faint.

'Dod am sbel fach?'

'Na, i aros. Meddwl mynd i weithio i'r pwll glo.'

Llosgodd taniwr y sigarét ei wefus. 'Yffarn dân!' meddai. Ond nodiodd y gŵr arall yn ddeallus a diniwed.

'Ymh'le?' gofynnodd.

'Bryn Glo.'

'Yffarn dân! Odi fa'n mynd i shinco pwll newydd yno, Twm?' A rhythodd gŵr y sigarét ar William Jones fel petai'n gweld rhyw greadur o fyd arall.

'Pwll Bryn Glo 'di cwpla', 'chi'n gweld,' eglurodd Twm.

'Stop tap ers blwyddyn,' ategodd ei gyfaill.

'Wedi be' ddwetsoch chi?' gofynnodd William Jones.

'Cwpla', stopo, cau. Y ddau bwll, Nymbar Wan a'r Pwll Bach. Y Pwll Bach 'di cwpla' ers dwy flynadd.'

'Nes i dair, bachan,' meddai'r ysmygwr yn rhyfelgar. 'A ma' 'da Fe dŷ mawr yn ymyl Caerdydd, tŷ yn Llunden, a thŷ ar y Rifiera.'

'Lord Stub, yr ownar, 'chi'n diall.' Nodiodd Twm tuag at ei gyfaill. 'Shinc yn Gomiwnist,' chwanegodd.

Chwythodd Shinc ei bwt o sigarét o'i geg a chwiliodd yn ofer yn y boced tu mewn i'w gôt am un arall. 'Dyw E' ddim yn smoco stymps,' meddai.

'Diar annwl, ers tair blynadd!' rhyfeddodd William Jones mewn ymgais i gadw'r siarad i fynd. 'Tair blynadd!'

Syllodd Shinc yn syn arno. A fuasai'r dyn yn byw o dan dwbyn? Petai'n ŵr o America neu Affrica, gallai rhywun ddeall y peth, ond o Sir Gaernarfon y daethai hwn. A heb wybod bod y Pwll Bach wedi'i gau! 'Yffarn dân!' meddai drachefn.

'Ôs 'da chi dylwth lawr 'ma?' gofynnodd Twm.

'Y?'

'Ôs 'da chi frawd ne' whâr ym Mryn Glo?'

'Chwaer. Meri Williams.'

'Meri Williams . . . Meri Williams . . . Wyt ti'n 'nabod Meri Williams, Shinc?'

'Nagw i. B'le ma' hi'n byw?'

'Nelson Street—nymbar sefn.'

'Nelson Street ma' Shinc 'ma'n byw. Pwy sy'n nymbar sefn, Shinc?'

'Dai Morgan sy'n nymbar *five*, wedyn Crad Williams yn nymbar *six*, wedyn . . . '

'Crad ydi 'mrawd yng nghyfraith.'

'Ie, 'na fe, Crad sy'n nymbar sefn. Bob yn ail dŷ ma'n nhw'n nymbro, 'ti'n diall, Twm. Crad!' A gwenodd Shinc, gan ysgwyd ei ben.

'Bachan yw Crad,' meddai Twm.

'Bachan bidir yw Crad,' cytunodd Shinc. Golygai 'budr' rywbeth go wahanol yn iaith William Jones, ond teimlai'n reddfol fod rhyw gamddeall yn rhywle.

Ymlusgodd y trên yn araf a swnllyd i fyny'r cwm. Ar y chwith iddynt yr oedd glesni coed lle llechai tŵr rhyw eglwys hynafol.

'Ynys-y-gog,' meddai Twm. 'Hen iawn, ma'n nhw'n gweud. Ac ŷch chi'n gweld y ffarm 'co?'

'Uwchben yr eglwys?'

'Ia. Ma' welydd hon'na yn llathad o drwch. Ffarm Ynys-y-gog. Fan 'na 'roedd y Sgweiar yn byw 'slawar dydd.'

'Tewch!'

'Y?'

Ond ni cheisiodd William Jones egluro i Twm nad gofyn iddo dewi yr oedd.

Yr oedd golygfa go wahanol ar y dde. Ymwthiai rhyw ddwsin o strydoedd ac un neu ddau o gapeli mawr sgwâr tua'r pwll a'i beiriant-codi uchel, du. Safai'r olwynion yn llonydd a rhydlyd, a gwelai William Jones fod y glaswellt yn aildyfu rhwng yr heyrn ar ben y pwll.

'Pwll yr Abar,' meddai Shinc, gan nodio tuag ato. 'Lord Stub,' chwanegodd cyn poeri drwy'r ffenestr. ''Rôdd pum cant yn gwitho yn yr Abar. Ond 'nawr . . .' Poerodd Shinc drachefn. Yna rhoes ei law eto yn y boced fach tu mewn i'w gôt, rhag ofn bod stwmp yn ymguddio'n llechwraidd yno. Estynnodd William Jones ei flwch-tybaco iddo, ond gwrthododd Shinc y cynnig. Sigarennwr oedd ef.

'Pwy hawl sy 'da hwn'na i gau'r pwll a mynd off i'r Rifiera? A channodd o'i withwrs ar y *dole*. Y?'

Ni wyddai William Jones.

Fe'i hysgydwodd y trên ei hun i mewn i orsaf fach Ynys-y-gog. Neidiodd milgi i mewn i'r cerbyd atynt a dilynwyd ef gan ŵr tew a llon ac uchel ei lais.

''Ylô, bois, 'ylô! Jawch, ma' hi'n dwym 'eddi. Ond 'smo Shinc yn dwym, Twm. Rhy dena' i 'wsu yn yffarn, bachan! Be' am redag ras i fi, Shinc! *Fifty to one on* Shinc, ontefe, Twm?' A chwarddodd y gŵr tew am hanner munud cyfan.

'B'le ti'n mynd, Jim?' gofynnodd Twm.

'Tre Glo. Mic yn *sure thing* yno 'eddi, bois. Odi, *sure thing*. Sigarét, Shinc?'

'Ta.' Cynigiodd un i William Jones hefyd, ond ysgydwodd ef ei ben, gan ddangos ei bibell. Nid oedd Twm yn ysmygwr.

'Be' ddigwyddws dydd Merchar ym Mhontypridd, Jim?' gofynnodd Shinc wrth estyn matsen olau tua pherchennog y milgi. 'Wedast ti fod y ras honno'n *sure thing.*'

'Jiw, yr hen fenyw, fy mam, bachan.'

'Be'?'

'Wedi'i ffîdo fa lan ar y slei, bois. Ffagots, myn yffarn i, Twm! 'Roedd a'n ffaelu cyffro. Rhedag? Mi fasa cart *chips* y Bracchi yn 'i baso fa. Ond ma' fa mewn trim 'eddi, on'd wyt ti, Mic bach? Fydd dim ci yn Nhre Glo all 'i wynto fa 'eno, Shinc. Fe fydd y ras drosodd cyn iddyn nhw godi'u clustia, bachan. Jiw, 'sat ti'n 'i weld a ar y mynydd 'na bora 'ma!'

Treuliwyd y pum munud nesaf yn olrhain hanes Mic, y milgi mwyaf gobeithiol yn y byd er i brofedigaethau lu ei gadw rhag ennill un ras hyd hynny. Ond yr oedd ei awr ar ddyfod.

Gan nad oedd fawr ddim gwerth yn ei farn ar gŵn, suddodd William Jones yn ôl i'r gornel i wylio'r tri gŵr rhyfedd hyn. Byr oedd y tri, ac nid oedd llawer o raen ar eu gwisgoedd. Ni ellid yn hawdd ddarganfod dau mor annhebyg â Shinc a Jim, un yn denau a nerfus a llym, a'r llall yn dew a di-hid ac uchel ei sŵn. Cadwai Jim ei sigarét rhwng ei wefusau, gan siarad pymtheg y dwsin heibio iddi, ond daliai Shinc hi rhwng ei fysedd, gan dynnu'n chwyrn arni pan drawai hi yn ei geg. Ni chwarddai ef, dim ond taflu ei ben a gwenu braidd yn sur weithiau. Prin y gwelsai William Jones neb erioed ag wyneb mor fain; 'fel rasal,' meddai wrtho'i hun. Ymddangosai Jim, ar yr olwg gyntaf, yn weddol lewyrchus, â modrwy ar ei fys bach a thei lliwiog yn hongian allan tros ei wasgod, ond dywedai ei esgidiau a gwaelod ei lodrau a dwy lawes ei gôt mai twyllodrus oedd awgrym y fodrwy a'r tei. Yr oedd Twm hefyd yn gymharol dew a llon, ac ef a borthai barablu cyflym perchennog y ci. Tybiai William Jones fod y llodrau gwlanen a wisgai braidd yn rhy olau a llydain i ŵr o'i oed ef; yr oedd tros ei hanner cant a'r gwallt o dan yr het lwyd ddi-lun bron yn wyn. Prin y gallai ddychmygu Bob Gruffydd na hyd yn oed Dic Trombôn yn gwisgo trowsus fel 'na, ond yr oedd llawer o rodres o gwmpas gwŷr y De, onid oedd? Ni wyddai William Jones mai anrheg gan ryw gymdeithas ddyngarol oedd y trowsus urddasol hwnnw.

Wedi iddynt ddechrau blino ar sôn am yrfa ddisglair Mic, eglurodd Twm mai Gogleddwr oedd y 'bachan diarth'.

'Dod i whilo am waith yn Nymbar Wan, Jim,' meddai Shinc yn ei ffordd dawel, sych.

Chwarddodd Jim eto'n hir ac uchel. Dyna fachan oedd

Shinc! meddai. Cododd y milgi ei ben a dechreuodd yntau wenu—neu felly y tybiai William Jones.

'Nid jocan wy' i, bachan,' meddai Shinc. 'Ma' fa 'di dod bob cam o Sir Gaernarfon i whilo am jobyn ym Mryn Glo. Ffact.'

Edrychodd Jim droeon ar William Jones ac ar Shinc bob yn ail mewn dygn ansicrwydd. Teimlai'r chwarelwr yn bur anghysurus ac ni wyddai pa un ai gwenu a nodio neu wgu a fyddai orau. Gwenodd.

'Oes cŵn lled dda 'da chi lan 'na?' gofynnodd Jim yn penderfynu newid y stori.

Ni wyddai William Jones, gan na welsai ef ras erioed. Eglurodd mai garddio oedd ei adloniant ef. Troes Twm ei ben o'r ffenestr â diddordeb mawr.

''Lotment, sbo?' gofynnodd.

'Na, tipyn o ardd yng nghefn y tŷ.'

Nesâi'r trên at Fryn Glo a phwyntiodd Twm tua'r *allotments* ar y llethr islaw'r tip. Yno y treuliai ef a Shinc y rhan fwyaf o'u hamser, meddai, ac i lawr i farchnad y dref y buasent y prynhawn hwnnw i chwilio am fresych ifainc i'w plannu lle buasai'r tatws cynnar. Y cwbl wedi eu gwerthu allan, ond cawsent addewid am rai yr wythnos wedyn. A driodd William Jones dyfu tomatos o gwbl? Sut hwyl a gawsai ar y pys a'r ffa eleni? A ddechreuasai dynnu'r *kidney beans* eto? Cytunai'r tri'n ddwys fod eisiau glaw yn o arw.

Rhuglodd y trên i mewn i orsaf Bryn Glo. Y nefoedd, dyma le! meddai William Jones wrtho'i hun, gan syllu ar y tipiau glo'n gwyro'n dywyll uwch culni'r cwm. Cododd i estyn ei fasged oddi ar silff y cerbyd, ond gwthiodd Shinc ef o'r neilltu. Fe gariai ef y fasged, meddai.

Yr oedd tri'n aros i groesawu William Jones yn yr orsaf—Crad ac Arfon, ei fachgen, ac Eleri, ei ferch. Ceisiodd Crad gymryd y fasged oddi ar Shinc, ond ymaith â hwnnw a'i gyfaill gyda hi yn fân ac yn fuan tra oedd ef yn ysgwyd llaw â'i frawd yng nghyfraith. Rhyw un ar bymtheg oedd Eleri, a syllodd ei hewythr yn syn arni gan nad ydoedd hi ond naw pan dalodd Crad a'i deulu eu hymweliad diwethaf â'r Gogledd. Pictiwr o ferch, meddai wrtho'i hun, ond nid oedd golwg rhy raenus arni. Tybiai fod Crad hefyd yn edrych yn llwyd a thenau, ond efallai fod y tywydd poeth 'ma . . . Rhoes ei fraich am ysgwyddau Eleri, gan ddweud y dylai rhywun roi pwysau ar ben Arfon i'w atal rhag tyfu ychwaneg. Teimlai'n fychan iawn wrth ochr y llanc tal a chydnerth nad oedd ond hogyn rhwng deuddeg a thair ar ddeg pan welsai ef ddiwethaf. Ymddangosai Arfon yn o lewyrchus yn ei siwt olau a'i grys gwddf-agored.

'Pryd ddoist ti adra, Arfon?' gofynnodd iddo.

'Bore 'ma. Trafaelu drwy'r nos.'

'O? Sut wyt ti'n licio tua Llundain 'na?'

'Slough, nid Llunden. Oreit, Wncwl William. Oreit, wir, w.' Ond nid oedd argyhoeddiad yn ei lais.

Aethant i lawr y grisiau o'r orsaf ac allan i'r stryd. Gwelai William Jones amryw o wŷr, rhai ohonynt yn ddigoler, yn loetran wrth siop â'r gair BRACCHI yn fawr arni. Deuai sŵn canu croch o ryw beiriant ynddi, a chafodd y chwarelwr gip ar nifer o lanciau wrth fyrddau chwarae hirgul ac ar eraill yn yfed diodydd lliwiog o wydrau uchel. Yr oedd fel ffair yn y siop, a rhythodd y chwarelwr yn syn arni. Yna daethant at bont tros afon lydan. Afon? Syllodd William Jones i lawr ar ddüwch y dŵr ac ar y clytiau o olew a ymdreiglai hyd-ddo.

Gwelodd ddau neu dri o blant yn sefyll yn droednoeth yn y dŵr, gan chwilio â'u dwylo am gerrig llyfnion ynddo.

'Lle go wahanol i Lan-y-graig, William?' meddai Crad, wrth sylwi ar y syndod yn llygaid ei frawd yng nghyfraith.

'Ia, wir, fachgan.'

'Y *Workmen's Hall*,' meddai Arfon, gan nodio tuag at y neuadd fawr o briddfaen coch ar y dde iddynt.

'O?'

Safai twr bychan o wŷr dadleugar o'i blaen, un ohonynt —un o gymrodyr Shinc, efallai—yn ysgwyd ei ddwrn yn wyneb tri arall. Daeth y ddau air 'Means Test' i glustiau William Jones ac yna, o ffenestri uchaf y neuadd, sgrechian tyrfa o blant yn mwynhau rhyw ffilm.

'Ia, wir, fachgan,' meddai drachefn, wrth sylwi ar wŷr o bob oed yn loetran hyd y stryd. Yr oedd y lle hwn yn ei ddychrynu braidd.

Aethant heibio i Glwb swnllyd ac ynddo lawer o chwerthin a siarad a rhai lleisiau'n canu, ac yna sylwodd William Jones ar y ddwy ddafad fudr a grwydrai'r stryd o'u blaenau, gan wthio'u trwynau i bobman. Ni welsai ef erioed ddefaid yn crwydro o'r mynydd yn Llan-y-graig i hel eu tamaid hyd y strydoedd. Y syndod oedd na chymerai na phobl na chŵn sylw yn y byd ohonynt.

Atebai Crad ac Arfon gyfarchion rhywrai byth a hefyd fel y cerddent ymlaen, a thybiai William Jones i'w frawd yng nghyfraith a'r hogyn droi'n swagrwyr tebyg i bobl y lle anwaraidd hwn. Yna dechreuasant ddringo'r llethr, ac ni hoffai o gwbl yr heolydd tlawd, anorffen, a fforchiai o'r neilltu. Araf y cerddent, a sylwodd fod Crad yn anadlu braidd yn drwm. Troesant ar y dde cyn hir, a gwelai eu bod yn Nelson Street. Safai cerbyd *ice-cream* ar fin y ffordd ac o'i amgylch dyrfa o blant a chŵn, ac ar y palmant oedai gwraig fawr, dafodrydd, flêr, yn magu baban gwichlyd mewn siôl a fuasai'n wen unwaith, ac yn gwisgo am ei phen gap ei gŵr. Gwenodd ar William Jones, ac yna nodiodd yn awgrymog tua chymydog a ddeuai allan o dŷ tros y ffordd.

'Dyn diarth o off, sbo!' meddai ymhen ennyd. ''S ôdd 'da fi gwpwl o docins yn fy mhoced, i *Barry Island* elwn i am wthnos yn lle aros yn y twll 'ma.' Taflodd Crad winc fawr ar William Jones, a cheisiodd yntau fwynhau'r digrifwch.

Edrychai pob tŷ fel ei gilydd, y llwch glo'n ddu ar eu cerrig llwyd; rhyw bot rhedyn mawr yn ffenestr pob parlwr, a'r ffenestri a'r drysau oll yn dyheu am baent. Ond sylwodd William Jones, er hynny, fod y ffenestri a'r llenni'n lân iawn, a bod cerrig y drws a rhyw hanner cylch ar y palmant o'u blaenau wedi'u sgwrio'n wyn, ac y disgleiriai'r darnau o bres ar bob drws yn llachar yn yr haul. Rhyfedd, meddai wrtho'i hun, fod rhyw lendid fel yna'n blodeuo yng nghanol yr hagrwch hwn. Tipyn o rodres, efallai.

Yr oedd yn dda ganddo gael troi i mewn i'r tŷ, a gwelai ar unwaith fod croeso mawr yn ei ddisgwyl—y gegin fel pin mewn papur a gwledd yn ei aros ar y bwrdd. Diolchai William Jones fod ei chwaer yn esiampl dda i'r bobl ddifater a gwyllt o'i chwmpas, yn dangos iddynt sut i lanhau tŷ a gosod pryd o fwyd. Sylwodd ar wynder y llenni ar y ffenestr, ar lewych y pres ym mhobman, ac ar garreg yr aelwyd wedi'i sgwrio'n wen. Man glas o'r Gogledd, meddai wrtho'i hun, wedi'i blannu yn niffeithwch y De. Ac eto . . . ni fuasai Meri mor fanwl a llwyr yn Llan-y-graig, a chofiai'r ffraeo aml rhyngddi hi a'i mam ar bwnc y tynnu llwch; yr hen wraig â'i chadach yn ei llaw bob gafael a Meri'n dadlau mai gwastraff ar ynni ac amser oedd y dystio tragwyddol. Ond yma, y mae'n debyg, yng nghanol y blerwch o'i hamgylch penderfynasai droi ei chartref yn batrwm, a gwenodd yn hapus arni. Caledodd ei wên ychydig pan ganfu fod ei hwyneb yn bur denau a llwydaidd a'i gwallt yn gwynnu'n o gyflym. Ond dyna fo, yr oedd hithau, fel yntau, yn mynd yn hen; yr oedd hi dros ei hanner cant, onid oedd?

Wedi'r daith hir, mwynhaodd William Jones ei de'n fawr, a diflannodd ei bryderon wrth sgwrsio a chwerthin hefo Crad. Un da oedd yr hen Grad, meddai wrtho'i hun, gan wrando ar ei atgofion am bysgota ar y slei yn Afon Gam erstalwm. Cofiai'r chwarelwr anniddig a chwerthingar a fuasai ei frawd yng nghyfraith gynt, ei orchestion fel pêl-droediwr, ei siwrnai i America i wneud ei ffortiwn, ei athrylith a'i afradlonrwydd yn neuadd y biliards, ei ymadawiad cynnar i'r rhyfel, ei ail ymgais i wneud ei ffortiwn—y tro hwn yn y gwaith glo ar waethaf cymhellion a dadleuon ei frawd yng nghyfraith. Ia, un da oedd yr hen Grad! Beth ddywedodd y dyn yna yn y trên hefyd? 'Bachan budr'. Gwgodd William Jones ar ryw ddyn a welai drwy'r ffenestr yn brasgamu hyd lwybr ei ardd, gŵr ysgwâr ei ysgwyddau, cyflym ei gam, sicr ohono'i hun, a'i gap wedi'i daro'n haerllug ar ochr ei ben. Hy, pwy oedd o'n feddwl oedd o? 'Powld' oedd y gair yn y Gogledd am bobl y De. A gwir y gair, meddai'r chwarelwr wrtho'i hun.

Cafodd hanes y teulu—Crad allan o waith ers blwyddyn; Arfon yn Slough, gerllaw Llundain; Eleri yn yr Ysgol Ganolraddol; Wili John, yr ail hogyn, yn tynnu at bymtheg oed, wedi mynnu gadael yr ysgol honno i fod yn was mewn siop gigydd. Ac yn awr, gan fod Arfon a Wili

John yn ennill tipyn o arian, torrwyd *dole* y teulu i lawr. Wynebai Meri'r dyfodol â phryder yn llond ei llygaid, ond chwarddai Crad, gan daflu ei ben yn ddifater. Fe newidiai pethau eto, meddai ef, ond nid oedd ei chwerthin, yn nhyb William Jones, mor llawen ag y dymunai Crad iddo fod.

'Dod â'r petha 'ma o'r 'lotment i chi, Mrs Williams,' meddai llais dwfn, cerddorol, o'r gegin fach, a daeth gŵr byr tros ei drigain oed i mewn atynt, gan daro basgedaid o gynnyrch ei ardd—ffa, pys, tatws a letys—ar y seld.

'Chymera' i monyn nhw, wir, David Morgan,' meddai Meri. 'Mae digon o'u hisio nhw arnoch chi.'

'Pidwch â siarad dwli, ferch. Ma' 'da ni fwy nag ŷn ni'n moyn. Shwmâi, Crad?'

Cyflwynodd Crad ei frawd yng nghyfraith i'w gymydog.

'David Morgan,' meddai, 'arweinydd Côr Bryn Glo. Y côr cymysg gora yn y byd, yntê, Dai?'

''Di bod, bachan, 'di bod. Jawch, 'na lwcus ŷch chi!' meddai wrth William Jones.

'Be'?'

'Dod lawr 'ma 'eddi. Ma' 'da ni *Sacred Concert* nos 'fory. Côr Pendyrus. Wyth o'r gloch—ar ôl y Cwrdd.'

'Ar ôl y capal,' eglurodd Crad, rhag ofn na wyddai ei frawd yng nghyfraith beth oedd 'cwrdd'. 'Côr meibion o'r Rhondda Fach ydi Pendyrus, a ma'n nhw'n trio cal arian i fynd i fyny i'r 'Steddfod yng Nghaernarfon. Y rhan fwya' ohonyn nhw ar y *dole*, wyt ti'n gweld, William.'

'Beth ŷch chi'n feddwl o'r lle yma?' gofynnodd y cerddor.

'Wel, wir, lle . . . lle go wahanol i Lan-y-graig acw.'

''Dyw a ddim yn dishgwl yn llawar o le, odi fa?'

'Y?'

'Lle go hyll i edrach arno fo,' cyfieithodd Meri.

'Wel,. . . wn i ddim . . . Na, 'falla nad ydi o ddim yn hardd iawn.'

'Hardd?' Chwarddodd David Morgan yn dawel, gan symud i sefyll wrth y ffenestr ac i edrych i lawr ar y pentref a'r cwm islaw. 'Wy' i 'di bod ym mhob part o Loeger ac yn 'Merica—'da'r côr, 'chi'n diall—a wy' 'di gweld digon o lefydd pertach. Ond fasa'n rhaid i chwi whilo'n lled bell am bobol i wado dynon y cwm 'ma.'

'Am bobol well na'r rhain,' eglurodd Crad.

''Smo nhw i gal yn unman, gwedwch chi beth ŷch chi'n lico.' Syllodd ar y dyffryn islaw. 'Ond ôdd Bryn Glo 'ma yn lle pert unwaith, siŵr o fod. Porfa las ym mhobman a'r afon 'co yn lân ac yn bur, yn cwrlo'n wen obeutu'r cerrig, a chôd yn tyfu ar y glanna. Wy' i ddim yn cofio'r lle fel 'na, wrth gwrs, achos o'n i'n llanc yn dod yma, ond ôdd 'r hen Ddaniel Rees, arweinydd y Côr Meibion pan ddetho i yma, yn arfer dala brithyll 'da'i ddwylo wrth y Bont 'co pan ôdd a'n grwt. Ond 'na fe, y bobol sy'n 'neud y lle, ontefa?'

Gŵr bychan, effro, byw ei lygaid a chyflym a sydyn ei lafar, oedd David Morgan—Dai *Top Note* i bobl y cwm. Tyfai ei wallt gwyn yn gnwd uwch ei glustiau a thu ôl i'w ben—fel y gweddai i gerddor. Sylwodd William Jones ar farciau dulas y glo ar ei dalcen ac ar ei drwyn.

'Odych, wir, ŷch chi'n lwcus, w,' chwanegodd ymhen ennyd. 'On'd yw a, Crad? Dod lawr 'ma 'eddi, a'r consart nos 'fory. A ma' digon o dicedi ar ôl. Jawch, wy'n cofio amser pan allech chi ddim cal ticed fish cyn y consart. Ond 'nawr, â'r dynon mas o waith . . . Odych chi'n gerddor?'

Na, nid oedd William Jones yn gerddor. Buasai'n dipyn o ganwr yn y *Band of Hope* erstalwm ac yn denor mewn wythawd a ffurfiwyd yn y capel rai blynyddoedd wedyn, ond nid oedd côr yn Llan-y-graig a phur anaml y cynhelid cyngerdd yno.

'Ia, llenorion ac adroddwyr ŷch chi lan 'na, ontefa?'

Nodiodd William Jones, gan deimlo'n ddiolchgar am y deyrnged haelfrydig hon, er i'r syniad wibio drwy ei feddwl nad oedd Bob Gruffydd na Thwm Ifans na Huw Lewis na Dic Trombôn yn fawr o lenorion.

'Yn y gwaith glo oeddach chi'n gweithio, Mr Morgan?'

'Ia.' Cododd ei ysgwyddau, gan fingamu braidd. ''S dim gwaith llawn 'di bod yma ers blynyddoedd, a wy' mas 'nawr ers yn agos i dair blynadd, ers pan gaeon nhw Pwll Bach. Tair blynadd o 'olide, ontefa, Arfon? A dim ond ryw dair ne' bedair shifft yr wthnos am sbel cyn 'ynny . . .'

'Pedair yn amlach na thair, 'êd,' meddai llais o ddrws y gegin. Shinc, y gŵr a gyfarfuasai William Jones yn y trên, a oedd yno. Daeth i mewn atynt â her yn ei lygaid.

'Ac ŷch chi'n gwpod pam?' Nid atebodd neb. 'Wel, fe weda' i wrthoch chi. Pan ôn ni'n gwitho tair shifft, ôn ni'n cal y *dole* am y rest o'r wthnos. Ond pan ôn ni'n gwitho pedair shifft, ôdd dim *dole* i gal. A rhag iddyn nhw dalu *dole,* ôdd y *Labour Exchange* a'r ownars yn deall 'i gilydd. Faint o waith ôch chi'n gal, Dai, ar y bedwaredd shifft?'

'Wel, dim llawar, wir, Shinc, ond . . .'

''Na fe, 'chi'n gweld. A 'nawr wedi i chi witho'r holl flynyddoedd dan ddaear, be' sy 'da chi? Y *dole* a'r *Means Test.* A be' sy 'da fi? A be' sy 'da Crad 'ma? Llwch glo yn 'i *lungs* ac Arfon yn . . .'

Taflodd Meri olwg rhybuddiol tua'r areithydd, a

thawodd yntau, gan daro'i law yn frysiog ym mhoced ei gôt.

'Dod â hwn i chi ddarllan o'n i,' meddai, gan estyn pamffled bychan i William Jones. '*The Curse of Capitalism*. A ma' fa'n wir bob gair.' Ac yna i ffwrdd â Shinc.

Aeth y cerddor hefyd ymaith yn fuan wedyn, ac yna rhuthrodd Wili John, y bachgen ieuangaf, i mewn. Wedi rhoi dau bwys o sosejys a chwd papur yn cynnwys toddion—anrhegion oddi wrth y cigydd a wasanaethai—i'w fam, eisteddodd yn awchus wrth y bwrdd i gael ei de. Gadawsai ei feic y tu allan, meddai, ac yr oedd mewn brys i ddychwelyd i'r siop. Edrychai ef yn bur iach, ond sylwodd William Jones fod ei arddyrnau yn o denau.

'Faint ŷch chi'n aros, Wncwl William?' gofynnodd â chacen yn llond ei geg.

'Bwyta di dy de a phaid â chlebran,' oedd gorchymyn ei fam.

'Ddewch chi 'da fi i'r *Hall* nos Fercher? Ma' George Arliss 'no.'

Edrychai William Jones ymlaen at weld George Arliss a rhoes ddwy geiniog i Wili John a chwechyn i Eleri.

'Tyd, mi awn ni am dro i'r mynydd, William,' meddai Crad, gan godi ac estyn ei gap oddi ar hoelen y tu ôl i'r drws.

'Fydda ddim yn well i chi fynd i lawr y pentra ac ar hyd y gwastad wrth yr afon?' awgrymodd Meri. 'Mae llwybyr y mynydd 'na yn o serth, Crad.'

Ond i'r mynydd yr aethant, gan ddringo'n araf hyd y llwybr a droellai tros ei foelni gwyrdd-felyn. Yn araf, am fod anadlu Crad yn bur drwm. Atgofion oedd eu sgwrs—am yr Hen Gron a'i glocsiau, am yr ysgol yn Llan-y-graig, am y chwarel, am y rhyfel, am y ddadl fawr a fu rhyngddynt pan benderfynodd Crad fynd â'i wraig a'i ddau o blant i lawr i'r De. Eisteddasant cyn hir ar garreg wrth ochr y llwybr.

'Fi oedd yn iawn, wsti, Crad,' meddai William Jones ymhen ennyd.

'Yn iawn?'

'Ynglŷn â dŵad i'r Sowth 'ma. Helbul ydach chi wedi'i gal fel teulu—streic hir 1921, streic hirach 1926, gwaith ansicr, a 'rŵan . . .' Nodiodd tuag olwynion segur y gwaith glo yn y cwm islaw.

Rhoes Crad welltyn rhwng ei ddannedd a syllodd yn freuddwydiol ar y pentref islaw.

''Falla, wir, William,' meddai'n dawel. 'Ond y bobol sy'n gwneud y lle, chwedl Dai Morgan gynna. A 'does 'na ddim pobol fel y rhain yn y byd, neb tebyg iddyn nhw.'

Edrychodd William Jones yn syn ar ei frawd yng nghyfraith. Ond dyna fo, pan oedd yn Llan-y-graig, hogiau'r bêl-droed a'r rhai a oedd yn pysgota heb drwydded oedd ei gyfeillion ef. Ac yn awr yr oedd am droi creaduriaid fel y Shinc yna'n arwyr. Yn hollol fel yr hen Grad!

'Fyddi di'n mynd i'r capal 'rŵan, Crad?' gofynnodd â gwên.

'Bob bora Sul a phob nos Sul mor selog ag unrhyw flaenor, was. Wyt ti'n cofio'r job oedd Meri a chditha'n gal i 'nhynnu i i wrando ar yr hen Lloyd yn malu awyr erstalwm?' A chwarddodd y ddau uwch yr atgof. 'Ond 'rŵan, fydda' i byth yn colli. O barch i Mr Rogers. Dyna iti ddyn, William!'

'Y gweinidog?'

'Ia. Mae o wedi cal galwad dro ar ôl tro i fynd o'r twll yma. Ond wyt ti'n meddwl yr aiff o? Dim peryg! Mi glywis i iddo fo gal cynnig pumpunt yr wsnos a'i dŷ y dwrnod o'r blaen yn rhwla tua Chaerfyrddin 'na. Ond yma y mae o ac yn rhoi chweugain yn ôl o'i gyflog, er bod hwnnw'n un digon bychan, bob mis. Mi gafodd o goblyn o job i berswadio rhai o'r blaenoriaid i droi festri'r capal 'cw yn rhyw fath o glwb i'r di-waith, ond mi lwyddodd o'r diwadd, ac mi fedrodd gal weiarles a phiano a llyfra o rwla. A 'does dim diwadd ar 'i waith o hefo'r Urdd yma. Mae Wili John yn hannar-addoli'r dyn. A finna, o ran hynny.'

'Fo sy gynnoch chi 'fory?'

'Ia, a fo ydi llywydd y consart nos 'fory. Ac os medri di aros dros ddiwadd yr wsnos nesa' 'ma, William, mi gei 'i glywad o'n siarad yn Saesneg yn yr *Hall* 'ma—rhyw gwarfod mae'r eglwysi wedi'i drefnu ar gyfar y bobol ifanc.'

'Os medri di aros. . .' Rhoes y frawddeg hergwd go arw i feddwl William Jones.

'Y dyn Shinc 'na,' meddai braidd yn ansicr ei lafar.

'Ia?'

'Be' oedd o'n feddwl wrth ddeud bod llwch ar dy frest di?' Ni ddywedodd Crad ddim am ennyd.

'Wnest ti ddim sôn gair yn dy lythyra,' chwanegodd William Jones. 'Oes 'na rwbath ar dy iechyd di, Crad?'

'Oes, fachgan, llwch glo ar fy mrest i, y peth maen nhw'n alw'n *silicosis.* Mi fedris i ddal ati i weithio dan ddaear nes i'r pwll gau, ond rhyw lusgo fy hun i'r gwaith yr oeddwn i. Wedyn mi es at Doctor Stewart 'ma, ac mi ddeudodd o na fedrwn i ddim gweithio dan ddaear eto.'

'Wyt ti'n cael *compensation,* Crad?'

'Mi apeliais am un. Mi es i lawr at y spesialist yng Nghaerdydd ac wedyn o flaen y *Board,* ond 'doedd dim digon o lwch ar fy mrest i imi gal compo. Glywist ti'r fath lol yn dy fywyd? 'Taswn i'n medru mynd dan ddaear am ryw flwyddyn arall i gal tipyn chwanag o lwch tu mewn imi, mi gawn i *gompensation*—a charrag fedd!'

'Os medri di aros . . .' Curai'r frawddeg fel gordd ym meddwl William Jones. Penderfynodd ddweud yr hanes i gyd wrth Crad.

''Doedd gin i ddim syniad fod petha mor ddrwg yma, fachgan,' meddai, 'ne' faswn i ddim wedi dŵad i lawr, mae'n fwy na thebyg.'

'Ia, piti na fasat ti wedi dŵad am dro pan oedd petha'n mynd yn iawn yma, fachgan. Diawch, 'roedd hi fel ffair yma yr amsar hwnnw—digon o arian, digon o fwyd, digon o fynd i bobman, consarts, ffwtbol, bocsio, cymanfaoedd canu, dramas, cyfarfodydd pregethu, te-parti ar bob esgus. 'Roedd y lle yn fywyd i gyd, ac mi gafodd Meri a finna a'r plant amsar bendigedig. 'Roedd hi'n werth iti weld Shoni yr adag honno.'

'Shoni?'

'Yr enw sy gan bawb ar goliar y cymoedd 'ma. Ond mi wnest yn iawn i ddŵad i lawr, 'tasat ti ddim ond yn cal syniad o'r asgwrn cefn sy yn y bobol 'ma, *dole* ne' beidio. Mi gredis i a Meri y basa Shoni'n torri'i galon pan ddechreuodd petha fynd yn dlawd yma. Pobol y tywydd teg oeddan ni'n feddwl oedd o'n cwmpas ni, wsti. Ond fu 'rioed rai dewrach na nhw yn yr hen fyd 'ma, William. 'Rioed, fachgan.'

'Dŵad i lawr yma i chwilio am waith wnes i, Crad.'

'Y?'

Adroddodd William Jones ei stori'n fanwl, a Chrad yn taflu llawer ''Rargian Dafydd!' a 'Nefoedd fawr!' i mewn iddi ac yn chwerthin nes y deuai'r dagrau i'w lygaid.

'A 'rŵan . . .' meddai'r chwarelwr, gydag ochenaid, wedi iddo orffen yr hanes.

' "Cadw dy blydi *chips*"! Wyddwn i ddim dy fod ti'n gymaint o fôi, William!' A chwarddodd Crad yn hir eto.

'Ond 'rŵan, fachgan . . .'

'Diawch, mi rown i ffortiwn—'tasa gin i'r fath beth—am gal gweld wyneba Leusa ac Ifan Siwrin pan oeddat ti wrthi'n pacio.' A ffrwydrodd y chwerthin ohono eilwaith.

'Ond 'rŵan, Crad, mae petha'n . . .'

' "Wyt ti'n siŵr nad carlamu i mewn ddaru o?" Un go dda oedd hon'na, William.'

'Ond 'rŵan, Crad, a'r pylla 'ma . . .'

'Y nefoedd, mae 'na siarad yn Llan-y-graig heno, William! "Glywsoch chi?" "Naddo. Be'?" "Am William Jones?" "Pa William Jones?" "Gŵr Leusa Jane." "Be'?" "Wedi dengid i'r Sowth, cofiwch!" . . .' A daeth pwl arall o chwerthin dros Crad. 'Tyd i lawr inni gal deud yr hanas wrth Meri.'

Deuai aroglau ffrio *chips* o'r gegin fach pan gyrhaeddodd y ddau ddrws y tŷ, a rhoes Crad bwniad i William Jones yn ei ochr.

'Cadw dy blydi *chips*!' gwaeddodd, gan chwerthin yn uchel eto. Ond y tro hwn troes y chwerthin yn beswch a'i mygai'n lân, ac eisteddodd mewn cadair i ddyfod ato'i hun. Rhoes Meri ddiod iddo i'w yfed a gwnaeth iddo lyncu tabled a gawsai gan y meddyg.

'Wyt ti'n dechra drysu, dywed?' gofynnodd.

Nid chwerthin a wnaeth Meri pan glywodd y stori, er i beth o'r hanes ddyfod, gydag addurniadau, o enau Crad. Gwyddai William Jones i'w chwaer gasáu Leusa drwy'r blynyddoedd, a chredasai ar ei ffordd i lawr yn y trên y byddai hi wrth ei bodd yn clywed am ei wrthryfel.

Ond golwg bryderus a welai yn awr ar ei hwyneb, ac ni thalai yr un sylw i ebychiadau ffrwydrol ei gŵr.

'Be' wnei di 'rŵan, William?' gofynnodd. ''Does 'na ddim gobaith iti gal gwaith, wsti.'

'Mae gin i dros gant o bunna yn y Post Offis, a phetaswn i'n talu punt yr wsnos i chi am fy lle a gyrru punt i Leusa, mi fedrwn i fyw am flwyddyn petai raid imi. Ond mi fydd petha wedi troi ar wella cyn hynny.'

'Roi di ddim punt yr wsnos i ni, 'ngwas i,' meddai Crad. 'Mae chweugain yn llawn digon, os mai penderfynu aros wnei di.'

'Punt, a dim dima'n llai,' oedd ateb William Jones, gan swnio'n herfeiddiol.

'Mi wyddost fod dyn y *Means Test* yn galw yma unwaith bob mis, William,' meddai Crad, 'ac mi gymer o yr ail chweugain allan o'n *dole* ni, wsti.'

''Dydi o ddim o fusnas hwnnw be' fydd William yn 'i dalu inni,' meddai Meri'n chwyrn. 'Mi dorrwn ni'r ddadl drwy gytuno ar bymthag swllt.' Troes ymaith i fynd ymlaen â'i gwaith yn y gegin fach. 'Yr hen gnawas iddi,' chwanegodd. 'Mi ddeudis i ddigon wrthat ti cyn iti 'i phriodi hi.'

Daeth Eleri i mewn, ac yr oedd hi wrth ei bodd pan ddeallodd i Wncwl William ddyfod atynt 'am byth'. Ond yr oedd Wili John yn ddigon dwys i ofyn y cwestiwn, 'B'le ŷch chi'n mynd i witho, Wncwl?' Eglurodd ei ewythr iddo benderfynu byw ar ei arian am dipyn, a mawr oedd edmygedd y bachgen o ŵr a allai fforddio hynny. Dyna a wnâi yntau hefyd pan dyfai'n ddyn a chael ei siop gigydd ei hun, ond i rywle fel *Barry Island* yr âi ef.

Eisteddasant wrth y bwrdd i gael swper, a dechreuodd William Jones adrodd hanes y profedigaethau a ddaethai i ran rhyw hen chwarelwr duwiol o Lan-y-graig o'r enw Richard Ifans. Yr oedd hi'n stori drist iawn—yr hen frawd yn colli ei ferch a gadwai dŷ iddo, yna'n mynd yn ddall ac i fethu gweithio ac yn y diwedd i dorri ei galon yn y wyrcws. Cadwai Crad ei wyneb oddi wrth y siaradwr, ond clywai William Jones a'i chwaer ryw ebychiadau go swnllyd yn dianc o'i enau. A oedd hanes yr hen Richard Ifans yn ormod iddo, tybed? Yna, pan gyrhaeddodd William Jones fan tristaf y stori, darlun o'r hen frawd yn cael ei arwain o'i dŷ i gychwyn i'r wyrcws, rhoes Crad ei ben ar ei fraich i feichio wylo. Syllodd William Jones arno mewn braw, ond canfu Meri'r wên yn llygaid Eleri.

'Crad!' meddai, yn bur ddig. Cododd yntau ei ben, yn wên i gyd.

'Rhaid iti faddau imi, William,' meddai. 'Ond mi fydda' i'n chwerthin yn fy nghwsg heno. Meddwl am yr hyn ddeudist ti am y *chips*!'

'Be' wedodd Wncwl William am y *chips*, Dada?' gofynnodd Eleri.

'Bwyta di dy swpar, dyna ferch dda,' oedd ateb ei thad. Yna, 'Lle mae Arfon?' gofynnodd.

'I lawr y pentra hefo'i ffrindia,' meddai Meri. ''Dydi o ddim wedi'u gweld nhw er y 'Dolig.'

'Diar annwl! Fuo fo ddim adra er y 'Dolig?' gofynnodd William Jones.

'Naddo,' atebodd Meri. ''Roeddwn i isio iddo fo ddŵad adra dros y Pasg, ond mae hi'n siwrna go gostus ac 'roedd yn well ganddo fo yrru tipyn o arian adra na thalu'r trên.'

'Be' mae o'n wneud yno?'

'Gwneud *gramophones*,' meddai Wili John, yn sicr ac yn falch o'r ffaith mai ei frawd ef a gyflwynai'r peiriannau hynny i'r byd.

'Sut mae o'n licio yno, Meri?'

'Mae o'n *deud* 'i fod o'n reit hapus, William . . . Wn i ddim. 'Roedd hi'n biti garw iddo fo adael yr Ysgol Ganolraddol, ond wnâi dim arall y tro ond mynd i ffwrdd i'r Slough 'na pan ddaru nhw gau'r pwll.'

'Ers faint mae o yno?'

'Yn agos i flwyddyn, bellach. Mi wnaeth Crad a finna'n gora glas i'w berswadio fo i beidio â mynd, ac mi ddaeth Mr Jenkins, yr ysgolfeistr, yma'n unswydd i siarad hefo fo. 'Roedd o'n siŵr o gael ysgoloriaeth i'r Coleg, medda fo. Ond 'doedd dim modd 'i gymall o. Mi wrandawodd ar Mr Rogers, y gweinidog, un noson, ac 'roeddan ni i gyd yn credu y basa fo'n setlo i lawr i stydio ar gyfar mynd i'r Coleg. Ond y dwrnod wedyn, mi welodd 'i dad yn aros yn y *queue* wrth y *Labour Exchange* ac mi sgwennodd i'r lle 'na yn Slough ar unwaith. Un 'styfnig ydi Arfon—fel finna, o ran hynny. . . . Chwanag o'r *chips* 'ma, William?'

'Dim diolch, Meri, er 'u bod nhw mor dda.'

'Y tatws gefis i gan David Morgan heno. Ac mi ddaeth Shinc yma wedyn ar ôl i chi fynd allan, hefo llond basgad o ffa—a rhyw bamffled arall. Diar, dyna garedig y mae'r bobol yma! 'Does 'na neb tebyg iddyn nhw, William. 'Does gynnon ni ddim alotment, wyt ti'n dallt, gan fod Crad ddim yn dda, ond fuon ni ddim ar ôl o datws a llysia a ffrwytha o gwbwl . . . Tyd, Eleri, mae'n bryd iti fynd i'r gwely.'

Wedi rhyw hanner awr arall o sgwrsio, troes William Jones yntau tua'i wely. Pan gyrhaeddodd y llofft, gwelodd fod Wili John yn cysgu'n braf ar ôl gwibio yma ac acw ar ei feic drwy'r dydd, a thynnodd ei ewythr oddi amdano'n ddistaw bach. Safodd wrth y ffenestr yn hir yn syllu ar y cwm islaw. Cuddiai llenni o dawch a chysgodion, fel niwlen ysgafn, ei hagrwch bellach, a hongiai cadwyni o oleuadau ar hyd-ddo, dwy ohonynt yn ymdroelli gyda'i gilydd am ryw filltir yn y pellter ac yna'n troi'n sydyn i'r dde o'r golwg. Ond nid oedd yma heddwch a thawelwch hyd yn oed ar noson braf o Orffennaf fel hon, meddai'r chwarelwr wrtho'i hun. Clywai leisiau gwyllt yn bloeddio rhyw gân Saesneg amrwd drwy stryd gyfagos, a deuai hefyd sŵn aflafar cerddorfa-ddawns o rywle. Rhyw le rhyfedd oedd hwn. Y bobl yn gwneud y lle? Ia, meddai William Jones wrth droi ymaith oddi wrth y ffenestr, a dyna sŵn rhai o'r taclau powld y munud yma. Ni ddeallai Grad a Meri o gwbl. 'Ddim yntôl,' meddai gydag ochenaid wrth lithro i'w wely.

8 *SABATH*

Deffroes William Jones yn fore, ond arhosodd yn ei wely, gan syllu'n freuddwydiol o gwmpas y llofft. Trawai llif yr heulwen ar y mur chwith, a gwyliodd y rhimynnau hirion o olau yn disgleirio ac yn pylu bob yn ail ennyd. Diar, dyna beth glân oedd goleuni, onid e? Ac wedi i'r sylw chwyldroadol hwn fynd trwy ei feddwl, gwenodd ar y darlun o Grad a Meri i'r dde o'r ffenestr. Y darlun a dynnwyd ar ddydd eu priodas ydoedd, Crad mewn dillad milwr â gwên go wirion ar ei wyneb, a Meri'n edrych yn ddifrifol iawn, fel petai hi'n sylweddoli iddi ymgymryd â dyletswydd go fawr. Aethai yn agos i ugain mlynedd heibio er hynny, a newidiasai'r blynyddoedd lawer ar y ddau wyneb yn y darlun. Dyna dew oedd Crad y pryd hwnnw!—tew a llon a difater, heb boen yn y byd. Ymddangosai Meri hefyd ddeugain, yn hytrach nag ugain mlynedd, yn ieuangach nag oedd hi yn awr. Oedd, yr oedd hi wedi heneiddio cryn dipyn er pan welsai hi bum mlynedd yn ôl, meddai William Jones wrtho'i hun.

Canai bronfraith mewn gardd islaw, a meddyliodd William Jones fod ei llais yn rhy bêr i ryw anialwch o le fel hwn. Mewn dyffryn glân a gwyrddlas y dylai hi diwnio, uwch murmur nant ac yn su awel mewn dail. Caeodd ei lygaid, a dug hyfrydlais y fronfraith ef i'r darn hwnnw o Afon Gam lle gwyrai'r coed yn do uwch clychau'r dŵr a ddisgynnai'n rhaeadr fechan, wen. I'r fan honno y dylai'r fronfraith hon ehedeg, yn lle cymryd arni ei bod yn ei mwynhau ei hun mewn diffeithwch fel hwn.

Clywodd sŵn Meri'n mynd i lawr y grisiau cyn hir, a chododd yntau. Safodd eto wrth y ffenestr i syllu ar y cwm islaw, ar strydoedd tlawd a syth y pentref, ar ffrâm ddu, galed, Nymbar Wan, fel crocbren haearn uwch y siediau a'r wagenni segur, ar y llethrau moel a chlwyfedig, ar wg tywyll y tip glo uwchlaw iddynt. Na, ag iddi ddewis o lwybrau tawel dan lesni coed, ni ddylai bronfraith ganu mewn lle fel hwn.

'Diar, be' wyt ti isio codi mor fora, dywad?' meddai Meri wrtho pan gyrhaeddodd y gegin.

'Ond mae hi ymhell wedi wyth.'

'Mae hynny'n fora ar ddydd Sul, William. Mi fydd y lleill yn 'u gwlâu am yn agos i ddwyawr arall.'

'Ond 'roedd Crad yn deud wrtha' i neithiwr 'i fod o'n mynd i'r capal bob bora Sul.'

'Mi fydd o, ond un ar ddeg, nid deg, y maen nhw'n dechra yma.'

'O?' Enghraifft arall o ddiogi a difaterwch y Sowth.

'Na hidia; mi gawn ni damad o frecwast hefo'n gilydd.'

'Sut mae Crad y dyddia yma, Meri?' gofynnodd iddi wedi iddynt eistedd wrth y bwrdd.

'O, mae o'n well o dipyn 'rŵan. Mi fuo fo'n cael pylia ofnadwy yn 'i wely'r nos—bron â mygu, fachgan—ond mae o'n cael llonydd oddi wrth rheini ers tro. Mewn rhyw ffordd ma'n dda 'i fod o allan o waith, ne' wn i ddim be' fasa wedi digwydd 'tasa fo wedi dal i fynd dan ddaear. 'Roedd o'n mynnu mynd ar fy ngwaetha' i.'

Ar ôl brecwast aeth William Jones allan am dro, gan fwriadu dringo'r llwybr i'r mynydd. Ond wedi iddo gyrraedd pen y stryd, troes i'r chwith ac i lawr i'r pentref i gael golwg mwy hamddenol ar y lle. Chwaraeai twr o blant ym mhob heol, ac yn eu plith yr oedd cŵn y greadigaeth. Ysgydwodd William Jones ei ben yn drist; beth a ddywedai Mr Lloyd? Pan gyrhaeddodd y brif heol, gwelodd ddwy siop wrth ochrau'i gilydd â'r ddau air TO LET yn fawr ar eu ffenestri, ac yr oedd un arall, siop esgidiau, yn wag tros y ffordd iddynt. Pur dlawd yr ymddangosai eraill, a hysbysai amryw eu telerau arbennig —hyn-a-hyn ar law a hyn-a-hyn yr wythnos; gallech brynu rhywbeth, o fwced i biano, felly. Nodiodd William Jones ar ŵr bach cyflym a godai ei ben, yn wên i gyd, o'r papur Sul yr oedd newydd ei brynu. 'Bora bach ffein?' meddai yntau, gan ateb ei gwestiwn ei hun ag 'Odi, wir, w!' a gwên arall ar gynnwys y papur. Newyddion da o lawenydd mawr am *Golden Streak,* efallai. Pam na roesai'r dyn goler a thei am ei wddf? Yn enwedig ar fore Sul fel hyn.

Wrth ddynesu at y *Workmen's Hall,* syllodd William Jones yn ddig ar y dwsin o lanciau a merched ifainc a gyfarfuasai yno i gychwyn ar eu beiciau i lan y môr neu rywle. Ni hoffai eu coesau noethion na'u gyddfau isel na'u sŵn gorlawen. Yna oedodd ennyd ar y bont i wylio lliwiau'r olew a nofiai ar dywyllwch araf yr afon islaw. Yr oedd siop yr Eidalwr gerllaw ar agor, a chlywai chwerthin a chlebran uchel ynddi. Oni wyddai'r taclau ei bod hi'n ddydd Sul? Troes William Jones yn ei ôl yn bur anhapus ei feddwl.

Cafodd y teulu wrth eu brecwast o weddill y sosejys a ddygasai Wili John o siop y cigydd. Yr oedd dagrau ar ruddiau Eleri.

'Hylô, be' sy?' gofynnodd ei hewythr.

'O, meiledi yn daer am gael gadal yr ysgol,' meddai ei mam. 'Mae hi'n un ar bymtheg ac yn sâl isio mynd i weithio. I b'le, dyn a ŵyr.'

'I Lunden, fel Rachel.'

'Hogan tros y ffordd sy wedi mynd i weini at ryw Iddewon yn Llundain,' eglurodd Meri. 'Ac mae hi bron â thorri'i chalon yno, yn ôl 'i mam.'

''Dyw hi ddim,' meddai Eleri'n ystyfnig.

'Be' wyddost ti? Dos di ymlaen hefo dy frecwast a phaid â bod yn fabi 'rŵan.'

'Dere di 'nawr 'rŵan,' meddai ei thad mewn cymysgedd rhyfedd o'r ddwy dafodiaith.

'Mae'n ddigon inni weld Arfon a Wili John wedi gadal yr ysgol,' chwanegodd ei mam wrth Eleri, 'heb orfod gwrando arnat ti'n swnian. Dy le di ydi gwneud dy ora yno, gan dy fod ti'n cael cyfla i fynd yn dy flaen. Yntê, Wncwl William?'

'Ia . . . Ia, wir,' meddai William Jones yn ddwys.

Rhyw sylwadau o eiddo Arfon am dyrfaoedd a phrysur-deb Llundain oedd achos yr helynt. A dwyawr ganddo i aros am ei drên ar ei ffordd adref, aethai am dro i ganol y ddinas, gan ryfeddu at y goleuadau amryliw a droai nos yn ddydd, at y lluoedd o bobl ym mhobman, at y ceir yn gwibio yma a thraw. Troes i mewn i dŷ-bwyta anferth am gwpanaid o goffi, ac yno yr oedd darluniau a goleuadau cywrain ar y muriau, cannoedd o bobl wrth y byrddau, ac, mewn ffrydlif o olau a newidiai ei liw bob ennyd, fand o wŷr yn chwarae a chanu, pob un ohonynt yn gwisgo crys o sidan melyn. Teimlai Arfon yn euog wrth ofyn am ddim ond cwpanaid o goffi yn y fath blas o le, yn arbennig a'r dyn a weinyddai arno'n gwisgo ffrynt wen galed a bwa du. Cafodd fwy na gwerth ei dair ceiniog yn gwylio'r bobl o'i amgylch, y gymysgfa ryfeddaf a welsai neb erioed. Bwytâi un gŵr swper anferth gan ddal i ysmygu ei sigâr yr un pryd rhwng pob cegaid o fwyd; gwelai un arall gerllaw iddo, dyn â barf laes, aflêr, yn darllen yn uchel o lyfr o'i flaen ac yna'n annerch y byd yn gyffredinol, gan grychu a dadgrychu ei drwyn yn ffyrnig.

Cuddiodd William Jones y wên a ddeuai i'w wyneb wrth iddo ddilyn Crad a'r plant tua'r capel, ddeng munud yn rhy gynnar. Yr oedd cerdded Crad yn wahanol i'r hyn ydoedd y noson gynt, yn fwy defosiynol, yn drymach, yn arafach, a lled-ddisgwyliai i'w frawd yng nghyfraith agor ei lyfr emynau a ledio emyn yng nghanol y stryd. Hwy oedd yr unig rai yn y capel am rai munudau, ond dechreuodd y gynulleidfa fechan ymgasglu cyn hir. Gwyliodd William Jones hwy'n mynd i'w seddau—pobl ganol oed neu rai hŷn bron i gyd, a daeth cwestiwn yr hen Ddafydd Morus yn ôl i'w feddwl. Beth a ddeuai o'r capeli ymhen ugain mlynedd, tybed? Clywsai lawer o sôn am gynulleidfaoedd mawrion y Sowth, am bregethwyr yn ysgwyd tyrfaoedd, am ganu a ymchwyddai'n donnau ysblennydd. Ond yma, ym Mryn Glo, gwelsai mai'r papur Sul a beicio i lan y môr a siop yr Eidalwr a ddenai'r ieuainc—yn y bore, beth bynnag; ond efallai y byddai pethau'n o wahanol erbyn y nos. Gwelodd David Morgan yn cymryd ei le yn y Sêt Fawr, ac wrth ei ochr eisteddodd gŵr ifanc unfraich, myfyrgar yr olwg. 'Hogyn Dai Morgan,' sibrydodd Crad. 'Colli'i fraich yn y pwll.' Yna daeth y gweinidog i mewn, gan ysgwyd llaw â'r blaenoriaid cyn dringo i'r pulpud. Gŵr tua deugain oed ydoedd, ond â'i wallt brith a'i wyneb dwys yn gwneud iddo ymddangos rai blynyddoedd yn hŷn na hynny. Wyneb tenau, cerfiedig; llygaid treiddgar, anniddig; talcen uchel, llydan; gwefusau go lawn, a llawer o chwerthin ynghudd ynddynt; gên gul, benderfynol—nid rhyfedd bod Crad yn edmygu'r dyn hwn, meddai William Jones wrtho'i hun. Yr oedd cywirdeb ac onestrwydd yn amlwg ynddo, ym mhob edrychiad ac osgo; ni thwyllai hwn mohonoch hyd yn oed ag ystum, ac nid yn hawdd y twyllech chwithau'r llygaid byw a chraff hynny. Wedi blynyddoedd yng nghysgod brawdgarwch diog Edward Lloyd, awdur a pherffeithydd pob cyfaddawd, ni fedrai William Jones ddygymod am funud ag ynni anesmwyth y gŵr o'i flaen. Arafwch duwiol, addfwynder cysglyd, a swnian pregethwrol oedd ei syniad ef o weinidog, a phan lefarai'r oracl i gyhoeddi'r emyn 'tru chant tru deg a thru', gofalai wneud hynny mewn tôn annaearol. Ond yn syml a chywir y lediai hwn yr emyn cyntaf, heb affliw o gŵyn na chryndod yn ei lais. Felly y darllenai William Jones ei hun y geiriau, ac yr oedd hi'n amlwg nad oedd y John Rogers 'ma'n llawer o bregethwr. Rhodres oedd ymwrthod â rhodres fel hyn, a dyna, efallai, paham yr oedd Crad yn ei barchu. Yr oedd twyllo Crad yn waith go hawdd, meddai William Jones wrtho'i hun. Ac eto . . .

Felly hefyd y darllenodd y pregethwr y bennod ar Ddoethineb o Lyfr Job. Clywsai William Jones Mr Lloyd yn darllen y bennod honno droeon, a'i lais cwynfanllyd a chrynedig yn canu fod 'llwybr nid adnabu deryn ac ni chanfu llygad barcud' ac yna, fel petai ar foddi ac yn ymestyn am gangen i hongian wrthi, yn galw'n ymbilgar, 'Pa le y ceir doethineb?' Ond codi ei ben o'i Feibl a wnâi'r dyn hwn, a syllu'n ddifrifol o amgylch ei gynulleidfa wrth ofyn y cwestiwn. Pan droes ei lygaid treiddgar i'w gyfeiriad ef, dechreuodd William Jones feddwl yn wyllt ym mha le yr oedd Doethineb, rhag ofn y byddai'n rhaid iddo ateb ar goedd. 'Y mae y dyfnder yn dywedyd, Nid ydyw hi ynof fi,' meddai llais tawel Mr Rogers, 'ac y mae y môr yn dywedyd, Nid ydyw hi gyda myfi. Ni cheir hi er aur pur, ac ni ellir pwyso ei gwerth hi o arian. Ni chyffelybir hi i'r aur o Offir, nac i'r onics gwerthfawr, nac i'r saffir. Nid aur a grisial a'i cystadla hi: na llestr o aur dilin fydd gydwerth iddi . . . ' Felly y pentyrrai'r llais clir gyfoeth ar gyfoeth, ac yna cododd y pregethwr ei ben i syllu o sedd i sedd. 'Gan hynny o ba le y daw doethineb?' gofynnodd, 'a pha le y mae mangre deall?' Ni fedrai William Jones yn ei fyw gofio diwedd y bennod a'r ateb i'r cwestiwn, er iddo grychu ei dalcen a hyd yn oed roi ewin ei fawd rhwng ei ddannedd yn yr ymgais. Daria, ymh'le yr oedd hi, hefyd? Ei ateb i bron bob cwestiwn yn yr Ysgol Sul oedd 'Iesu Grist', ond ni wnâi hwnnw'r tro wrth drin Llyfr Job. 'Canys hi a guddied oddi wrth lygaid pob dyn byw,' aeth y darllenwr ymlaen, 'a hi a guddiwyd oddi wrth ehediaid y nefoedd.' Dilynodd William Jones bob adnod yn astud, nes dyfod yr ateb o'r diwedd—'Wele, ofn yr Arglwydd, hynny ydyw doethineb, a chilio oddi wrth ddrwg sydd ddeall.' Ia, dyna fo—'ofn yr Arglwydd'; yr oedd o'n gwybod, ond i'r peth fynd yn angof. Ond be' oedd 'ofn yr Arglwydd'?

Yr adnod honno oedd testun y bregeth, a thawelwyd chwilfrydedd William Jones cyn hir. Clywodd am wybodaeth dyn, heb ei chyffwrdd â gwyleidd-dra duwiol, yn anrheithio gwledydd â rhyfel, dinasoedd â thlodi, cymoedd â diwydiant haerllug; clywodd hefyd am ryw wraig o'r enw Madame Curie a rhyw ŵr o'r enw Albert Schweitzer yn troi eu gwybodaeth yn ddoethineb trwy ei chyflwyno i wasanaeth eu cyd-ddyn yn wrol a gostyngedig, gan ogoneddu Duw yn eu gwaith. Teimlai William Jones yr hoffai wybod mwy am y bobl hyn, ac efallai y medrai gael gafael ar ryw lyfr yn cynnwys eu hanes. Y gwir oedd na threngasai'r anturiaethwr cynnar ynddo, y gwron a ddarganfu'r ynys bell a chyfandiroedd newydd yng nghwmni Enid May, a phe câi ef y cyfle, dyna a wnâi yntau yr yfory nesaf—troi ei wybodaeth yn ddoethineb, trwy wasanaeth i'w gyd-ddyn. Ei wybodaeth? Sut i rwygo'r graig yn y twll ac i hollti a naddu yn y wal. Ond erbyn hyn gadawsai'r pregethwr yr enwogion i holi beth oedd doethineb ymhlith pobl syml a chyffredin fel hwy. A'r un oedd yr ateb—ymroi i wasanaethu eraill mewn gair a gweithred er eu budd hwy ac er gogoniant Duw. A phenderfynodd William Jones ei bod hi'n hen bryd iddo ef fod o ddefnydd i eraill yn lle meddwl o hyd am ei gysuron a'i gynlluniau ei hun. Ac am Leusa! . . . ond cododd i ganu'r emyn olaf, gan ddilyn yn ufudd ac eiddgar yr arweiniad a roddai llaw David Morgan i'r gynulleidfa.

'Wel, be' wyt ti'n feddwl ohono fo, William?' oedd cwestiwn Crad ar y ffordd adref.

''Dydi o ddim fel pregethwr, fachgan.'

'Y?'

'Ddim yn gwneud llais, na mynd i hwyl, na gwisgo colar galad a thei du. Mae o yr un fath â chdi ne' fi.'

'Ond pa ots am hynny?' Yr oedd tôn Crad braidd yn llym.

'Dim o gwbwl. Yr ydw i'n meddwl mai fo ydi'r dyn mwya' ydw i wedi'i gwarfod erioed.'

Taflodd Crad olwg dig tua'i frawd yng nghyfraith, gan feddwl mai cellwair yr oedd, ond gwelodd ei fod o ddifrif.

'Ydi, mae Mr Rogers yn ddyn mawr,' meddai. 'Dim lol o'i gwmpas o,' chwanegodd, yn methu â meddwl am deyrnged huotlach.

Tra oedd Eleri a Wili John yn yr Ysgol Sul a Chrad yn cael rhyw awr o orffwys, aeth William Jones am dro hefo Arfon yn y prynhawn. Crwydrasant wrth ochr yr afon i fyny'r cwm i gyfeiriad Tre Glo, a gwrandawai ei ewythr ar y bachgen yn sôn am undonedd ei waith yn Slough ac am ei lety digysur. 'Ond pidwch â gweud gair wrth Mam, Wncwl,' oedd rhybudd Arfon. Yna aeth i sôn am y ddrama a luniai yn ei oriau hamdden, y campwaith a ddygai fri a chyfoeth iddo. Ynddi dychwelai rhyw fardd ifanc o Sais, y tybiai pawb iddo farw yn y Rhyfel Mawr, yn ôl i'w gartref, a drowyd yn rhyw fath o amgueddfa bur enillfawr gan ei wraig a'i gŵr ariangar. Gwêl y bardd na thelir fawr ddim sylw i'w gerddi, dim ond i'w goffadwr-iaeth fel milwr ifanc, hardd yr olwg, ac er iddo syrthio mewn cariad â'r ferch a ofalai am drugareddau'r tŷ, try ymaith yn dawel a thrist yn niwedd y ddrama, gan ddewis byw yn nhir angof.

'Beth ŷch chi'n feddwl ohoni, Wncwl?'

'Wel, wir, reit dda, fachgan, er na wn i ddim am ddrama, wel'di. Ond . . .'

'Ond be', Wncwl William?'

'Meddwl yr o'n i fod y bywyd yn un go ddiarth iti, Arfon. Fydda ddim yn well iti sgwennu am le fel Bryn Glo 'ma ac am bobol fel dy dad ac Eleri a . . . a Mr Rogers a . . . a David Morgan?'

''S dim drama yn y lle yma,' oedd barn Arfon. 'Ma' fa 'di marw, Wncwl.'

''Falla mai yn hynny y mae'r ddrama, fachgan,' meddai ei ewythr, gan sylwi ar ryw ddyn bach a syllai'n ddig tuag olwynion segur Pwll Bach ar draws y cwm, olwynion nad oedd ond i'w cysgodion un symud. ''Falla, wir, wsti.'

Bu tawelwch rhyngddynt am amser, ac yna darluniodd William Jones ryw ŵr a gyfarfuasai yn y trên y diwrnod cynt, dyn a roddai ei ben allan ym mhob gorsaf i ddwrdio pob porter am fod y trên yn hwyr. Chwarddodd Arfon yn isel, ac yna safodd yn sydyn ar y llwybr.

'Chi sy'n reit, Wncwl William,' meddai.

'Y?'

'Obothdu'r ddrama 'na. Rhaid i'r bachan 'na ddod 'nôl i Fryn Glo ac i sgwennu barddoniaeth newydd am bobol fel Mr Rogers a Dai Morgan a . . .'

'A'th dad.'

'Ie, a Mam. A Wili John.'

'Ac Arfon Williams.' A chwarddodd y ddau wrth droi'n ôl tua'r pentref.

Beth a ddeuai o Arfon, tybed? gofynnodd William Jones iddo'i hun ar y ffordd yn ôl. Yr oedd yn fachgen glân, eiddgar, byw ei feddwl, un dwys fel ei fam, ond dyna ef yn y Slough 'na mewn gwaith dienaid a llety digalon yn lle cael ymhyfrydu mewn llyfrau a mwynhau breintiau addysg. Ac yn ôl a glywsai gan Grad, yr oedd ugeiniau o rai tebyg iddo yn ninasoedd Lloegr. Piti garw. Yr oedd hi'n bryd i rywun wneud rhywbeth i atal y llif o'r cwm a'r cymoedd hyn i Loegr. Oedd, wir, yn hen bryd i rywun wneud rhywbeth.

Wili John oedd y parablwr mwyaf amser te. Dyfeisiasai ef a Gomer Rees, hogyn Shinc, gynllun i ddwyn bywyd yn ôl i Fryn Glo. Y drwg oedd na wyddai'r Bobl Fawr yn Llundain hanes y cwm, a'r ffordd i'w deffro oedd trefnu gorymdaith arall i'r brifddinas. (Fe fuasai un go dila rai blynyddoedd cyn hynny.) Yr oedd gwŷr y cwm i gyd i ymuno â hi'r tro hwn, ac wedi iddynt gyrraedd Llundain, i mewn â hwy yn dorf i'r Tŷ Cyffredin. Yno, araith ysgubol gan Shinc, a'r Prif Weinidog yn neidio ar ei draed ac yn cydio yn ei het i ddal y trên cyntaf i Fryn Glo. Rhagredegwyr y fyddin enfawr, ar gefn eu beiciau, fyddai Gomer a Wili John, a chan un faner ac arni fygythiadau didosturi a'r llall yn ysgwyd cloch anferth ym mhob pentref a thref ar y ffordd.

'Ddega o weithia yr ydw i wedi deud wrthat ti am beidio â chlebran hefo dy geg yn llawn o fwyd,' oedd barn ei fam am y cynllun. A thawodd y chwyldroadwr, gan daflu golwg dig tuag at ei Wncwl William, a oedd, yn ôl Gomer, yn un o'r cyfalafwyr. Dim ond cyfalafwr a allai fforddio byw ar ei arian.

Yr oedd cynulleidfa lawer cryfach yn y capel yn yr hwyr, ond sylwodd William Jones eto mai pobl mewn oed oeddynt gan mwyaf. Cofiai Meri, meddai hi ar y ffordd i'r gwasanaeth, amser pan na fyddai gobaith i rywun gael sedd yn y capel heb gyrraedd yno cyn chwarter i chwech, ond yn awr, y galeri i gyd yn wag a llawer o seddau gweigion ar y llawr. Yr ifainc? O, yn crwydro'r ffyrdd neu â'u trwynau yn y papurau Sul. Ysgydwodd William Jones ei ben yn ddwys. Ond rhyw-beth tebyg oedd pethau yn Llan-y-graig, o ran hynny. Petai gan yr ifainc 'ma rywbeth i'w gynnig yn lle'r gwasanaeth crefyddol, rhywbeth gwell na beic a gliniau noeth. . . Ac eto, yr oedd golwg iach ac effro iawn o gwmpas y bobl ifainc hynny a welsai ar gychwyn i rywle yn y bore. Fe wnâi fyd o les i rai o flaenoriaid Llan-y-graig gael beic a throwsus bach a chrys agored yn lle dillad parch a het galed. Gwenodd William Jones wrth feddwl am yr hen Wmffra Roberts a Mr Lloyd yn gyrru'n wyllt ar gefn tandem. Sylweddolodd fod Crad yn ei wylio'n syn, a gwnaeth ymgais i ymddwyn yn fwy gweddus yn y deml.

Nid oedd William Jones yn ganwr, er bod ganddo lais pur swynol. Rhyw lusgo drwy bob emyn y byddai'r gynulleidfa yn Llan-y-graig, a Richard Ifans, yr arweinydd, yn dal yn hir ac yn uchel ar nodyn olaf pob bar, gan ddisgwyl i bawb arall ymdawelu i wrando ar hyfrydwch ei lais. Yn wir, er dyddiau'r *Band of Hope*, pan alwai Huws Roberts Wili Jôs ymlaen i diwnio yn y Sêt Fawr, bodlonodd ein gwron ar fywyd di-gân. Rhwng ymgais i anghofio bref Richard Ifans a cheisio'i berswadio ei hun nad oedd sgrech Leusa wrth ei ochr mor anfelys ag y tybiai ef, go annifyr y teimlai wrth godi i ganu emyn yn y capel. Dyna un peth a boenasai gryn dipyn arno wedi iddo syrthio mewn cariad â Leusa—ei llais. Y mae'n debyg y credai hi ei fod yn un peraidd, ac mai'r gred honno a eglurai'r sgrechian wrth siarad ar y stryd ac wrth ganu yn y capel. Neu a oedd hi'n bosibl na chlywai rhywun mo'i lais ei hun? Efallai, wir. Prin yr agorai na Richard Ifans na Leusa eu cegau byth wedyn pe rhoddai Rhagluniaeth iddynt ddim ond chwarter munud o glywed eu lleisiau eu hunain. Dywedasai rhywun yn y caban ryw ddiwrnod nad trwy'r glust ond trwy'r esgyrn y cludid llais y dyn ei hun i'w ymwybyddiaeth, ond mai â'r glust y gwrandawai ar bawb arall. Wel, yr oedd esgyrn Richard Ifans a rhai Leusa'n hollol ddideimlad erbyn hyn . . . Rhoes William Jones y meddyliau hyn o'r neilltu wrth godi i ganu'r emyn cyntaf ac i gydio yn y llyfr a ddaliai Eleri iddo. Gwelai ryw ddyn yn y sedd o'i flaen yn sgwario'i ysgwyddau ac yn taro'i fawd ym mhoced ei wasgod. 'Roedd ganddo feddwl ohono'i hun fel tipyn o ganwr, yr oedd hi'n amlwg, a mingamodd William Jones wrth edrych arno. Go debyg yr ymddangosai ei wraig, a safai wrth ei ochr, a'r gŵr bychan wynepgoch yng nghanol y sedd a'r dyn tal a thenau yn y sedd o'u blaen. Ond dyna nhw, rhai powld fel 'na oedd pobl y Sowth, onid e? . . . Tawodd yr organ a chododd David Morgan, yr arweinydd, ei law. Agorodd William Jones ei geg i ganu'n beiriannol ac isel fel y gwnâi yn Llan-y-graig, ond ymhen ennyd troes ei ben i wrando ar y lleisiau o'i amgylch yn ymdoddi i'w gilydd ac i syllu'n syn ar yr eiddgarwch a lanwai'r wynebau. Clywai'r pedwar llais yn gynghanedd felys a'r dôn yn ymchwyddo ac yn tawelu, yn cyflymu ac yn arafu, mewn ufudd-dod i'r llaw a arweiniai. Rhoes William Jones yntau ei fawd ym mhoced ei wasgod a sgwariodd ei ysgwyddau. Onid oedd yntau'n denor? Oedd, yn llawn cystal tenor â'r dyn o'i flaen. Diawch, mae'r hen William yn medru canu, meddai Crad wrtho'i hun.

Yn ei weddi, diolchodd Mr Rogers am y nerth a'r gwroldeb a flodeuai o'u hamgylch yng nghanol tlodi a chyni, am y sirioldeb na allai angen ei lesteirio. Tlodi a chyni? Ond nid oedd Crad a Meri a'r plant yn dlawd. Cofiodd William Jones y te ardderchog a gawsai ar ôl cyrraedd y diwrnod cynt, y swper blasus, y cinio bendigedig pan ddaethai o'r capel y bore hwnnw, y te . . . 'Diolchwn, O Dad,' meddai llais y pregethwr, 'nad gofidio a llefain y mae Dy blant yn eu hadfyd, gan blethu eu dwylo mewn anobaith. Diolchwn am ddewrder y wên ar eu hwynebau, am y lleisiau sy'n ymddangos mor llon er gwaethaf drygfyd, am y llygaid di-syfl, am y dwylo parod, caredig. . . .' *Ymddangos*? Daria'r gair, yn mynnu'i ailadrodd ei hun fel hyn. Beth fuasai'r cytundeb rhyngddynt y noson gynt, hefyd? O, ia, pymtheg swllt. Na, punt amdani, punt neu ddim. Ac am y tro cyntaf yn ei fywyd dywedodd William Jones Amen, er na wyddai'n iawn am beth. Aeth pen Crad i fyny mewn braw, a syllodd yn gegagored ar ei frawd yng nghyfraith. A oedd y dyn yn trio cychwyn diwygiad neu rywbeth? Gobeithio'r nefoedd na chodai ei lais y tro nesaf, rhag ofn i bobl gredu mai ef, Crad, a oedd wrthi.

'Duw, cariad yw' oedd testun y bregeth, a chrychodd William Jones ei drwyn dipyn wrth ei glywed. Hen destun, rhy hen o lawer. Un o ddywediadau mwyaf yr oesoedd, meddai'r pregethwr, cnewyllyn y grefydd Gristionogol. Aeth i sôn am ryw athronydd o'r enw Socrates a oedd yn byw yn Athen dros bedwar cant o flynyddoedd cyn Crist, gŵr a dreuliai ei ddyddiau mewn ymchwil am wirionedd ac a ferthyrwyd am chwilfriwio syniadau esmwyth ei gyfnod. Yr oedd yn amlwg fod gan Mr Rogers barch mawr i'r Socrates 'ma, a siaradodd yn huawdl am ei feddwl onest, di-ildio, ac am wrhydri'r merthyr yn y diwedd. Am Wirionedd yr oedd ei lef a'i lafur yn ddibaid, ac os daeth athronwyr erioed o fewn cyrraedd i Wirionedd, ef a'i ddisgybl, Plato, oedd y rhai hynny. 'Duw, doethineb yw,' meddai Socrates, ac ymhen tros ddwy fil o flynyddoedd ar ôl ei farw, daliai'r byd i barchu ac i edmygu ei feddyliau aruchel. 'Onid oes arnoch gywilydd,' meddai wrth bobl ddoeth a chyfoethog Athen, 'yn pentyrru arian ac anrhydedd a bri, heb falio dim am ddoethineb a gwirionedd a thwf yr enaid?' Do, fe gafodd Socrates weledigaeth, meddai Mr Rogers, a bu ei fywyd a'i farw ef ei hun yn fynegiant ohoni. 'Duw, doethineb yw,' oedd cred yr athronydd o Athen. 'Ein Tad,' meddai'r Nasaread.

Yna taflodd y pregethwr gwestiynau i'r gynulleidfa. Os oedd Duw yn ddoeth, paham y gadawodd i Socrates a'i holl wybodaeth a'i ddoethineb farw mewn carchar yn Athen? Os oedd Duw yn gariad, paham y goddefodd i'w Fab ddringo bryn Calfaria? Sut y gallai wylio afiechyd a phoen a gormes a chyni? A welai'r tlodi a'r cur yn y cymoedd digysur hyn? A glywai leisiau croch yn yr Almaen ac yn yr Eidal yn gyrru'n wylltach dramp y traed tuag ing rhyfeloedd? A wyddai fod Ei weision a'i broffwydi ymhlith y miloedd o drueiniaid yng ngharchar-dai'r gwledydd? Duw yn gariad, a'r byd fel petai'n wallgof?

Syllodd William Jones yn anghysurus ar y pregethwr. Yr oedd o yn reit hapus, diolch, a'i feddwl yn ddigon tawel—ar wahân i'r hen helynt 'na hefo Leusa. Ond yn wir, yr oedd rhyw gwestiynau fel hyn yn gwneud i ddyn deimlo'n annifyr, ac yr oedd bywyd yn esmwythach o lawer hebddynt. Rhyfel? Fe gafodd o ddigon o hwnnw yn

Ffrainc, ac nid oedd hi'n bosibl y deuai un arall mewn un genhedlaeth. Piti fod Mr Rogers yn mynd ati i ddychryn y bobl fel hyn ac yntau wedi cael y fath hwyl ar bregeth y bore.

Yna llefarodd y pregethwr mewn dameg wrthynt. Cofiai ddyfod i Fryn Glo bymtheng mlynedd cyn hynny, o'r wlad a'i bywyd digyffro i ganol miri a 'mynd' y Cwm. Llifai ynni a llawenydd fel afon; a gofient hwy y cymanfaoedd a'r Cyrddau Mawr a'r cyngherddau, trên llwythog trip yr Ysgol Sul, y baneri a'r bandiau bob Llungwyn yng ngorymdaith enfawr y Gobeithluoedd? Gwelodd William Jones amryw yn troi i wenu braidd yn drist ar ei gilydd ac ambell un yn ysgwyd ei ben yn hiraethus. Gallent oll yn y dyddiau hynny, meddai'r gweinidog, gredu mai cariad oedd Duw. Yna daeth cymylau i'w nef, a diffoddwyd heulwen yr hawddfyd gynt. Credasai ef mai gŵr y tywydd teg oedd Shoni ac y torrai ei galon yn y ddrycin; clywsai ei chwerthin diofal gynt, fel chwerthin plentyn ag amrywiaeth ei deganau o'i flaen. Llithrodd y cymylau'n is, gan daflu cysgodion ar bob aelwyd, a hawdd oedd credu nad oedd Duw yn gariad mwyach; ciliasai wyneb y Tad. Neidiai myrdd o gwestiynau gwyllt i'w meddwl, a gwyddai ef am lawer, yn grefyddwyr ac yn ddigrefydd, a ysgydwai ddyrnau ffyrnig yn wyneb y nef. Hawdd oedd beio Duw am hunanoldeb dynion; hawdd, wrth sefyllian yn y gynffon hir yn aros am y *dole,* oedd ffromi a cholli ffydd a suro. Eto, ped eisteddai ef, Mr Rogers, i lawr i gofnodi hanes y Cwm, credai mai'r penodau am y blynyddoedd llwm fyddai'r rhai grymusaf; hwy a ysbrydolid gan stori'r dewrder a'r aberth a'r cymwynasau dirifedi; hwy a ddarllenid eilwaith gan bwy bynnag a gydiai yn y llyfr. Na, nid dadlau yr oedd mai cerydd y Tad oedd y dyddiau blin: rhyfyg dynion a'u creai hwy. Ond wedi eu dyfod, fe groniclai angylion eu hanes mewn llythrennau o aur, a gwyliai Duw â phryder ac edmygedd ymdrechion Ei blant yng nghanol yr ystorm. Fe ddeuai dyddiau hawddfyd eto—yn fuan, gobeithio—a dychwelai'r chwerthin diofal i heolydd y Cwm. Hwyliai llong eu bywyd eto i ddyfroedd tawelach a mwy heulog, a dywedent hwythau—efallai gan daflu tros y bwrdd yr ysbryd gwrol a dwys a chymwynasgar a fagwyd yn y ddrycin—mai cariad yw Duw. Yr oedd llawer o broblemau na allent hwy eu deall, cwestiynau y methodd rhai o feddyliau cryfaf yr oesoedd eu hateb. Hawdd oedd eu gofyn a'u gofyn drachefn, a'r meddwl truan fel rhywun dall yn ceisio ymlwybro mewn cors. Ond fe ddisgleiriai cariad Duw yn Ei Fab drwy holl niwl a thywyllwch y canrifoedd. Crwydrai dwsin o wŷr ifainc unwaith drwy bentrefi a dinasoedd gwlad Canaan, gan ddilyn y Meistr. Daethant i'w adnabod Ef, i gyfranogi o'i weledigaeth, i ryfeddu at y gwyrthiau a wnâi, i ymfalchïo yn Ei lwyddiant a'i boblogrwydd wrth ganfod y tyrfaoedd a gasglai hyd yr heolydd lle troediai. Duw, cariad yw, meddent wrth ei gilydd. Yna daeth gelyniaeth a gwawd, fflangell a choron ddrain a chroes. Cuddiasai'r Tad Ei wyneb; nid ydoedd Duw yn gariad mwyach. Llanwyd eu meddwl hwy â dryswch mawr; paham y caniatâi Duw i Rufain ollwng Barabbas yn rhydd a rhoi ar ysgwyddau diniwed y Meseia faich gwrthun y groes? Ni wyddent; ni wyddent. Heddiw, ymhen yn agos i ddwy fil o flynyddoedd, gwelem yn aberth y Groes arwyddlun perffaith o gariad y Tad, darlun a ysbrydolodd gelfyddyd a bywyd gorau'r oesoedd, goleuni nas diffoddid. Duw yn cuddio'i wyneb? Nage, yn Ei ddatguddio'i Hun yn Ei wir ogoniant.

Yr oedd hi'n amlwg i Grad i'w frawd yng nghyfraith fwynhau'r bregeth. Cafodd gip ar y gloywder yn ei lygaid ac ar y wên o edmygedd a chwaraeai ar ei wefusau. Ond diolch i'r nefoedd na ddihangodd Amen arall o'i enau. Yna codasant i ganu, a theimlai Crad yn falch o'r llais tenor peraidd a ddeuai o'i sedd. Yr oedd yn gryfach, yn fwy ffyddiog, y tro hwn hefyd.

Daethant allan o'r capel yng nghwmni Twm Edwards, y gŵr a gyfarfuasai William Jones yn y trên y diwrnod cynt. Wel, beth oedd o'n feddwl o'r lle? A oeddynt am fynd i'r cyngerdd? Oeddynt, Arfon a'i dad a'i ewythr. Sylwodd William Jones ar y bobl ifainc hyd yr heolydd, a sylweddolodd mai Saesneg oedd iaith y mwyafrif ohonynt. Problem anodd, meddai Crad. Yr oedd hi'n bryd gwneud rhywbeth, oedd sylw William Jones. Oedd, yn wir, cytunodd Twm, a siaradai Saesneg bob gair â'i blant. Aethant heibio i'r Clwb, a chlywed sŵn clebran a chwerthin uchel drwy'r lle. Yr argian fawr, sut y caniateid. . . 'Hylô, bois!' gwaeddodd Shinc o'r drws. 'Cyrdda Mawr 'da ni yma heno!' 'Go lew, wir, diolch,' atebodd William Jones. Aeth tri bws mawr heibio.

''Na nhw!' meddai Twm. 'Whîl a sprag bob un, bachan! 'Na chi, fechgyn!' Ac i ffwrdd ag ef ar eu holau, gan ddweud bod ganddo gefnder yn canu yn y côr. Eglurodd Crad mai coler big a bwa du oedd 'whîl a sprag'.

Yng Nghalfaria, capel mwyaf y lle, y cynhelid y cyngerdd, a chodasid yno lwyfan uwchben y Sêt Fawr. Gwyliodd William Jones y côr yn cerdded i'r llwyfan, pob un â'i 'whîl a sprag' a'i ddillad tywyll. Pwy a feddyliai'r rhai hyn oeddyn nhw? Mr Rogers oedd y llywydd, ac wedi iddo offrymu gweddi fer, gwahoddodd y côr a'r gynulleidfa i ymuno i ganu emyn. Caeodd

William Jones ei lygaid i wrando ar y môr o gân a godai o'i amgylch ac o'i flaen; ni chlywsai ef ei debyg erioed. Edrychodd o'i gwmpas ar y bobl, ar osgo eiddgar eu cyrff ac ar y disgleirdeb a oedd yn eu llygaid, gan ryfeddu bod cân yn eu deffro drwyddynt fel hyn. Ac yr oedd yn y gynulleidfa liaws mawr o bobl ifainc—yn addoli mewn moliant. Onid oedd acw, ym mlaen y galeri, rai o'r bechgyn a welsai'n cychwyn ar eu beiciau yn y bore?

'Diawch, maen nhw'n edrach yn dda,' sibrydodd Crad wedi iddynt eistedd.

'Pwy?'

'Y côr. Dyna iti hogia, William!'

'O?' Ebychiad go ddifater oedd yr 'O?' Yr oedd yn amlwg fod Crad wedi ei lyncu gan y Sowth a'i sŵn a'i ymffrost.

'Edrych arnyn nhw, mewn difri, mor lân a theidi ar y llwyfan 'na. Côr o gant a deugain, a 'does 'na ond rhyw hanner dwsin mewn gwaith. Dyna iti hogia!'

Cyflwynodd Mr Rogers y côr i'r gynulleidfa. Teimlai'n wylaidd wrth wneuthur hynny, meddai, gan wybod ei fod ym mhresenoldeb gwŷr dewr iawn, gwŷr a ddaliai i ganu yn yr ystorm. Un amcan i'r cyngerdd oedd cynorthwyo'r côr i deithio i fyny i'r Eisteddfod Genedlaethol, a gwyddai y dychwelent o Gaernarfon nid yn unig yn fuddugoliaethus ond â'u cân yn drysor yng nghof a chalon y rhai a'i clywsai. 'They learn in suffering what they teach in song,' meddai un awenydd wrth sôn am y beirdd, ac er cyni'r gaeaf a ddaethai dros y cymoedd hyn, rhyfeddai'r byd at felystra'u cerdd. Gallai ef ddychmygu'r dyrfa enfawr ym Mhafiliwn Caernarfon yn gwylio'r côr hwn o'r Rhondda Fach yn cerdded yn rheng o wŷr llwyd a lluddedig ar ôl cychwyn cyn torri o'r wawr a theithio drwy'r dydd. 'Trueni amdanynt!' fyddai'r si o sedd i sedd. Yna canent. 'Trueni?' Yr oedd ef yn ddigon o broffwyd i wybod y codai'r dyrfa ar ei thraed mewn gorfoledd. Beth bynnag arall a fyddai yn y canu, byddai *enaid* ynddo, enaid a gyrhaeddodd ei lawn dwf ym mhryder y dyddiau blin.

Ac wrth wrando ar y côr dywedodd William Jones Amen—yn dawel wrtho'i hun. Pur anaml y clywid côr yn Llan-y-graig—ar wahân i un y Bwl ar nos Sadwrn—a theimlai wrth eistedd yn y cyngerdd hwn iddo grwydro i ryw fyd dieithr, ysblennydd. Yr oedd syndod plentyn yn ei lygaid fel y pwysai ymlaen i syllu ar y côr, a theimlai'n ddig wrth y ferch fach anniddig a eisteddai ryw dair sedd o'i flaen; yn ei gwely y dylai'r greadures yna fod. Digwyddodd edrych ar y cloc cyn hir, a sylweddoli gyda braw ei bod hi'n tynnu at ddeg o'r gloch; llithrasai'r amser heibio fel breuddwyd. Cododd Mr Rogers i gyhoeddi enw'r darn olaf—'The Sword of the Spirit' o waith Caradog Roberts, un o'r darnau ar gyfer yr Eisteddfod. Eisteddodd William Jones yn ôl, yna ymlaen, yn ôl eto, yna ymlaen i bwyso ar y sedd ac i geisio cuddio'r dagrau a gronnai yn ei lygaid. A phan dawodd y côr, chwythodd ei drwyn yn ffyrnig.

A phrin y gallai Crad gael gair o'i ben ar y ffordd adref.

'Be' oeddat ti'n feddwl o'r consart, William?' oedd cwestiwn Meri amser swper.

'Wyddwn i ddim bod y fath ganu yn y byd, hogan,' oedd yr ateb, a swniai braidd yn floesg.

'Trueni amdanyn nhw!' meddai Meri.

'Trueni?'

'Ia, allan o waith bron i gyd. Pam wyt ti'n swnio mor syn, William?'

'Wel. . .' Ond ni cheisiodd egluro, er i rywbeth am 'orfoleddu mewn gorthrymderau' wibio i'w feddwl. Ni theimlai fod gallu Mr Rogers i drin geiriau ganddo ef; ni wnâi ond baglu drostynt.

Cyn tynnu oddi amdano, safodd yn hir eto wrth ffenestr y llofft. Yr oedd hi braidd yn hwyr, ac ni ddeuai sŵn o unman, dim ond anadlu rheolaidd Wili John o'r gwely. Uwch cwsg tywyll y tip glo hongiai cwmwl bychan aur a phorffor, ar ffurf croes, a syllodd William Jones arno. Am y Groes y buasai pregeth Mr Rogers onid e? A 'Gwaed y Groes' oedd un o'r darnau a ganasai'r côr. Hymiodd yr emyn yn dawel:

'Gwaed dy groes sy'n codi i fyny
'R eiddil yn goncwerwr mawr.
Gwaed dy groes sydd yn darostwng
Cewri cedyrn fyrdd i lawr.
Gad im deimlo,
Gad im deimlo,
Gad im deimlo
Awel o Galfaria fryn,
Awel o Galfaria fryn.'

Tybiai y clywai'r emyn, fel y canesid ef gan y côr, yn codi o blith cadwyni arian y goleuadau ar lawr y cwm ac yn dringo trwy wyll y llethrau a thros y bryniau i nofio ymhell, bell, i eithafoedd y byd. Diawch, oeddan, yr oedd y coliars 'ma'n medru canu! Oeddan, wir, chwarae teg i bawb. Piti 'u bod nhw mor bowld, hefyd! Ond efallai mai rhywbeth ar yr wyneb. . . Efallai, wir. . .

9 *SOWTHMAN*

'Diwrnod yn hanes William Jones' a wnâi deitl pur dda i'r bennod olaf, onid e? Ond rhaid inni symud ymlaen yn gyflymach o lawer, neu fe fydd y llyfr hwn yn hwy nag un o nofelau Tolstoy, a thithau, ddarllenydd hynaws, a ddechreuodd ei ddarllen pan oeddit yn llanc mewn cariad, yn gofyn yn grynedig i'th ŵyr neu i'th ŵyres estyn dy sbectol iti i fynd ymlaen â'r ddeugeinfed bennod. Ac wedi'r cwbl, pwy yw William Jones i ti ymboeni ag ef? Felly, ceisiwn lunio pennod gan gadw teitl fel 'Tymor yn hanes William Jones' mewn cof. Os digwydd bod rhai manylion yr hoffet eu gwybod, paid ag ofni eu llenwi i mewn dy hun; ni fydd llawer o wahaniaeth gan y gwron, medd ef. Yn unig, y mae am iti fod yn berffaith glir ar un pwnc—nid oes gennyt hawl i roddi yn ei enau neu yn ei feddwl un gair yn erbyn y Sowth. Y bobol ora yn y byd, medd ef, ac os oes rhywun . . . Ond ymlaen â'r stori.

'Diawch, yr wyt ti'n mynd yn rêl Sowthman, William,' oedd sylw Crad un diwrnod ar yr heol pan ddywedodd William Jones 'Shwmâi, bachan?' wrth Shinc.

'Wel, ydw wir, fachgan. Mae'r lle yma'n mynd i waed rhywun.'

Croesodd Shinc atynt.

'*Victimisation,* Crad,' meddai.

'Be'?'

'Richard Emlyn.' Ei fachgen hynaf oedd Richard Emlyn.

'Be' sy wedi digwydd, Shinc?'

'Stopio'i *dole* a.'

'Yr argian fawr, pam?' gofynnodd William Jones.

'Achos fe wrthododd fynd i ryw *Training Centre* sha Lloegar 'na.'

'O? I ddysgu be'? Cerddoriaeth?' Gwyddai William Jones fod Richard Emlyn yn gerddor pur dda ac yn grythor gwych.

'Cerddoriath!' Poerodd Shinc yn ffyrnig i'r ffordd. ''Na ddyla fa gal—tair blynadd yn y *Royal College of Music.* A dyna wetais i wrtho fa cyn iddo fa fynd lawr i Gardydd o'u blân nhw. "Gwêd ti wrthyn nhw dy fod ti'n moyn tair blynadd yn y *Royal College of Music,* Richard Emlyn," myntwn i. A fe wedodd a 'ynny 'ed, myn diawl.'

'Be' oeddan nhw'n gynnig iddo fo?' gofynnodd Crad.

'Chwe mish i ddysgu bod yn *fricklayer.* Yffarn dân! A phan wrthodws a, 'na stopo'i *dole* a. *Victimisation*! Am fod 'i dad a'n *Gommunist,* 'chi'n deall.'

'Faint o amser fydd o heb y *dole*?'

'Gofyn di iddyn nhw, Crad. Nes bydd a'n newid 'i feddwl, sbo. Ond 'dyw Richard Emlyn ni ddim yn mynd yn frici, fe ofala' i am hynny. Clywch!' A gwrandawodd y tri ar hiraeth pêr y ffidil a ganai'r llanc ym mharlwr y tŷ dros y ffordd. Yr oedd llygaid Shinc yn llaith. 'Yffarn dân!' meddai eto, gan frysio ymaith i guddio'i deimladau.

Aethai rhyw bedwar mis heibio, ac yr oedd golwg llai llewyrchus ar William Jones erbyn hyn. Gwisgai ei siwt ail-orau, wrth gwrs, ond yr oedd graen go dda arni o'i chymharu â dillad y mwyafrif o wŷr Bryn Glo. Ei ben a'i draed a gyffesai fod eu perchennog yn ddi-waith. Am ei ben, hen het lwyd i Grad; am ei draed, yr esgidiau hoelion-mawr a ddygasai gydag ef o'r Gogledd. Gwisgai ei esgidiau gorau a'i het galed bob gyda'r nos ac ar y Sul, ond bodlonai ar fod yn amharchus ei ben a swnllyd ei draed yn ystod dyddiau'r wythnos.

Ar eu ffordd i'r Clwb i drwsio'u hesgidiau yr oedd ef a Chrad yn awr. Ystabl fawr fuasai'r 'Clwb' unwaith, ond trowyd hi bellach yn rhyw fath o weithdy i'r di-waith. Prynent ledr a choed yn rhad yno, a chaent arfau a chyfle i drwsio'u hesgidiau neu i lunio dodrefnyn neu degan o bren. Lle digysur iawn oedd, a phrin yr âi neb ar ei gyfyl ond o reidrwydd. Yr oedd sefyllian ar gonglau'r strydoedd neu eistedd ar risiau Neuadd y Gweithwyr yn brafiach o dipyn, ac er i Mr Rogers lwyddo i neilltuo festri'r capel ar gyfer y di-waith, ychydig a âi iddi; nid oedd ganddynt hawl i ysmygu yno.

Agorodd William Jones y llythyr a ddaliai yn ei law; daethai'r post pan gychwynnent o'r tŷ.

'O Lan-y-graig, William?'

'Ia. Oddi wrth Bob, fy mhartnar.'

'Rhyw newydd?' gofynnodd Crad wedi i'w frawd yng nghyfraith ddarllen y llythyr.

'Oes, fachgan. Bob wedi bod yn siarad hefo Tom Owen, y Stiward, a hwnnw'n cynnig fy lle yn ôl imi. Cerrig *champion,* medda Bob, un o'r bargeinion gora fu gynno fo 'rioed. Mae o'n gwneud cyflog reit dda.'

'Be' wnei di, William?'

'Aros yma.'

'Chwara' teg i Tom Owen, yntê?'

'Ia, wir. Mi yrra' i air ato fo i ddiolch iddo fo. Ac os bydd y cynnig yn dal ymhen rhyw fis neu ddau . . . Wn i ddim . . . Ond mae gan Bob newydd arall. Am Leusa.'

'O?'

'Mae hi wedi dechra gwnïo yn y tŷ. Gwniadwraig oedd hi cyn priodi, fel y gwyddost ti. Ac mae Ifan, 'i brawd, wedi symud i fyw ati hi. Wedi rhentio'i dŷ'i hun, os gweli di'n dda, a gwneud 'i gartra yn fy nhŷ i.'

'Tŷ Leusa.'

'Y? . . . Ia. Ond 'rydw i'n gyrru punt iddi hi bob wsnos.'

'Gyr chweugain iddi, William, a gofyn i'r Ifan Siwrin 'na dalu hannar y rhent.'

'Na, mi gadwa' i at y cytundeb hwnnw tra medra' i.' Derbyniasai gytundeb oddi wrth gyfreithiwr o Gaernarfon yn ei rwymo i dalu punt yr wythnos yn rheolaidd i'w wraig.

'Mae hi'n aea' arnon ni eto, William.'

'Ydi, fachgan. Mae'r gwynt yn reit oer hiddiw.'

Troesai'r llethrau'n eurgoch erbyn hyn, a threiglai niwl oer i lawr trostynt. Gwelent sbotiau yn symud draw hyd ymyl y tip—gwŷr yn cloddio am glapiau o lo. Buasai Crad a William Jones wrth y gwaith hwnnw y diwrnod cynt ond, wedi ymlâdd wrth ddringo yno, gorfu i Grad fodloni ar eistedd i lawr i wylio'i frawd yng nghyfraith yn ceisio llenwi ei sach.

Cyrhaeddodd y ddau yr ystabl a elwid yn Glwb. Nid oedd yno ond dyrnaid, ac aeth Crad ati ar unwaith i drwsio esgidiau Wili John. Dringodd William Jones y grisiau i'r llofft, gan wybod y byddai David Morgan yn y fan honno. Yr oedd ef a'r cerddor yn gyfeillion mawr erbyn hyn a'r chwarelwr yn un o aelodau ffyddlonaf y côr. Cafodd yr arweinydd wrthi'n rhwbio â phapur cras y silffoedd llyfrau a luniasai i'w fab, Idris.

'Wel, beth ŷch chi'n feddwl ohonyn nhw?' gofynnodd, gan sefyll gam yn ôl.

'Gwych, David Morgan. Ydyn, wir.'

'Dim ond ticyn o stein a farnish 'nawr. Syrpreis bach i Idris 'co.'

'O? Ydi o ddim yn gwbod amdanyn nhw?'

'Nac yw. Ma' fa'n achwyn obothdu'i lyfra o hyd—dim lle 'da fa i'w rhoi nhw. A llyfra Idris yw popeth yn tŷ ni. Dim ond i fi symud un ohonyn nhw oddi ar y ford ne'r seidbord a 'na fi'n cal eitha' pryd o dafod 'da'r fenyw 'co. Ond 'na fe, 'dyw Idris ddim yn gallu 'wara'r organ 'nawr fel ôdd a.'

Na, ni chanai'r bachgen unfraich yr organ yn awr. Collasai ei fraich yn y pwll, a'i dad gerllaw yn gwylio'r ddamwain. Rhawio glo i'r *conveyor* yr oedd Idris Morgan pan ddaeth rhyw wendid trosto ennyd ac y syrthiodd ar y peiriant. Crafangodd y *conveyor* ei fraich a thynnu'r gŵr ifanc gydag ef, ond neidiodd dau ddyn ymlaen i gydio ynddo, gan fachu eu gliniau a'u traed ar ryw arwder a deimlent yn y llawr. Yna, yn sydyn, llaciodd y tynnu ac yr oedd Idris yn saff yn eu breichiau—heb ei fraich. Rhwygwyd honno ymaith o'r gwraidd. Bu am ryw naw mis mewn ysbyty, ac yna dychwelodd adref yn wrol ac yn siriol, a chafodd waith i ofalu am lyfrgell Neuadd y Gweithwyr. Ei ofid mwyaf oedd na allai ganu'r organ yn y capel fel cynt, ond darllenai lyfrau am gerddorion a cherddoriaeth yn lle hynny.

Hoffai William Jones Idris Morgan yn fawr, ac âi i'r drws nesaf am sgwrs ag ef yn bur fynych. Ni chyfarfuasai â neb mwynach ei ysbryd erioed. Er hynny, clywsai mai un go wyllt oedd ef cyn i'r anffawd ddigwydd, a phan orweddai yn yr ysbyty, daliai i ofyn iddo ef ei hun ac i bawb arall paham yr oedd yn rhaid iddo ef ddioddef felly. Ofnai ei dad a'i fam am gyflwr ei feddwl ar adegau, ond wedi un o ymweliadau aml Mr Rogers, cawsant eu mab un diwrnod yn fwyn a thawel a breuddwydiol. Yna, i orffen y driniaeth feddygol, gyrrodd yr ysbyty ef i awel y môr am rai wythnosau, ac ysgrifennai lythyrau siriol oddi yno. Pan ddychwelodd adref, ni soniai air am ei anaf, dim ond am y llyfrau a ddarllenai a'r cewri a gyfarfyddai ynddynt, am fyd rhyfeddol y meddwl a'r ysbryd. Yn wir, ymron na chredech yr edrychai ar yr anhap fel drws i blas yn llawn o hud a lledrith. Ychydig iawn a wyddai William Jones am ramant y plas hwnnw, ond melys oedd gwrando ar Idris Morgan yn adrodd hanes rhyw gerddor neu fardd neu athronydd wrtho. Diar, pwy a fuasai'n meddwl bod y fath bobl wedi byw yn yr hen fyd 'ma, yntê? A dyna'r Albert Schweitzer 'na yr oedd Mr Rogers yn sôn amdano mor aml. Diawch, dyna ddyn!

'Dewch draw fan hyn i chi gal gweld artist wrth 'i waith,' meddai David Morgan, gan ei arwain ar draws yr ystafell. 'Fe fasa'r Brenin yn falch o'r cwpwrdd yma.'

'Fe ddylai fod, beth bynnag,' oedd sylw William Jones wrth syllu ar y seld fawr hardd. 'Faint gymerodd hon i chi, Seimon?'

'Pythefnos. Wy' 'di cymryd f'amsar 'da hon.'

Dyn tal, tenau, tawedog oedd Simon Jenkins, a threuliai ef, a fuasai gynt yn saer yn Nymbar Wan, y rhan fwyaf o'i amser yma yn y Clwb. Prin yr oedd unrhyw ddodrefnyn na allai ef ei lunio, a'i lunio'n gywrain, gan roddi i'r pren huodledd celfyddyd. Wedi blynyddoedd o ofalu am ddrysau a phethau tebyg yn y pwll, câi hamdden yn awr i naddu mewn coed ei freuddwydion cudd. Y drwg oedd, meddai trefnydd y Clwb, na fwriadwyd i neb droi allan gymaint o ddodrefn ag a wnâi Simon Jenkins. O, yr oeddynt yn dda, yn wych, ond damo, 'doedd dim digon o goed i'w gael i'r bachan, w.

'Sut mae'r ferch, Seimon?' gofynnodd William Jones.

'Y doctor isha iddi gal mish wrth ddŵr y môr.' Ac edrychodd yn sarrug ar y chwarelwr, fel petai ei awgrym ef fuasai'r mis o awelon y môr.

'I b'le y gyrrwch chi hi?'

'I'r Rifiera. Licwn i wbod lle wy' i'n mynd i gal arian i roi mish ym Mhorthcawl i Gwen.'

'Fedrwch chi ddim gwerthu rhai o'r dodrefn 'ma?'

'Galla', a 'na nhw'n clŵad am 'ynny, 'na stopo fy *nole* i.' Ac aeth Simon Jenkins ymlaen i orffen y rhosynnau a roddai ar ddrws y seld.

Oedodd William Jones yn y llofft am ryw hanner awr yn sgwrsio â David Morgan. Cofiai'r cerddor am y cinio hwnnw a gawsai ef a'i gôr yn Scranton flynyddoedd cyn hynny. Y rhosynnau a gerfiai Simon a ddug yr amgylchiad i'w gof, meddai ef—yr oedd rhosynnau tebyg ar y gwydrau yr yfent win ohonynt. Daro, dyna'r unig dro yn ei fywyd iddo ef fod yn feddw! Ac ar ddiwedd y cinio aeth i ddadlau gyda chlamp o Eidalwr tew nad ydoedd Caruso yn deilwng i ddatod esgidiau Ben Davies. Ni chofiai ddim am y peth y bore trannoeth nes i rai o'r côr ddechrau tynnu ei goes. Daro, ac yntau byth yn cyffwrdd diferyn!

Soniodd William Jones am y llythyr a dderbyniasai o'r Gogledd ac am y gwahoddiad yn ôl i'r chwarel.

'Ond 'dŷch chi ddim yn mynd, odych chi?' gofynnodd David Morgan.

'Wel . . .'

'Allwch chi ddim gadal y côr, bachan.'

'O, fydd dim llawar o gollad ar f'ôl i.'

'Na fydd a? Fi sy'n gwpod 'ynny, nid chi. A pheth arall, 'dŷch chi ddim yn mynd i golli'r perfformans! A chitha heb glywad y *Messiah* 'riôd! Na, allwch chi ddim gadal 'nawr, William.'

Pan gyrhaeddodd William Jones waelod y grisiau, taflodd Crad wên slei tuag ato.

''Roeddwn i'n meddwl mai dŵad yma i drwsio dy 'sgidia yr oeddat ti, William.'

'Wel, ia, fachgan, ond dechra' clebran, wel'di, a . . . Hylô, Ned!'

Ned Andrews, a drigai tros y ffordd iddynt, oedd yr unig un gwir fedrus fel crydd, a pharod iawn oedd i gynorthwyo eraill; rhoddai help llaw i Grad yn awr.

'Practis da neithiwr, Ned?' meddai William Jones.

'Grêt, w. Chlywis i mo'r "Worthy" yn cal 'i ganu'n well ariôd. Ôch chi'r tenors mewn fform nithwr. Ôch, wir. Be' ôdd E lan 'na yn feddwl?' Nodiodd tua'r llofft, lle gwyddai fod yr arweinydd wrth ei waith fel saer.

'Ddeudodd o ddim llawar ar y ffordd adra. Ond 'roedd o i'w weld yn reit hapus. Dechra shapo 'rŵan—'nawr—medda fo.'

'Wel, os yw Dai yn gweud bod ni'n dechra shapo, ŷn ni'n canu fel angylion, siŵr o fod.'

Yr oedd tri diddordeb mawr ym mywyd William Jones erbyn hyn—y capel, lle ni chollai un oedfa; y côr (onid ef oedd y Trysorydd?); a Mot, y ci a brynasai i Wili John. Yr oedd Mot bellach yn bedwar mis oed, a châi lawer o sylw gan bawb yn y tŷ. Daethai William Jones o hyd iddo ar un o'i deithiau ofer i chwilio am waith. Cerddasai un diwrnod dros y mynydd i'r cwm agosaf, a mentrodd alw yn swyddfa'r gwaith y daliai ei beiriant-codi-glo i besychu'n ysbeidiol. Wedi iddo egluro na fuasai erioed dan ddaear ond ei fod yn chwarelwr go lew ac yn ddirwestwr selog, troes ymaith yng nghwmni glöwr bychan, bywiog o'r enw Sam Ifans.

'Lle ŷch chi'n mynd 'nawr?' gofynnodd hwnnw.

'Yn ôl dros y mynydd.'

'Dim heb i chi gal dishglad o de, bachan. Dewch 'da fi.'

Nid oedd modd gwrthod; ni wrandawai Sam Ifans ar esgus o fath yn y byd. Ac fe'i cafodd William Jones ei hun mewn tŷ na welsai ei lanach erioed, er nad oedd y stryd ond enghraifft arall o'r adeiladau salw a brysiog a geid yn y cymoedd hyn. Dyna un peth a wnâi iddo ryfeddu—y glendid a'r balchder yn y tai. Credasai y noson gyntaf honno ym Mryn Glo fod Meri ei chwaer yn ymegnïo i roi gwers i'r anwariaid o'i chwmpas, yn ceisio troi ei thŷ'n batrwm iddynt. Ond sylweddolodd yn fuan iawn mai'r 'anwariaid' a ddysgasai wers i Meri, fod aelwyd a chegin a pharlwr yn her i hylldrem y cwm a'r llethrau. Tŷ David Morgan, er enghraifft. Tŷ Ned Andrews dros y ffordd. Go flêr oedd cartref Shinc, efallai, ond dyna fo, ni chredai Shinc na'i wraig mewn rhyw arwynebolrwydd fel sglein. Twyll oedd peth felly, cymryd arnynt eu bod yn feistri ar eu ffawd—a'u tai eu hunain. Ond yr oedd gan Shinc ryw esgus; yr oedd ei wraig yn fwy hoff o fynd o gwmpas i ganu nag o lanhau'r tŷ. Er hynny, beiai'r chwarelwr ef am aflerwch ei gartref.

Darganfu William Jones nad oedd y glöwr bychan, bywiog, mor ddibryder ag y dymunai i'r byd gredu ei fod. Yn wir, yr oedd gofid fel plwm yng nghalon Sam Ifans. Trannoeth, yr oedd i golli Nel, yr ast a garai ef a'i wraig gymaint. Rhywfodd neu'i gilydd, ni chawsai nodyn swyddogol o'r Llythyrdy ddechrau'r flwyddyn yn ei atgofio bod arno saith a chwech am drwydded Nel, a chan ei fod yn ddi-waith, ni yrrodd air at yr awdurdodau i brotestio am y diofalwch. Llithrodd hanner blwyddyn heibio, a daliai Sam i daflu ambell winc slei a hapus at Nel. Ond yn sydyn, rai wythnosau cyn ymweliad William

Jones, cofiodd rhyw glerc yn rhywle fod ar Samuel Evans, 21 Colliers Row, Cwm Llwyd, saith a chwech am gadw ci, ac wedi iddo wneud y darganfyddiad a methu â chael ateb i dri nodyn, gyrrwyd heddgeidwad i'r tŷ i fygwth mynd â'r ast ymaith. Ateb Nel i hyn oedd cyflwyno i'r byd, y diwrnod ar ôl ymweliad y plisman, dri o gŵn bach tlws dros ben.

'Be' ydach chi am wneud hefo'r cŵn bach 'ma?' oedd cwestiwn William Jones wedi iddo glywed yr hanes.

''Smo i'n gwpod, wir. 'Sneb yn moyn cŵn 'nawr, w. Dim arian, 'chi'n gweld.'

'Fasach chi'n gwerthu un i mi?'

'Pidiwch â siarad dwli. Cymerwch un. P'un ŷch chi'n moyn?'

'Hwn'na â'r tei gwyn 'na ar 'i frest o. Ond mae'n rhaid imi gael talu amdano fo.'

'Talu! Hwrwch! Fe allwch 'i gario fa yn eich pocad.'

'Reit. Faint oeddach chi'n ddeud oedd y leisans, hefyd?'

'Saith a wech.'

'O, ia. Wel, yr ydw i wedi bod yn chwilio am gi bach ers . . . ers pythefnos, ac yn . . . yn methu'n glir â chael un i'm plesio. A dyma fi wedi dŵad o hyd i un o'r diwadd, y ci bach dela' welis i 'rioed. Isio un i Wili John, hogyn fy chwaer, ydach chi'n dallt. Mi fydd o wrth 'i fodd.'

A thra siaradai, darganfu dri hanner coron yn ei bwrs a'u taro ar y bwrdd. Edrychodd y glöwr yn gas.

''Shgwlwch 'ma,' meddai. 'Os ŷch chi'n meddwl 'mod i'n mynd i gymryd saith a 'wech oddi ar fachan sy mas o waith . . .'

'Diar annwl, 'dydw i ddim allan o waith. Ar fy holides i lawr yma yr ydw i. Heb gael gwylia ers . . . diar, ers blynyddoedd, a blino ar fynd i'r hen chwaral 'na bob dydd heb dipyn o newid. Yr ydw i'n ennill cyflog reit dda.'

A oedd colled ar y dyn? gofynnodd Sam Ifans iddo'i hun.

'Be' . . . be' ôch chi'n moyn yn y Neptiwn?'

'O?' A chwarddodd William Jones yn llon. 'Crad, fy mrawd yng nghyfraith, sy allan o waith, ydach chi'n dallt, a finna'n gwneud bet hefo fo y medrwn i gael job fel coliar ond imi fynd i chwilio amdani. Fo fydd yn ennill y fet, mae arna' i ofn . . . Wel, diolch yn fawr i chi am y te. Mae'n rhaid imi frysio adra 'rŵan.'

Ac wedi palu'r celwyddau hyn, troes ymaith, gan ddal y ci bach yn ofalus yn erbyn ei frest a chymryd arno golli ei dymer pan geisiodd y glöwr wthio'r saith a chwech yn ôl i'w law.

'O, ia, pa frid ydi o, er mwyn imi gael deud wrthyn nhw adra?' gofynnodd, y tu allan i'r drws.

'Brid? Wel, ma'i fam e'n spanial ac yn ritrifar ac yn gi defed, ond beth a phwy yw 'i dad e, dim ond y Nefoedd sy'n gwpod, bachan. 'Falla taw milgi Dic Tomos. 'Smo fi'n gwpod, ta beth.'

Aethai rhyw bedwar mis heibio er hynny, ac enillasai Mot ei le bellach fel aelod pwysig o'r teulu, y ci bach gorau yn y byd. Dechreuai gallio tipyn erbyn hyn, ac ysgafnhawyd y baich o bryder ar ysgwyddau William Jones. 'Diar, yr hen gi yma eto!' fyddai sylw Meri bron bob dydd am rai wythnosau, ac edrychai ei brawd ymaith yn euog a ffwdanus oddi wrth y dodrefnyn a lanhâi ei chwaer. Yn y dyddiau cyntaf, hefyd, darganfu Mot y grisiau a chredai fod eu dringo'n gamp anturus iawn. Y drwg oedd na allai ddisgyn unwaith y cyrhaeddai'r pen, dim ond swnian yn dorcalonnus yno uwch y dibyn. Âi

William Jones i fyny i'w nôl, ond cyn hir deuai'r swnian eilwaith o ben y grisiau a rhaid oedd eu dringo drachefn i'w achub oddi yno. 'Cau'r drws 'na, Wili John, rhag ofn i Mot fynd i fyny'r grisia eto,' a oedd frawddeg a glywid yn aml. Wedyn, yn anffodus, yr oedd gan y ci bach ddannedd, a mwynhâi gnoi rhywbeth o fewn ei gyrraedd —matiau, papur, darn o lo, esgidiau, coesau cadair, brws pentan, rhywbeth a phopeth. Prynodd William Jones asgwrn o rwber iddo, gan gredu argyhoeddiad gŵr y siop na thalai Mot un sylw i goes cadair na throwsus gorau Crad wedi cael hwnnw rhwng ei ddannedd. Ond yr oedd yn well gan Fot lodrau Crad na'r asgwrn o rwber. Ar Grad ei hun yr oedd y bai am hynny. Digwyddai, un diwrnod, fod yn gwisgo'i hen drowsus gwaith, ac nid oedd wahaniaeth yn y byd ganddo faint a gnoai'r ci ar ei odre; yn wir, câi hwyl fawr yn gwthio'i droed ymlaen a'i thynnu'n ôl yn bryfoclyd, gan lusgo'r ci wrth ei ddannedd o amgylch yr aelwyd. Yna aeth i'r llofft i newid ei ddillad, a phan ddaeth yn ôl i'r gegin yn ei drowsus gorau, credai Mot mai dychwelyd i ailymaflyd yn y chwarae yr oedd. Ni ddeallai'r ci o gwbl paham y rhoddwyd cerydd mor llym iddo am fynd ymlaen â'r gêm, a llanwyd ei feddwl ifanc â dryswch llwyr pan gafodd slap am geisio denu llodrau Mr Rogers, y gweinidog, i'r ymrafael.

Ond yn awr, wedi pedwar mis o gyngor a cherydd, yr oedd Mot yn dysgu ymddwyn yn fwy gweddaidd. Y mae'n wir y daliai i gredu bod crafu dodrefn a drysau'n chwanegu at eu hurddas a'u gwerth; mai ei swydd ef mewn bywyd oedd bwyta, yn gyfreithlon ac anghyfreithlon, o fore tan nos; a bod ganddo hawl, yn ei dŷ ei hun, i estyn croeso cynnes i bob un o'i gyfeillion, ond fe ddôi doethineb yn araf deg.

Wili John oedd y drwg pennaf. Darllenasai William Jones yn rhywle mai un pryd y dydd a oedd orau i gi, a phenderfynodd gadw at y rheol honno. Ond gan y gweithiai Wili John mewn siop gigydd, cludai adref ddigon o esgyrn a darnau o gig i fwydo holl gŵn y sir. Bu'r ddadl rhyngddo ef a'i ewythr yn un hir a chwyrn, ond o'r diwedd trawodd y ddau ar gyfaddawd—dau bryd y dydd, Wili John i ofalu am un a William Jones am y llall. A bu heddwch—nes i'r chwarelwr ddarganfod, wedi synnu am beth amser fod cynifer o esgyrn o gwmpas y lle, na chadwai ei nai o gwbl at y cytundeb. Yr oedd hyn yn brofedigaeth fawr iddo, gan i Wili John arwyddo'r cyfamod trwy boeri ar ei fys a gwneud llun croes ar ei dalcen.

Meri a gwynai fwyaf am y ci. Cyn gynted ag y golchai hi lawr y gegin fach, fe ruthrai Mot i mewn i'w addurno ag ôl ei draed. Neidiai hefyd, yn wlyb ac yn fudr, i'r gadair orau, a chafwyd ei ysgrifen un diwrnod ar wely Eleri. Beth a ellid ei wneud, mewn difrif? Penderfynodd William Jones geisio'i werthu i rywun, ac os methai, ei ddifodi. 'Be'?' meddai Meri. 'Gwerthu Mot! Tyd yma, 'ngwas del i, iti gal asgwrn bach arall. Tyd; yr wyt ti'n werth y byd, on'd wyt?'

Y capel, y côr, a'r ci—ond yr oedd gan William Jones ddiddordebau eraill hefyd ym Mryn Glo. Âi ef a Chrad bob bore i lawr i'r *Workmen's*, fel y dysgodd alw Neuadd y Gweithwyr, am gip ar y papur newydd a sgwrs hefo hwn a'r llall. Trawodd i mewn i'r llyfrgell yno un diwrnod a darganfu, ymhlith rhai miloedd o lyfrau, ddyrnaid o rai Cymraeg. Yr oedd *Capelulo*, a *Sioned* Winnie Parry yn eu mysg, ac nid oedd bw na ba i'w gael ganddo wedyn am nosweithiau lawer. Treuliai ambell noson hefyd yn festri Salem yn gwrando ar y radio, neu ar ddarlith neu drafodaeth a drefnai Mr Rogers yno. Yr oedd yn rhy swil i gymryd rhan mewn trafodaeth, ond enillodd beth bri un noson trwy ddadlau'n frwd fod meddwl a chof a dychymyg gan gi—'mwy o lawar nag sy gan amball ddyn,' meddai ef. Pan fyddai llun go dda yno, denai Wili John ef i'r sinema, a gallai sgwrsio'n bur ddoeth bellach am rai o hoelion wyth y darluniau byw. Âi hefyd bron bob prynhawn Sadwrn i wylio'r gwŷr ifainc yn chwarae rygbi yn y cae wrth yr afon, a siaradai gyda pheth awdurdod am 'lein owt' a 'threi' a 'sgrym'; yn wir, daliodd Crad ef un diwrnod yn dadlau'n ffyrnig hefo Shinc fod ei fachgen, Richard Emlyn, yn 'off-side' cyn ennill trei.

Rhaid imi gofio egluro hefyd fod William Jones yn troi'n dipyn o Sais wrth ddarllen y papur dyddiol a gorfod sgwrsio'n Saesneg â llawer un mewn siop ac ar yr heol. Ac ymhlith llyfrau ysgol Wili John ac Arfon, darganfu'r gyfrol a gyffroes ei feddwl gymaint pan oedd yn fachgen—*Treasure Island.* Penderfynodd geisio'i ddarllen—gyda chymorth parod ond ffroenuchel Wili John—a mawr oedd y blas a gafodd arno. Rhai o storïau Hans Andersen a ddarllenai ar hyn o bryd, a deffrowyd ei ddiddordeb gan gip ar amryw eraill—yn eu plith, *The Cloister and the Hearth, Silas Marner*, ac *Ivanhoe.* Barn Meri oedd bod ei brawd yn 'ddarllenwr mawr'.

Rhwng popeth, âi'r dyddiau a'r wythnosau heibio'n gyflym. Diolchai Crad pan ddaeth diwedd Tachwedd; oherwydd yr aflwydd ar ei frest, yr oedd yn well ganddo oerni a rhew Rhagfyr na niwl a lleithder Tachwedd. Cadwai'r côr William Jones yn hynod brysur; cyfarfyddai yn awr deirgwaith yr wythnos, ac ni chollai ef un cyfarfod. Cerddai i bractis ac oddi yno yng nghwmni David Morgan, a rhywfodd neu'i gilydd, daeth y côr i edrych ar y chwarelwr hefyd fel tipyn o gerddor. Nid am y mentrai roddi barn ar bynciau cerddorol, ond am y gallai edrych yn bur gall a nodio'n ddoeth pan eglurid rhywbeth gan yr arweinydd. Cytunai Mr Rogers a David Morgan fod William Jones yn un o'r gwrandawyr gorau a gawsant erioed, a hyfrydwch iddynt oedd taflu golwg i'w gyfeiriad i weld yr eiddgarwch gloyw yn ei lygaid.

Y gwir oedd bod William Jones yn arwr-addolwr, a thrwy'r blynyddoedd ni chawsai neb y gallai ymgrymu o'i flaen. Ei dad? Na, ei ofni ef a wnâi yn fwy na dim arall, a phan aeth yn wael, tosturiai wrtho. Ei fam? Cymerai ei gwrhydri a'i thynerwch hi'n ganiataol, hyd yn oed wedi iddo dyfu'n ddyn. Mr Lloyd? Wel, 'yr hen Lloyd' didramgwydd a diymadferth oedd ef iddo, yn proffwydo'n grynedig ei bod hi am law neu am ysbaid o dywydd teg. Ei gyfeillion a'i gydnabod yn Llan-y-graig? Pobl yn rhyw fyw o ddydd i ddydd oeddynt hwy, heb un diddordeb arbennig ar wahân i'w gwaith a'u cartrefi. Ac wedi gweld cymaint ar Leusa ac Ifan Siwrin, yr oedd arno newyn a syched am feddyliau mwy aruchel na'r eiddynt hwy. Nid ymresymiad William Jones yw hwn, wrth gwrs, ac ni hoffwn awgrymu iddo godi un bore a phenderfynu brysio draw i'r drws nesaf cyn brecwast i benlinio gerbron y cerddor. Ond sylwai Meri a Chrad y soniai lai bob dydd am Bob Gruffydd a Thwm Ifans, a mwy o hyd, a chyda brwdfrydedd mawr, am Mr Rogers neu David Morgan. Ac fel y nesâi'r Nadolig a'r ŵyl gerddorol, âi'r teulu i gredu mai 'côr William Jones' oedd 'côr Dai Morgan' mwyach.

Chwarae teg i siopwyr Bryn Glo, gwnaethant ymdrech

deg i addurno'r ffenestri at y Nadolig; yn wir, yr oedd y lle lawer yn siriolach nag y cofiai ef Lan-y-graig. Pan âi drwy'r pentref gyda'r nos ar ei ffordd i'r capel neu i gyfarfod o'r côr, teimlai William Jones fel hogyn wrth syllu ar yr addurniadau a'r anrhegion a'r goleuadau lliwiedig a'r amrywiaeth o ddanteithion a ffrwythau. A'r noson cyn y Nadolig bu hi'n dipyn o ddadl yn y tŷ.

'William,' meddai Meri ar ôl te, 'mae Crad a finna wedi bod yn siarad hefo'n gilydd.'

'O?'

'Am y 'Dolig a phresanta a phetha felly. 'Dydan ni ddim am wneud llawar o ffys 'leni, gan 'i bod hi fel y mae hi arnon ni, a . . .'

'Ia?'

'Wel, 'roedd Crad yn deud iti godi arian yn y Post bora 'ma, ac 'roedd o'n rhyw ofni dy fod ti am fynd i siopa heno, a . . .'

'Ydw.'

'Wel, dim ond un wyt ti a ninna'n bump. Ac 'roeddan ni'n meddwl os liciet ti brynu tun o daffi ne' rwbath rhwng pawb . . .'

'Ond mae gin i ddigon o bres, Meri, ac wedi'r cwbl, dim ond unwaith mewn blwyddyn y daw'r 'Dolig.'

'Gwranda, William,' meddai Crad. 'Mae Meri a finna wedi siarad dros y peth, ac 'rydan ni'n gofyn iti beidio. Mae'r plant yn dallt sut mae petha y 'Dolig yma fel y 'Dolig dwytha'.'

'Ond . . .'

'Os pryni di dun o daffi rhyngddyn nhw,' meddai Meri, 'mi fyddan nhw wrth 'u bodd.'

'Ydach *chi*'ch dau yn rhoi presanta iddyn nhw?'

'Wel . . . y . . .' Tawodd Crad.

'Ydan,' atebodd Meri, 'ond nid presanta ydyn nhw mewn gwirionadd, ond petha y mae'u hangen nhw—crys i Arfon, jympar i Eleri, macintosh i Wili John. Y cwbwl o'r Emporium, y Drepár lle'r ydan ni wedi talu deunaw yr wsnos i'r Clwb 'Dolig ers misoedd. Os lici di brynu tipyn o dda-da ne' ffrwytha iddyn nhw, William . . . Ond dim presanta, cofia.'

'Na, dim presanta,' meddai Crad.

'Na, dim presanta,' cytunodd William Jones.

Aeth i lawr i'r pentref cyn hir, gan deimlo braidd yn ddigalon. Safodd o flaen yr Emporium i syllu ar y tryblith o anrhegion yn y ffenestr, a gwelodd yno dun o daffi hanner coron ei bris. Oedd, yr oedd Meri a Chrad yn llygad eu lle. Wedi'r cwbl, un o amcanion ei fywyd bellach oedd gwario cyn lleied ag yr oedd modd. Oni thorrai ef a Chrad wallt ei gilydd? Ac onid ysmygai lai nag owns yr wythnos? Oedd, yr oedd Meri a Chrad . . . Aeth i mewn i'r siop.

'Y tun 'na o daffi, os gwelwch chi'n dda.'

Wedi i'r ferch ei bacio ac iddo dalu amdano,

'Rhwbath arall, syr?' gofynnodd hi.

'Wel, oes, mae arna' i isio'ch help chi, os byddwch chi mor ffeind. Wili John.'

'Wili Bwtsiwr?'

'Y? . . . O, ia. Isio presant iddo fo.'

'Beth am y mowth-organ 'ma, 'nawr?' A denodd gwefusau'r ferch nodau pêr ohono.

'Diar, un da, yntê? Faint ydi o, os gwelwch chi'n dda?'

'Pedwar a 'wech, syr. Ddo' cethon ni'r rhein.'

'Tewch, da chi! Reit. Mi fydd Wili John wrth 'i fodd.'

'Rhwbath arall, syr?'

'Oes, mae arna' i isio presant i Eleri. Be' ga' i, deudwch?'

'Ma' 'Leri yn y Cownti, on'd yw hi? Beth am ffownten-pen?'

''Rargian, ia, ffownten-pen fasa'n beth hwylus iddi hi, yntê? Wnes i ddim meddwl am ffownten-pen o gwbwl.'

''Ma chi rai nêt, syr. Pum swllt.'

'Tewch da chi! Dim ond pum swllt! Beth am yr un werdd 'ma? Hon ydw i'n licio.'

'On'd yw hi'n un neis? 'Na falch fydd 'Leri!'

'Bydd, ydw i'n siŵr. A 'rŵan mae arna' i isio rhwbath i Meri—i fam Eleri.'

'Dewch draw fan hyn, syr, i chi gael gweld y ffedoga 'ma. Ma'n nhw'n lyfli. Dim ond tw and lefn.'

Edrychodd William Jones ar y ffedogau lliw fel petai'n taflu golwg beirniadol ar res o lechi Dic Trombôn.

'Yr un goch a glas 'ma,' meddai, gan ddewis un o ganol y rheng. 'Ydach chi'n meddwl y bydd Meri—Mrs Williams—yn 'i hoffi hi?'

'Diar, bydd, yn dwli arni hi.'

Ac yn awr, Arfon. Beth gynllwyn a gâi ef i Arfon?

'Faint yw'r teis 'na, os gwelwch chi'n dda? Mae arna' i isio un i Arfon.'

'Hanner coron. Poplin.'

'Y?'

'Poplin.'

'O.'

''Ma chi un neis, syr.'

'Gormod o liw ynddo fo. Mae'n well gin i hwn, yr un llwyd 'ma â sbotia du arno fo.'

'Ond bachgen ifanc yw Arfon, syr, a ma' hwn yn rhy

hen iddo fa.' Bu bron iddi ag awgrymu mai tei iddo ef ei hun a brynai William Jones.

'Ydi, 'falla. Ydi, yn rhy hen i Arfon. Hwn 'ta.'

'Ond. . .' Nid oedd llawer mwy o liw yn yr ail dei.

'Ond be', 'merch i?'

'Wel, chi sy'n gwpod, wrth gwrs, ond y rhai streip 'ma—*Club colours*—ma'r bechgyn yn lico.'

'Ia, ond tei ar gyfar y Sul oeddwn i'n feddwl gal iddo fo. Fe wnaiff hwn yn gampus, yn *champion*.'

'Reit. Rhywbeth eto, syr?'

'Crad—Mr Williams.'

'Tei?'

'Na, mi dorrodd 'i fresus y diwrnod o'r blaen.'

'*Braces*?'

'Ia, wrth wyro i drio trwsio beic Wili John. A dim ond tamaid o linyn sy'n cadw'i drowsus o rhag. . .'

'Hanner coron yw'r rhain, syr. Rhai cryf iawn.'

'I'r dim, 'nginath i, i'r dim.'

Dychwelodd William Jones i'r tŷ'n llwythog, ond medrodd sleifio i'r llofft i guddio'r parseli yn y fasged wellt a oedd o dan ei wely. Galwasai hefyd yn y siop ffrwythau i brynu cnau a ffigys ac afalau. Daria, dim ond unwaith mewn blwyddyn y dôi'r Nadolig, onid e?

Yr oedd hi wedi deg ar Arfon yn cyrraedd adref, a bu'r teulu ar eu traed yn o hwyr yn cael hanes Slough ganddo.

'Pawb i gysgu'n hwyr 'fory,' oedd gorchymyn Meri pan droesant i'w gwelyau.

Ond deffroes Wili John am hanner awr wedi saith fel arfer, a rhoes bwniad i'w ewythr.

'Nadolig llawen, Wncwl William!'

'Y?. . . Ac i chditha, 'ngwas i. Hannar munud.'

A chododd William Jones i dynnu'r fasged wellt o'i chuddfan.

'Hwda, dyma iti bresant bach. Fedri di'i ganu o?'

''I ganu fa? Galla'!' A dechreuodd 'Tipperary' ruo drwy'r tŷ.

'Sh! Paid, Wili John, ne' mi fyddi di'n deffro'r tŷ—a'r pentra i gyd.'

'Oreit. Yn dawal fach, 'ta.'

A chafwyd datganiad gweddol gywir o hanner dwsin o donau Saesneg poblogaidd.

'Wili John?'

'Ia, Wncwl?'

'Mae hi'n fora Nadolig, wel'di. Be' am garol ne' ddwy?'

'Reit.'

A daeth 'While shepherds watched. . .' a 'Good King Wenceslas' allan o'r organ-geg. Daeth hefyd sŵn Mot yn nadu i lawr y grisiau.

'Wili John?'

'Ia, Wncwl?'

'Wyt ti ddim yn gwbod carol Gymraeg? Mi gana' i hefo chdi wedyn.'

''Sdim carole Cymraeg i gal, w.'

'Oes, ddigon. Dyna. . .' Ond ni allai William Jones gofio un ar y funud. 'Sh! Mae 'na rywun yn dŵad, fachgan.'

Daeth Meri i mewn. 'Be' sy'n mynd ymlaen yma, mi liciwn i wbod?' gofynnodd.

Ond fe gysgai'r ddau'n drwm, Wili John â'i ben o dan y dillad.

Cymerodd Meri arni fod yn ddig iawn wrth ei brawd pan ddaeth ef â'i barseli i lawr y grisiau, a rhoes dafod i Grad am chwerthin. Ond yr oedd hi'n hynod falch o'r ffedog, ac addawodd iddi ei hun y gwisgai hi'r prynhawn hwnnw. Mawr oedd llawenydd Eleri wrth drio'r ysgrifell, a dywedai Crad iddo benderfynu prynu bresus yr wythnos wedyn. 'Wedi hen flino ar drwsio'r taclyn,' meddai. A thu allan yn y stryd ni thawai organ-geg Wili John.

Dygasai Arfon hefyd anrhegion adref—chweugain yr un i'w dad a'i fam, crafat i Wili John, llyfr i Eleri, a thei i'w ewythr. Diolchodd William Jones yn gynnes iddo am y tei, er gwybod na wisgai ef mohono byth. Buasai Arfon hefyd yr un mor foesgar ychydig funudau ynghynt. Mentrodd Meri gael ei hystyried yn anfoesgar.

'Tei i hogyn ifanc ydi hwn'na, Arfon,' meddai. 'A thei i ddyn mewn oed mae d'ewyth' wedi'i brynu i ti. Yr ydw i'n cynnig eich bod chi'n ffeirio.'

'Fasa'n well gin ti gael hwn, Arfon?'

'Wel. . .'Sa'n well 'da chi gal hwn, Wncwl?'

'Wel. . . Na, fi ddaru ofyn gynta'.'

'Reit, 'ta. Fe swopwn ni, Wncwl.'

Yr oedd William Jones wrth ei fodd. Daria unwaith, y Nadolig gorau a gofiai ef. Wedi iddynt gael brecwast, canodd i gyfeiliant yr organ-geg, gwisgodd ffedog newydd Meri o ran hwyl, paffiodd â Mot, a dechreuodd ef ac Arfon chwarae rygbi hefo clustog fel pêl. Yna daeth cnoc uchel y postman, a dug Eleri bentwr o lythyrau i mewn. 'Ma' 'na dri i chi, Wncwl,' meddai.

Oddi wrth Leusa yr oedd y cyntaf—cerdyn Nadolig addurnol yn ei sicrhau mewn Saesneg yr un mor lliwgar fod eu cyfeillgarwch fel y gelynnen, yn fythol wyrdd. Trosglwyddodd ef i Grad gyda gwên braidd yn gam. Ond syllodd yn hir ar y ddau arall—un oddi wrth Bob Gruffydd a'r llall oddi wrth blant Twm Ifans i 'Yncl William'. Sut yr oedd pethau'n mynd yn Llan-y-graig erbyn hyn, tybed? Chwarae teg i'r hen Bob am gofio amdano, onid e? Diar, yr oedd yna le yn nhŷ Twm Ifans heddiw, onid oedd? Âi ef draw i'r Hendre i de bob dydd Nadolig, a chofiai'r hwyl a gawsai flwyddyn ynghynt yn adrodd stori wrth Gwen a Megan a Meurig. Gwelodd Meri fod y dagrau'n dechrau cronni yn llygaid ei brawd.

''Rŵan, allan â chi'r dynion i gyd,' meddai, 'i Eleri a finna gael llonydd i wneud y cinio. Ewch o'r ffordd, wir.'

'Reit,' meddai William Jones. 'Tyd, Motsi Potsi.'

Chwarddodd Wili John yn uchel. Darganfyddai ei ewythr ryw enw newydd ar Fot bob dydd, a châi'r bachgen hwyl fawr bob tro y clywai un ohonynt.

Gwenai Crad a'i frawd yng nghyfraith ar ei gilydd wrth gerdded i lawr i'r pentref a gwylio plant yn chwarae â'u teganau yn yr heolydd. Nid adwaenent ond dau neu dri o'r plant, ond cofient lawer tegan yn cael ei lunio yng Nghlwb y Di-waith. Ia, hogyn hwn-a-hwn, y mae'n rhaid, meddent, gan gofio am y tad yn chwysu wrth roi'r modur neu'r sgwter neu'r peiriant pren wrth ei gilydd yn llofft yr ystabl. Petai Meri gyda hwynt, adwaenai hithau hefyd y doliau heirdd a wisgwyd mor ofalus yng Nghlwb y Merched.

Mwynhaodd y teulu ginio Nadolig heb ei ail. Yr oedd y cigydd y gweithiai Wili John iddo yn ŵr caredig iawn, a rhoesai i Meri goes o borc yn anrheg y diwrnod cynt; cawsai hefyd, rai dyddiau cyn hynny, ddarn o siwed ganddo ar gyfer y pwdin. O ardd Shinc ar ochr y mynydd y daethai'r bresych a gwnaeth y ffrwythau a'r cnau a brynasai William Jones y noson gynt ddiweddglo anrhydeddus i'r pryd. Uchel oedd y siarad a'r chwerthin a'r tynnu-coes, ac yna canodd Arfon a'i ewythr ddeuawd neu ddwy i gyfeiliant uchel yr organ-geg.

Yn yr hwyr, cafodd William Jones ddigon o gymorth parod i wisgo ar gyfer y cyngerdd. Yr oedd aelodau'r côr, os oedd modd yn y byd, i wisgo'n unffurf—y merched mewn gwyn a'r dynion mewn dillad tywyll a choler big a bwa du. A phan ddaeth yr amser iddo gychwyn, rhuthrodd Meri i nôl y brws dillad, dug Wili John gadach i roi sglein ychwanegol ar ei esgidiau, a phenderfynodd Arfon nad oedd y bwa du yn hollol syth. 'Hen ffys gwirion' y galwai'r cantor hyn, gan egluro nad oedd ef ond tenor bach ac na ddewiswyd ef i ganu unawd.

Er hynny, nid oedd neb balchach na'r tenor bach yng ngaleri Calfaria'r noson honno. Diar, beth pe gwelai Bob Gruffydd ef yn awr! Teimlai braidd yn nerfus wrth wylio'r gynulleidfa oddi tano; ni wynebasai dyrfa fawr fel hon erioed o'r blaen. Edrychodd o'i amgylch ar y côr â balchder yn ei galon—y merched i gyd mewn gwyn a'r dynion oll yn gwisgo coler galed a bwa du. Gwenodd wrth feddwl am y dirgel ffyrdd y crwydrodd rhai hyd-ddynt i fenthyca 'whîl a sprag'. Twm Edwards, er enghraifft, fan acw ymhlith y baswyr—ymddangosai cnawd ei wddf fel rhimyn o does yn ymchwyddo tros ymyl ei goler den; gobeithio y medrai ganu, dyna'r cwbl. Hylô, dacw Arfon a Wili John ym mlaen y galeri, uwchben y cloc. Gwenodd William Jones arnynt, a chydnabu Wili John y cyfarchiad trwy gymryd arno gynnig darn o daffi i'w ewythr. 'Na fachan oedd Wili John, meddai hwnnw wrtho'i hun. Ia—gan gofio mai Gogleddwr oedd—hogyn ar y naw oedd Wili John.

Idris Morgan, mab yr arweinydd, a eisteddai wrth ei ochr, a phan ddechreuodd yr organydd, Richard Emlyn, ganu'r darn arweiniol mawreddog, teimlai William Jones gorff ei gymydog yn ymsythu drwyddo, fel petai pob nerf yn tynhau wrth iddo ddilyn hynt y nodau. Yna cododd y tenor yn y pulpud, a llithrodd ei lais yn esmwyth a swynol trwy 'Comfort ye, comfort ye, my people' a chryfhau wedyn yn yr unawd 'Every valley shall be exalted'. Ni chlywsai'r chwarelwr lais mor beraidd erioed, a gwyrodd ymlaen â'i lygaid yn fawr, gan adael i'r sain a'r geiriau oedi fel pethau byw, sylweddol, ar hyd rhigolau ei feddwl. Teimlai yr hoffai gyffwrdd y llais hwnnw, dal rhai o'r nodau yn ei ddwylo i syllu arnynt, teimlo â'i fysedd sidan a melfed eu rhyfeddod hwy. Yn lle hynny, gafaelodd yn dynnach yn ei gopi, a phan safodd y côr i ganu 'And the Glory of the Lord', llyncodd ei boer, gwthiodd ei frest allan yn wrol, a chododd ei ên fel petai yntau'n unawdwr. O'i flaen ac oddi tano, môr annelwig o wynebau, a daeth braw yn gryndod trosto am eiliad. Hoeliodd ei sylw ar lawffon yr arweinydd, ac ymhen ennyd fe gynorthwyai ef, William Jones, y côr i godi un o'r temlau ysblennydd a welsai Handel un awr ysbrydoledig. Pan eisteddodd i lawr eilwaith, pefriai ei lygaid a llanwyd ei galon â gorfoledd. Yr oedd ei ffiol yn llawn pan daflodd ei arwr, David Morgan, wên gyfeillgar tuag ato.

Noson fawr ym mywyd William Jones oedd honno. Cerddodd adref o Galfaria yng nghwmni Idris Morgan, a phur dawedog oedd y ddau. Clywent leisiau chwyrn ar fin yr heol yn dadlau ynghylch rhagoriaethau a gwendidau'r unawdwyr—'dim *patch* ar Elsie Suddaby, bachan'—a theimlent yn ddig wrthynt am droi'r gerddoriaeth yn destun ymryson. Wrth iddynt fynd heibio i glebran afreolus y Clwb, berwai'r dicter ynddynt; oni wyddai'r bobl hyn fod organ a chôr ac unawdwyr newydd gyfieithu gweledigaeth fawr yn felystra cerdd?

‘’Na fachan ôdd yr Handel ’na,’ meddai Idris pan ddringent yr allt.

‘Ia, mae’n rhaid. Almaenwr, yntê?’

‘Ia. Odych chi wedi darllen ’i hanes a?’

‘Naddo, wir. Wn i ddim byd amdano fo.’

‘Fe ro’ i fenthyg llyfyr bach i chi—hanes ’i fywyd a.’

‘Diolch, Idris. Gyda llaw, pam oedd y gynulleidfa’n codi yn ystod yr Haleliwia Coras?’

‘Hen arferiad. Pan berfformiwyd yr oratorio gynta’ yn Llunden, dyma’r Brenin a’r gynulleidfa’n cwnnu ar ’u trâd pan ôdd y côr yn canu “For the Lord omnipotent reigneth”. Ôdd ’onno’n olygfa, siŵr o fod . . . Wel, so long ’nawr. Fe gewch chi’r llyfyr bora ’fory.’

Cafodd groeso cynnes gan Meri ac Eleri a Mot; teimlai’r chwaer yn falch o’i brawd o denor.

‘Sut aeth petha, William?’

‘Yn *champion,* hogan. Canu bendigedig . . . Yntê, Motyn? Esgid pwy ’di hon’na sy gin ti yn dy geg? O, chest ti ddim dŵad i’r consart, naddo, ’ngwas i? Hidia befo, mi gei di fynd am dro i’r mynydd yn y bora . . . Lle mae Crad?’

‘Welist ti mono fo wrth y capal? ’Roedd o am fynd i wrando wrth y drws, medda fo. Mi addawodd yr âi o i mewn i’r lobi rhag ofn iddo gael annwyd . . . O, dyma fo.’

‘Diawcs, ’roeddat ti’n edrach yn rêl bôi yn y galeri ’na, William! Oeddat wir, was! Yn gymaint o ganwr ag un ohonyn nhw. A dyna ganu, fachgan! Mi welis i Dai Morgan gynna, ac ’roedd o fel hogyn bach. Wrth ’i fodd! *Champion,* William, *champion*!’ Nid oedd pall ar frwdfrydedd Crad.

'Tyd at y tân 'ma,' meddai ei wraig wrtho, 'rhag ofn dy fod ti wedi oeri. Gobeithio na fuost ti ddim yn sefyllian y tu allan i'r capal.'

'Fi! Mi ges i le wrth ymyl y Sêt Fawr, 'nginath i.' A chododd Crad ei ên yn urddasol.

'Ond 'roeddat ti wedi rhoi dy dicad i Wili John.'

'Ticad! Pan gyrhaeddis i i lawr yno, mi es i mewn i'r festri. Pwy oedd yno ond Jac Jones sy'n llnau'r capal. Dyma fo'n bowio imi. "Ma'n dda 'da fi weld bod y Cadeirydd 'di cyrradd," medda fo. "Ffor' hyn, syr!" Ac i fyny'r grisia â ni, yn cario cadair bob un.'

'Sleifio i mewn heb dalu ydw i'n galw peth fel'na,' oedd sylw Meri. 'Ond dyna fo, un felly ydw i'n dy gofio di 'rioed, ac un felly fyddi di bellach, mae'n debyg. Os medrai Crad ddwyn reid geiniog ar dram yn Nhre Glo, mi fyddai wrth 'i fodd, William—fel 'tai o wedi codi papur punt ar y ffordd. A dyna'r Jac Jones 'na! 'Dydi o ddim ffit i llnau un capal.'

'Dyma be' ydw i'n gael ar ôl sgwennu *cheque* am bum gini i'r côr, William,' meddai Crad gydag ochenaid fawr.

Aeth William Jones i'w wely'n gynnar. Wedi sibrwd y gyfrinach y bwriadai yntau grwydro'r byd fel unawdwr ryw ddydd, syrthiodd Wili John i gysgu. Ond ni ddôi cwsg i amrannau ei ewythr. Âi drwy bob unawd a phob cytgan eilwaith, gan ddal ambell nodyn neu far yn hir yn ei feddwl. Gwelai eto'r golau'n chwarae yng ngwallt gloywddu'r soprano, a chlywai ei llais yn yr unawd 'I know that my Redeemer liveth' yn esgyn i uchelder y nef. Dringai'r gair 'know' at orsedd gras. Diar, ac onid oedd sŵn utgorn yn llais y baswr yna pan ganai 'The trumpet shall sound'? Ac wedyn, ar y diwedd, gafaelai rhyw ysbrydiaeth ryfedd yn y côr pan gododd i foli'r Oen ac i uno'n gryf yn yr Amen. 'Rargian, yr oedd rhyw brofiad fel hwn . . . Ond syrthiodd William Jones i gysgu.

Dim ond un peth a gymylodd Nadolig llawen y chwarelwr bychan. Cododd fore trannoeth yn llawn asbri, gan edrych ymlaen at yr ail berfformiad o'r *Messiah* y noson honno. Yna, ar ôl brecwast, aeth ef ac Arfon a Mot am dro i'r mynydd.

'Be' sy, Arfon?' gofynnodd ymhen tipyn.

'Beth ŷch chi'n feddwl, Wncwl?'

'Waeth iti ddeud wrtha' i ddim. Mi wn i dy fod ti'n *ymddangos* yn reit hapus, ond *ymddangos* yr wyt ti.'

'Odi Mam wedi gweud rhwbath wrthoch chi?'

'Naddo, ddim gair. Wyt ti wedi bod yn siarad hefo hi?'

'Diar, nagw i.'

'Be' sy'n dy boeni di, Arfon?'

'Slough, Wncwl. Ma' hirath ofnadw arno' i am Fryn Glo.'

'Oes, yr ydw i'n siŵr, fachgan.'

''Dyw'r gaffar yn y gwaith ddim yn fy lico i o gwbwl, a ma' fa'n gneud 'i ora i fi gal y sac. Ac am y lojin! . . .'

'Lle sâl i aros ydi o?'

'Ma' tri o' ni yno. Ma'r ddau arall mas bob nos, ond wy' i'n lico bod miwn yn darllen ne' sgfennu. 'Dŷn ni ddim miwn nes bo hi wedi 'wech, ond rhyw dân sy i fod i bara am ddwyawr sy 'na. 'Sech chi'n gweld 'i wyneb hi pan wy' i'n gofyn am ragor o lo! Tlawd yw'r bwyd hefyd—stwff tsiep a dim digon ohona fa. Wel, ŷch chi'n gwbod mor dda ma' Mam 'da bwyd.'

'Fedri di ddim cael lle gwell i aros?'

'Dyma'r trydydd lle i fi fod ynddo fa. Ma' Slough yn llawn iawn, a 'sdim llawer o amser 'da fi i drampo i wilo am lojin newydd. A ma' hwn yn siwto 'mhoced i.'

'Wel, wir, fachgan . . .' Ond ni wyddai William Jones beth i'w ddweud. Yr oedd miloedd o fechgyn fel Arfon mewn lleoedd fel Slough, a pha eiriau o gysur a allai rhywun fel ef eu cynnig iddynt?

'Sut mae'r ddrama'n dŵad ymlaen, Arfon?'

Ysgydwodd y bachgen ei ben yn drist. 'Ond wy'n darllen llawer, Wncwl, a 'falla, un diwrnod . . .'

'Efallai, un diwrnod'—curai'r gair yn ddi-baid ym meddwl William Jones am ddyddiau lawer. Gwelai hwy wedi eu hysgrifennu'n fras tros y cwm; tros y glofeydd tawel, segur; tros yr heolydd a'u tlodi; tros y siopau gweigion, caeedig; llechent hefyd y tu ôl i londer 'Shwmâi, bachan?' y gwŷr a gyfarfyddai ar y stryd neu yng Nghlwb y Di-waith, a thu ôl i'r wên ddewr yn llygaid gwragedd ar aelwydydd neu yn nrysau'r tai. Diar, yr oedd hi'n biti, onid oedd, mewn difri?

Ac wrth syllu drwy ffenestr y llofft fore'r Flwyddyn Newydd, brathodd y chwarelwr ei wefus wrth gofio iddo wario mwy na hanner yr arian a fu ganddo yn y Llythyrdy. Beth a ddygai hi, 1936, iddo, tybed? Gwaith? Neu droi'n ôl i Lan-y-graig—a Leusa? Ysgydwodd William Jones ei ben wrth gau botymau ei wasgod.

10 *O FRYN GLO—I FRYN GLO*

Gorau Bryn Glo a welai William Jones—pobl y capel a'r côr a'r dyrnaid o wŷr difrif a ddeuai i festri Salem ambell gyda'r nos. Sylweddolodd hynny un bore Sadwrn wrth ddychwelyd adref ar ôl tro i Ynys-y-gog yng nghwmni Mot.

Cerddasai ymhellach nag a fwriadai wrth gychwyn allan, ac wedi cyrraedd pentref Ynys-y-gog, dringasai'r llethr ar y dde i gael golwg ar yr eglwys hynafol ac i oedi yn y fynwent. Rhyfedd, meddai wrtho'i hun, fel yr oedd y cerrig-beddau'n ddarlun o'r lle—yr hen rai, bron i gyd yn Gymraeg ac yn cynnwys englyn neu adnod, yn cofnodi marwolaeth y ffarmwr Richard Harris neu'r saer Thomas Jenkins neu'r gof William James, a llawer o'r rhai newydd, y mwyafrif ohonynt yn Saesneg, er cof am Ralph Cross neu Ernest Trowbridge neu Matthew Higgins. Daliai'r enwau Cymreig, wrth gwrs, i ymddangos ymhlith y dieithriaid, a chysgai rhyw Gwilym Davies wrth ochr rhyw Oswald Gulliford. A'u meibion hwy? Oswald Davies a Gwilym Gulliford.

Yr oedd hi ymhell wedi un pan gyrhaeddodd William Jones waelod Bryn Glo ar ei ffordd yn ôl, a chofiodd iddo gael siars gan Meri i fod gartref i ginio erbyn hanner awr wedi deuddeg. Yn lle mynd ymlaen heibio i'r orsaf a thrwy'r brif heol, penderfynodd dorri drwy'r strydoedd ar ei chwith. Hwnnw oedd y tro cyntaf iddo weld yr heolydd hynny, a dychrynodd braidd. Gwir fod Nelson Street a'r strydoedd gerllaw iddi'n dlawd iawn, ond cerddai yn awr heibio i dai a phobl a phlant a ymddangosai'n aflan. Edrychodd yn ôl i chwilio am Fot, a gwelodd fachgen bychan yn cydio yng ngholer y ci ac yn ei lusgo i mewn i un o'r tai. Brysiodd i ddrws agored y tŷ hwnnw, a syllodd yn frawychus ar a welai.

Wrth waelod y grisiau, a charpiau budr amdano, yr oedd plentyn bach eiddil iawn yr olwg yn cropian ar gerrig oerion y llawr, a deuai o'r tŷ ysgrechian plentyn llai, llais cras y fam yn ei dafodi, a 'Shut that bloody baby's mouth' o enau'r gŵr. Gan fod drws y gegin hefyd yn agored, cafodd gip ar anhrefn y lle—ar y llawr cerrig na olchwyd mohono ers dyddiau lawer, ar weddill y brecwast a'r cinio o hyd ar y bwrdd, ar y tryblith a daflesid ar gadeiriau a llawr, ar aflerwch anhygoel yr aelwyd a'r grât. Ond nid oedd angen llygaid i ganfod hagrwch a budreddi'r tŷ hwnnw; ceisiodd William Jones beidio ag anadlu wrth wyro ymlaen i guro ar y drws.

Rhuthrodd geneth fach garpiog heibio iddo ac i mewn i'r tŷ â phapur newydd yn ei llaw. Clywodd hi'n dweud, yn Saesneg, fod rhywun yn y drws, ond cydiodd ei thad yn awchus yn y papur ac yna rhegodd yn chwyrn. 'Another bloody sixpence gone west,' meddai rhwng ei ddannedd. Curodd William Jones drachefn, yn uchel y tro hwn, gan y clywai Mot yn cwynfan yn rhywle yng nghefn y tŷ.

'Wel?' Edrychai'r gŵr yn gas arno, ac yr oedd yn ddyn i'w ofni, cawr digoler, yn llewys ei grys, a'i fawd wedi ei daro'n haerllug am ei felt. Yr oedd aroglau diod o amgylch y 'Wel?' a sug baco ar wefusau'r gŵr.

'Esgusodwch fi, ond yr ydw i wedi colli ci. Newydd 'i golli o, a meddwl 'mod i wedi'i weld o yn dŵad i'r tŷ yma.'

'Alf!' cyfarthodd y dyn i gyfeiriad y cefn. 'Alf! Damo'r crwt 'na! Alf!'

'Yes, Dad?'

'Bring that dog by 'ere.'

'O.K.'

'O'n i'n gwpod 'i fod a ar goll, ac am fynd ag a lawr i'r *Police Station*. Un bach pert yw a, 'êd. Lyfli dog, lyfli dog, gwbôi, gwbôi.' A thynnodd ei law tros ben y ci.

‘Wel, diolch yn fawr i chi . . . Tyd Mot, tyd, ’ngwas i.’

‘The gentleman is going to give you a sixpence, Alf,’ meddai’r cawr wrth ei fab. Ac wrth syllu ar ruddiau llwydion y bachgen, rhoes William Jones ei law yn ei boced i chwilio am ei bwrs. Ond sylweddolodd mai ‘another sixpence gone west’ fyddai’r stori.

‘I haven’t got change, Alf,’ meddai, ‘but if you will come with me up the road to the shop, I can get change there, yes?’

Gwgodd y tad, ond neidiodd y bachgen at y cynnig. Piti, yntê! meddai William Jones wrtho’i hun, gan daflu golwg ar ddillad carpiog ac ar wyneb a dwylo a gliniau budr y bychan wrth ei ochr; gwelai fod bodiau’i draed yn ymwthio drwy flaenau’i esgidiau tlawd. Ceisiodd siarad ag ef yn Gymraeg, ond ni wnâi’r bachgen ond edrych arno â llygaid mawr ac ofnus. Cyrhaeddodd y ddau siop fechan ar gongl y stryd.

‘Sweets you like, isn’t it?’

Nodiodd y plentyn, gan bwyntio at ryw erchyllterau lliwiog, pob un wrth goes bren, mewn blwch yn y ffenestr. Prynodd y chwarelwr ddau o’r rhai hynny iddo a dau oren a chwarter pwys o fisgedi. Yr oedd yn amlwg na wyddai’r bachgen fod y fath haelioni i’w gael ond mewn breuddwydion.

‘Stub Street,’ meddai Meri pan gyrhaeddodd ei brawd y tŷ ac adrodd yr hanes. Mingamodd, gan ysgwyd ei phen mewn anobaith cyn chwanegu, ‘Fel ’na yr ydw i’n cofio’r lle, hyd yn oed pan oedd pethau’n mynd yn iawn yma. *Mae* hi’n biti.’

Llusgai’r dyddiau heibio. Rhoesai William Jones y gorau i chwilio am waith ers rhai misoedd, ac nid âi ef a Chrad am dro fel y gwnaethent yn yr haf. Crwydrent i lawr i Neuadd y Gweithwyr ac i Glwb y Di-waith yn bur selog, ond lladd amser yr oeddynt gan amlaf—a 'mynd o'r ffordd'. Ni chwynai Meri am yr oriau y'u ceid yn loetran yn y tŷ, ond gwyddent yr hoffai lonydd i yrru ymlaen â'i gwaith. Ni chyfarfyddai'r côr mwyach, ac araf y treiglai ambell gyda'r nos heibio. Sgwrsio â Chrad am Lan-y-graig a'r chwarel neu â Meri am eu mam neu'r Hen Gron oedd prif adloniant William Jones ar y nosweithiau hynny, ond trawai draw i'r drws nesaf hefyd i wrando ar David Morgan yn adrodd am ei daith i America gyda'r côr, neu ar Idris yn sôn am ryw lyfr a ddarllenai. Âi hefyd i Glwb y Di-waith pan fyddai dadl neu gyngerdd yno. Yna, un noson yn niwedd Chwefror, galwodd Twm Edwards.

'Ma'n nhw 'di gofyn i fi stejo dwy ddrama fach yn y capal,' meddai, wedi iddynt gytuno bod y tywydd yn dal yn oer iawn. 'A wy'n moyn eich help chi, bois.'

Eglurodd ei fod yn methu â chael digon o actorion ar gyfer un o'r dramâu, ond y gwelai William Jones fel siopwr gwych a Chrad fel plisman bendigedig ynddi.

'Fi!' gwaeddodd Crad. 'Y nefoedd fawr! Fûm i 'rioed yn actio dim. 'Rioed.'

'Na finna,' meddai William Jones mewn dychryn.

''Rwyt ti wedi dŵad i'r tŷ rong, Twm 'ngwas i,' chwanegodd Crad. Yna cofiodd am y *Band of Hope* yn Llan-y-graig ers blynyddoedd. 'Ond mi fu William 'ma yn dipyn o adroddwr unwaith.'

'Y? Na fûm i, 'neno'r Tad.'

'Yn y *Band of Hope*, William.'

'O. Ond 'doeddwn i ond hogyn bach.'

''Sdim raid i chi wylltu, bois. Partia bach ŷn nhw, yn niwadd y ddrama.'

'Bach ne' beidio, 'dydw i ddim yn mynd yn blisman ar unrhyw lwyfan iti, Twm.'

Ond ni chymerodd Twm sylw o'r gwrthwynebiad. ''Ma'r plot,' meddai. A chawsant amlinelliad cyffrous o gymeriadau a digwyddiadau'r ddrama.

Cyfyd y llen, meddai Twm, ar ŵr di-waith a'i wraig mewn cegin dlawd. Y mae hi'n hwyr ar noswaith o aeaf ('Sŵn gwynt, 'chi'n deall'), ond cyn troi i'w gwely eglurant i'w gilydd ac i'r gynulleidfa mor bryderus ydynt ynghylch eu mab a'u merch. Ymh'le y caiff Dic y fath arian i wisgo a swagro fel y gwna? Ac onid yw Megan yn y sinema neu mewn dawns bob nos? Rhwygir y nos gan daranau ('*Atmosphere,* 'chi'n gweld'). Daw'r ferch i mewn, ar gychwyn i ddawns. Cymer ei thad y Beibl oddi ar y dresel. Dawns neu beidio, y mae'n rhaid iddi wrando ar ddarn allan o lyfr Jeremiah. ('*Contrast,* 'chi'n deall—yr hen ŵr a'i Feibl, a'r ferch 'di gwisgo lan i'r ddawns'.) Yna, saetha'r tad gwestiynau miniog at ei ferch. O ba le y daw'r arian a werir ganddi? A oedd hi wedi dechrau lliwio'i gwallt? Lle cawsai hi'r arian i brynu'r ffrog-ddawns grand 'na? Pam gynllwyn y rhoddai hi'r fath baent a phowdwr ar ei hwyneb? A'r taclau ffôl 'na yn ei chlustiau? Etyb y ferch yn wyllt ('*Dramatic clash,* 'chi'n deall'), ac yna erfyn yr hen wraig am i'r gŵr beidio â bod mor gas wrth Megan fach. ('*Pathos,* bois'.) Megan yn torri i wylo, yn tynnu'r modrwyau o'i chlustiau a'u taflu i'r tân, ac yn rhuthro allan. Taran enbyd. Llun Dic, y mab, yn syrthio o'i le ar y mur, arwydd o ryw alanas sydd ar ddigwydd. Megan yn dychwelyd, mewn gwisg dywyll a thlodaidd a heb y paent a'r powdwr ar ei hwyneb. (''Na chi olygfa, bois!') Y tri'n wylo'n hidl a'r ferch yn cyffesu iddi gael arian a enillasai Dic ar geffylau, meddai ef. Curo awdurdodol ar y drws. Megan yn ei ateb. Pwy sydd yna, tybed? (‘*Suspense*, bois’.) Daw siopwr a phlisman i mewn yn gwthio Dic o’u blaenau. Eglurant iddynt ei ddal yn ceisio agor *safe* y siop ac iddo gyfaddef bod ganddo lawer o arian a phethau eraill wedi’u cuddio yn y tŷ. Yr hen wraig dorcalonnus yn syrthio ar wddf Dic bach, y ferch ar ei gliniau, a’r hen ŵr yn cydio eto yn ei Feibl. Taran fawr arall yn ysgwyd y lle. Llen araf, araf, araf.

‘Wel, be’ ŷch chi’n feddwl ohoni, bois?’ gofynnodd Twm.

‘Reit dda, wir,’ oedd barn William Jones. ‘Ond . . .’

‘Ond beth?’

‘Wel . . . Ydach chi’n meddwl y basa’r ferch yn cael tröedigaeth lawn mor sydyn?’

‘Ma’ fa’n ddramatig, ’chi’n gweld.’

‘O.’

Yr oedd yr ymresymiad yn un terfynol. Er hynny, codai nifer o gwestiynau eraill ym meddwl William Jones. Cafodd gip ar yr Hen Gron, er enghraifft, ac ni hoffai’r defnydd rhwydd a ffuantus a wnâi’r ddrama hon o’r Beibl. A dyna’r crio ’na . . . Ond ni ddywedodd air arall.

‘Ydi hi’n rhaid iti gael y plisman ’na ynddi hi, Twm?’ oedd cwestiwn Crad.

‘Wel, odi, bachan. ’Na’r cleimacs.’

‘Ond nid i’r tŷ y basan nhw’n mynd â’r hogyn.’

‘Y?’

‘I’r Polîs Stesion, ’ngwas i. Yntê, William?’ Apeliodd Crad at ei frawd yng nghyfraith fel petai hwnnw’n hen gyfarwydd â chael ei lusgo i’r rhinws.

Daeth Meri i mewn i’r ystafell, ac eglurodd Twm ei neges iddi hi. Dim ond rhannau bychain yn niwedd y ddrama, William Jones i gael locsyn a Chrad ddillad Pierce y plisman. Dyna un rheswm y daethai Crad i'w feddwl—am ei fod tua'r un faint â Sam Pierce, heddgeidwad Bryn Glo.

'Fûm i 'rioed yn actio, Twm, a 'dydw i ddim yn meddwl dechra yn fy hen ddyddia, 'ngwas i.' Yr oedd Crad yn gadarn ar y pwnc.

'Un, dwy, tair . . . Dim ond deg *speech* fach sy 'da ti i'w dysgu, bachan.'

''Dydw i ddim yn mynd ar lwyfan i ddeud bw na ba. Ond os licia William 'ma . . .'

'Wel, na, wir, diolch i chi yr un fath.'

Apeliodd Twm at Meri. 'Pwnnwch dicyn o sens i benna'r ddau fachan 'ma, Mrs Williams, wir.'

'Gadwch chi'r llyfra yma iddyn nhw,' oedd ei hawgrym cysurlawn hi. 'Maen nhw'n siŵr o ddysgu'r partia i chi.'

'Y?' Edrychodd Crad ar ei wraig fel petai'n ei gweld am y tro cyntaf erioed.

'Mi fydd yn ddiddordab newydd i chi'ch dau, Crad. Ac mi wyddost faint o bleser gafodd William hefo'r oratorio.'

''Roedd William yn medru canu. Ond am actio! . . .'

'Twt, mi fedar rhywun actio rhanna bychain fel'na.'

'Rhywun ond fi a William.'

'Gadwch chi'r llyfra yma, Mr Edwards. Mi ofala' i 'u bod nhw'n dysgu'r ddrama.'

Yn o araf y cerddai'r ddau actor anfoddog i'r ymarfer yn y festri y nos Lun ganlynol, a chafodd William Jones gryn drafferth i gadw Crad rhag troi'n ei ôl. Ni ddefnyddid y festri mwyach fel aelwyd i'r di-waith, gan i ystafell weddol gyffyrddus gael ei dodrefnu yn yr ystabl a drowyd yn Glwb. Erbyn hyn codwyd llwyfan fechan yn y festri, a cherddai Twm Edwards ymlaen ac yn ôl ar honno fel petai newydd benderfynu setlo holl broblemau'r gwledydd ar unwaith ac am byth. Ef ei hun a gymerai ran y tad yn y ddrama. Awdur, cyfarwyddwr, actor—yr oedd ef yn ŵr prysur a phwysig.

Eisteddodd y ddau actor i lawr i wylio rhan gyntaf y chwarae. Uchelgais y cyfarwyddwr oedd cael pawb i gerdded yn urddasol fel ieir, tynnu ystumiau â'u hwynebau, a gwneuthur defnydd helaeth o'u dwylo. 'Och, y mae'r storom hon yn tanseilio'r holl fyd heno, Siôn,' oedd sylw'r fam ar ryfyg y daran, a chredai William Jones fod Mrs Leyshon, a actiai'r hen wraig, yn bur naturiol ac effeithiol ei ffordd. Ni hoffai'r gair 'tanseilio' —na'r gair 'storom', o ran hynny—ond yr oedd angen ymadroddion felly mewn drama, efallai. Barn y cyfarwyddwr oedd bod yn rhaid i Mrs Leyshon anelu at rywbeth mwy 'dramatig' o lawer—'Och' fel petai hi ar lewygu, 'storom' fel petai hi'n sôn am y Diafol ei hun, 'tanseilio' gan gymryd arni ysgwyd y cread yn ei dwylo, ac yna 'Siôn' â dagrau yn ei llais wrth iddi syrthio'n swp yn ôl i'w chadair ger y tân. Rhoddai hyn gyfle—'dramatig' eto—i'w gŵr groesi ati i'w chysuro ac yna i godi ei olwg i'r nef a mynegi'r farn mai 'yng ngwaetha'r storom gref' y gwelir Ef ar ei orau. Treuliwyd llawer o amser yn trin ac ail-drin yr olygfa hon, ac âi Mrs Leyshon druan yn fwy nerfus—ac annaturiol—bob tro. Ni fedrai Twm yn ei fyw gael digon o arswyd yn y gair 'storom'.

''Nawr 'ta,' meddai. 'Meddyliwch am storm, storm fawr, storm felltigedig.' ('Yffarn o storm' a ddywedai Shinc.) 'Reit. 'Nawr, rhowch gant o stormydd felly 'da'i gilydd—gwynt, glaw, mellt, trana—a 'na chi, w!'

'Os ydi Twm yn credu y medar o wneud cant o blismyn

allan ohona' i,' sibrydodd Crad, 'mae o'n gwneud coblyn o gamgymeriad.'

Gan na chyrhaeddwyd canol y ddrama'r noson honno, ni bu galw am y siopwr na'r plisman, a throes y ddau tuag adref yn llawen ond yn pryderu tipyn am y dyfodol. Ac yn y tŷ rhoes Crad, wrth bwnio'r tân neu gludo plât i'r bwrdd neu estyn tamaid i Mot, efelychiad perffaith o ystumiau amlycaf Twm Edwards.

'Gad imi dy weld di'n actio'r plisman, Crad,' meddai William Jones wrtho ar ôl swper.

'Yn fy ffordd i ne' yn null Twm?' gofynnodd yntau.

'Yn null y cyfarwyddwr, wrth gwrs.'

'Reit. Tyd allan hefo mi, Wili John.'

Camodd Crad yn awdurdodol i mewn drwy ddrws y gegin, gan gydio'n ffyrnig yn ysgwydd Wili John ac edrych arno fel petai am ei lyncu'n fyw. Yna gwthiodd y bachgen o'i flaen, a safodd yn y drws â'i draed ar led a'i freichiau ymhleth, yn ymgorfforiad chwyrn o'r Ddeddf ar ei llymaf. Yr oedd Wili John ac Eleri yn eu dyblau.

'Yr ydw i am dynnu coes yr hen Dwm nos 'fory, William,' meddai ar ddiwedd y perfformiad.

'Sut, Crad?'

'Mi actia' i'r plisman fel'na o ran hwyl.'

'Na, gwell iti beidio, ne' mi fydd yn meddwl dy fod ti'n chwerthin am ben y ddrama, wel'di.'

'Gora'n byd. Mae arna' i isio cael fy nhroi allan o'r Seiat.'

'O'r Seiat?'

'O'r ddrama, wsti. Mi fydd yr hen Dwm yn gaclwm pan wêl o fi'n gwneud hwyl am ben 'i blisman o, ac er mwyn talu'n ôl imi, mi chwilia am ryw reswm dros roi'r cic-owt imi, gei di weld.'

Cafodd y siopwr a'r plisman gyfle i wthio Dic, y troseddwr, i mewn i'r llwyfan y noson drannoeth. Ceisiodd William Jones edrych mor ddifrifol â sant, ond pan sylweddolodd fod Crad yn goractio fel y gwnaethai yn y tŷ, ciliodd y tu ôl i'r ddau arall i guddio'i chwerthin. Hyrddiodd y plisman ei garcharor i gyfeiriad y tad a'r fam wylofus, ac yna golchodd ei ddwylo'n araf ar ôl cyffwrdd yn y fath aflendid. Chwythodd William Jones ei drwyn, rhag ofn i Dwm Edwards gael cip ar ei wyneb; yna troes ei gefn i gymryd arno ildio i bwl o besychu anorfod.

'Grêt, w!' Yr oedd y cyfarwyddwr wrth ei fodd.

'Y?' Rhythodd Crad arno.

'Born actor, Crad, born actor, bachan.'

'Ond . . .'

'*First-rate*, w. Dramatic entrans cystal ag unrhyw broffesional. Born actor, bachan.'

'Ond hannar munud . . .'

'Reit. Yr entrans 'na eto.'

Eglurodd fod dau wendid mawr—y wên ar wyneb Dic, a edrychai fel un yn mwynhau rhyw ddigrifwch mawr yn lle fel gŵr a ddaliwyd yn troseddu, a'r ffaith fod y siopwr o'r golwg tu ôl i'r plisman. Yr oedd yn rhaid i'r gynulleidfa gael gweld y siopwr, er nad oedd ef yn bwysig iawn yn y ddrama. Y plisman yn berffaith. '*Perfect*' oedd gair y cyfarwyddwr.

'Be' goblyn wna' i rŵan?' sibrydodd Crad. 'Ydi o'n meddwl 'mod i'n mynd o flaen cynulleidfa i dynnu'r fath 'stumia?'

'Ydi, mae arna'i ofn, Crad.'

'Be' sy'n bod ar y ffŵl gwirion? Mi ofala' i y bydd o'n deffro'r tro yma. Ac 'yli di, Jack Bowen, sycha'r wên 'na oddi ar dy wynab, 'ngwas i.' Jack Bowen oedd 'Dic' y ddrama.

Tynnodd Crad, yr ail dro, ddigon o ystumiau i ddychrynu holl droseddwyr y byd; ni bu plisman i'w ofni'n fwy yn unman erioed. Taflodd winc ar Mrs Leyshon, rhag ofn y credai ei fod o ddifrif, a balch iawn oedd hi o'r cyfle i guddio'i hwyneb ac i feichio wylo ar fynwes Dic.

'Grêt, w,' oedd barn y cyfarwyddwr eto. 'Ac ŷch chi, Mrs Lishon, yn llefan dicyn yn well 'nawr. Y plisman dicyn yn felodramatig 'falla, dim ond shêd bach, wrth gwrs. Ond Crad bachan, pwy wetws wrthot ti na allet ti ddim acto? Bachan, bachan!'

Yr oedd Crad yn huawdl ar y ffordd adref. Os peth fel'na oedd drama . . .! Nid âi ef ar gyfyl y lle eto.

'Pryd y deudodd o yr oedd y practis nesa', William?'

'Nos Wenar. Chwech o'r gloch.'

'Fydd y bôi yma ddim yno.'

'Ond beth am Meri?'

'Hi fydd yn fy stopio i.'

'Y?'

'Mi gei di weld.'

Nos Wener a ddaeth. Cawsai Crad byliau go gas o golli anadl a phesychu yn ystod y dydd, ond bu bron iddo â mygu ar ôl te. Dug ffisig y meddyg beth esmwythyd, ond yr oedd hi'n amlwg fod y pwl hwn yn un gwaeth nag arfer.

'Fydda ddim yn well imi aros adra hefo fo yn lle mynd i'r practis 'na, Meri?' oedd cwestiwn pryderus William Jones.

Clywodd Crad, a gwylltiodd.

''Dydi rhyw dipyn o beswch ddim yn mynd i 'nghadw i o'r practis,' meddai. 'Fi ydi'r actor gora yno, medda Twm.'

'Ond fedri di ddim mynd heno, Crad,' atebodd ei wraig.

'Medra' i, medra'!' A chododd i ymbaratoi. Ond gafaelodd yr aflwydd ynddo eto, a bu'n rhaid iddo fodloni ar suddo'n ôl i'w gadair wrth y tân. Teimlai William Jones yn drist o'i weld, er y ceisiai beidio â dangos hynny. Piti, yntê? Ond pan droes Meri ei chefn, gwthiodd Crad ei dafod allan arno a chrychu ei drwyn. Yna cofiodd.

'Rho'r llyfr drama 'na'n ôl i Twm, William,' meddai'r claf yn wan. ''Tasa peth fel hyn yn digwydd yn ystod y perfformiad, wel'di, mi faswn yn sbwylio'r pwdin i gyd.'

'Ia, dyna fyddai ora, falla,' oedd barn Meri.

'Piti hefyd,' ochneidiodd yr actor siomedig. ''Roedd Twm yn dweud . . . Ond dyna fo. 'Does dim help.'

Yr oedd hi'n wir ddrwg gan y cyfarwyddwr golli ei 'stâr tyrn', chwedl yntau, ond rhaid oedd plygu i'r drefn. A gwyddai fod Isaac Jones, un o'r blaenoriaid, yn dyheu am ran yn y ddrama, a chan ei fod ef, fel Crad, yr un faint â'r plisman lleol, yr oedd popeth yn iawn. Wrth gwrs, bachan go haerllug ac uchel ei sŵn oedd Isaac, a byddai angen ffrwyno tipyn arno rhag ofn iddo droi'r plisman yn destun chwerthin, ond gofalai ef, Twm, am hynny. Ac nid bob dydd y câi rhywun gyfle i roi blaenor yn ei le, w.

Ni chafodd William Jones gystal blas ar *Gyflog Pechod* ag a gawsai ar y *Messiah*. Âi i bob ymarfer yn selog a phrydlon, dysgodd ei ychydig linellau'n gydwybodol, a gwnaeth ymdrech deg i ymddangos yn siopwr wynebgaled a didrugaredd ac i fod yn glochydd eiddgar i'r person rhuadwy, y plisman. Ond teimlai'n eiddigus o Grad, a fwynhâi fygyn diog gartref wrth y tân.

Ni hoffai Jack Bowen, 'Dic' y ddrama, o gwbl. Credai mai rhyw swagrwr gwag oedd y bachgen, ac enciliai'n ofnus oddi wrtho ef a'i sŵn. Gwisgai'n rhodresgar—dillad ac esgidiau brown, hosanau lliwiog iawn, siaced wlân felen, felen, crys gwyrdd, tei o liw gwin, ac yr oedd hi'n amlwg y talai sylw defosiynol i'r tonnau yn ei wallt. Gweithiai, am gyflog bach, fel clerc yn swyddfa'r Cyngor, ond ymddangosai bob amser fel petai'n fab i berchennog y chwarel—patrwm y Gogleddwr o uchelwr. Ond yr oedd yn Gymro da ac, ym marn William Jones, yn actor gwych. Gwastreffid rhyw chwarter awr o bob ymarfer mewn dadl rhyngddo ef a'r cyfarwyddwr—Jack yn haeru mai naturioldeb, nid 'hen gamocs', oedd yn bwysig, a Thwm yn ei ddarbwyllo'n addfwyn trwy gyhoeddi ar uchaf ei lais iddo actio mewn dramâu cyn i ryw grwt fel ef, Jack Bowen, ddysgu siarad. Cerddai William Jones adref gyda Jack ar ddiwedd un o'r nosweithiau ystormus hyn.

'Beth ŷch chi'n feddwl o'r fusnas, Northman?' 'Northman' y galwai Jack Bowen ef bob amser.

'Pa fusnas, dywad?'

'Syniad y Twm Edwards 'na o acto.'

'Wel, i ddeud y gwir, er na wn i ddim byd am betha fel hyn, wel'di, yr ydw i'n meddwl mai chdi sy'n iawn.'

'Odych chi, wir? Dewch miwn am funud.' Aent heibio i'w dŷ.

'Na, dim diolch. Wedi . . . wedi addo mynd adra'n syth. Crad . . . Crad ddim hannar da.'

'Dim ond am wincad.' A chydiodd y llanc ym mraich y chwarelwr.

Gan y gwelai hwynt yn y capel bob Sul, adwaenai dad a mam a chwaer Jack yn bur dda, a mawr fu'r croeso a gafodd. 'Dim ond galw am funud,' meddai pan gyrhaeddodd y gegin. Am funud? Nonsens, yr oedd yn rhaid iddo aros am 'ddishgled o de' gyda hwy. Y swper *yn* barod, dim ond arllwys dŵr i'r tebot. Haws fyddai i gamel . . . ac ufuddhaodd William Jones.

Dyn mawr, llywaeth, oedd Huw Bowen, y tad, ac un go debyg iddo oedd y ferch, ond yr oedd Sarah Bowen, fel Jack, yn bur wahanol iddynt. Gwraig denau, eiddgar, ormesol ei hegni. Yr oedd hi'n hynod groesawgar, ond wrth iddi estyn y bara-ymenyn neu'r caws iddo, teimlai dan orfodaeth i'w ddifa ar frys gwyllt. Bwytawr bychan a phwyllog oedd ef, a lled-ofnai yr edrychai Sarah Bowen ar ei berfformiad fel anfri ar ei chroeso llethol. Treuliodd fwy na hanner yr amser yn gwrthod, mor foesgar ag y medrai, chwaneg o hyn a chwaneg o'r llall, a chydag ochenaid gudd o ryddhad y diolchodd am yr hawl i danio'i bibell ar ddiwedd y pryd. Dynes ffeind. Ffeind iawn. Rhy ffeind.

Prin y deuai gair o enau Huw Bowen, ond nodiai a gwenai'n bur aml i roi ei fendith ar sylwadau ei wraig a'i fab. Treuliai ef rai dyddiau yn ei wely bron bob wythnos, gan fod rhyw wendid ar ei frest, ond darllen nofelau Saesneg cyffrous a wnâi y rhan fwyaf o'r amser er pan gaewyd y pwll. Dywedai Crad nad oedd dim ar frest y dyn, ond y meiddiai, ambell fore, ar ôl codi, feddwl drosto'i hun a mynegi ei farn ar rywbeth; a chyn gynted ag y gwnâi ef hynny, codai ei wraig ei dwylo mewn braw a'i yrru ef yn ôl i'r llofft. ''Does dim rhaid i'r hen Huw ond dechra meddwl, wsti,' oedd sylw Crad, 'nad ydi Sarah yn 'i fwndlo fo'n ôl i'w wely.' Ond braidd yn angharedig oedd barn Crad weithiau—'Mr a Mrs Sarah Bowen' y galwai ef y ddau hyn.

Brysiodd Jack i'r parlwr a dychwelodd â llawysgrif yn ei law.

'Hwn o'n i am i chi weld,' meddai. ''Ma'r sort o beth wy' i'n feddwl wrth ddrama.'

'O? Pwy sgwennodd hon, Jack?'

'Fi.'

Eglurodd yr awdur ifanc beth oedd y prif ddigwyddiadau ynddi—hanes llofruddiad rhyw ŵr cyfoethog—ac yna darllenodd dudalen neu ddwy. Brawddegau cynnil, cwta, brathog, cyfarthiadau gwn.

'Slic, ontefa?' gofynnodd.

'Ia, wir, fachgan, llithrig dros ben.'

'Nid fel y brawddege 'na sy 'da Twm Edwards. 'Nawr, beth ŷch chi'n feddwl ohoni hi?'

Safai'r fam gerllaw, yn rhyfeddu at athrylith ei mab. Hynny, efallai, a wnaeth feddwl William Jones braidd yn feirniadol. Drama slic. Slic iawn. Rhy slic. Fel ei hawdur a'r lol a oedd yn perthyn iddo.

'Wir, Jack, wn i ddim byd am y petha 'ma, fachgan, dim o gwbwl, ond mae 'na un peth yn taro i'm meddwl i . . .'

'Ia?'

''Dydi pobol ddim yn siarad fel y rhai sy gan Twm Edwards yn 'i ddrama. Maen nhw'n drwm ac ara' deg, yn annaturiol o henffasiwn. Dyna ydw i'n feddwl, beth bynnag. Ac mi ddeudis i hynny wrth Twm un noson ar ein ffordd adra o'r practis. Ond wnâi o ddim gwrando arna' i.'

'Fe wetsoch chi wrtho fa!' Swniai Mrs Bowen yn anhygoel, ac edrychodd y tad a'r ferch yr un mor frawychus arno.

'Do. Pam?'

'Wel! . . .' Tybiai William Jones fod y De yn bur hoff o'r gair 'Wel!', tair llythyren yn cynnwys cyfrolau huawdl.

Wrth gwrs, eglurodd y wraig, gwyddent fod Jack yn fyrbwyll o feirniadol ym mhob practis, ond fel actor y siaradai ef, ac wedi'r cwbl, yr oedd ganddo hawl i hynny ar ôl disgyblaeth o dan Mr Stephens yn yr Ysgol Ganolraddol. Ond beirniadu'r ddrama ei hun yng nghlyw'r awdur croendenau! Wel!

Cofiodd y chwarelwr un o sylwadau doeth Crad. 'Tact ydi enw canol y Sowthman, 'yldi,' meddai un diwrnod ar yr heol. Newydd gyfarfod Shinc y tu allan i'r Clwb yr oeddynt. 'Yffarn dân!' oedd ebychiad hwnnw. 'Twm 'di sgwennu drama! Yffarn dân!' A'r munud nesaf ymunodd y dramaydd ei hun â hwy. ''Wy'n deall bod ti'n cal hwyl ar ddrama fach sha'r capel 'na,' meddai Shinc wrtho. Ac ymchwyddodd Twm, gan deimlo'n dra diolchgar i Grad a William Jones am oleuo meddwl eu cyfaill digapel.

'Be' wetws a wrthoch chi?' gofynnodd Jack.

'O, dim llawar o ddim. 'Roedd o'n defnyddio lot o ryw eiria Saesneg nad oeddwn i'n 'u dallt nhw.'

'Ond gwedwch, beth ŷch chi'n feddwl o hon sy 'da fi? Yn onest, 'nawr.'

'Wn i ddim byd am y petha 'ma, fel y deudis i, ond . . .'

'Ia?'

'Wel, pobol sy mewn drama, yntê? Ac os pobol, pobol amdani, yntê?'

Nodiodd Jack yn ddeallus, gan nad oedd y gwirionedd yn ddigon eglur i'w amau.

'Hynny ydi, pobol naturiol,' chwanegodd William Jones. 'Mi ofynnis i i Twm pryd y mae'r petha yn 'i ddrama fo'n digwydd. "Hiddiw," medda fynta. "Ond mae'r bobol yn siarad fel yr oeddan nhw gan mlynedd yn ôl," medda finna.'

'Odyn, odyn. Ŷch chi'n reit.'

'Yn ara' deg a henffasiwn a phregethwrol.'

''Itha' gwir, w. 'Sneb yn siarad fel'na 'eddi. A beth ôch chi'n mynd i weud am hon?' Daliai ei gampwaith ei hun yn ei law.

'Dyna o'n i am ddeud—nad ydi pobol ddim yn llusgo siarad a defnyddio geiria mawr fel cymeriada Twm, ond nad ydyn nhw ddim yn cyfarth ar 'i gilydd chwaith fel y bobol sy gen ti, Jack.'

'Ond *play of situation* sy 'da fi. *Action play, thriller, ingenuity of plot,* 'chi'n deall.'

Tybiodd William Jones ei bod hi'n bryd iddo droi adref, rhag ofn, ac yntau yng ngafael yr huodledd hwn, iddo fynegi'r farn y gallai Wili John unrhyw fore ar gefn ei feic greu hanner dwsin o sefyllfaoedd tebyg. Cofiodd eto nad oedd Crad yn hanner da.

'Yr oeddwn i yn llygad fy lle y noson o'r blaen, 'ngwas i,' oedd sylw'r gŵr hwnnw yn y tŷ pan glywodd yr hanes.

'Hefo be'?'

'Ynglŷn â'r Sowthman a'r tact sy'n perthyn iddo fo. Dyna ti Sarah Bowen, mam y Jack Q.P. 'na, chwedl yr hogia 'ma. Marcia di 'ngair i, William, fe fydd hi'n canmol Twm Edwards a'i ddrama fel coblyn yn 'i wynab o. Dyna iti wendid mawr y bobol i lawr yma, a mi gei enghraifft ohono fo bob dydd.'

''Falla, wir, fachgan, ond maen nhw'n credu mai hynny sy ora, wel'di.'

At y drafodaeth fawr a gawsent yn nhŷ David ac Idris Morgan un noson y cyfeiriai Crad. Y gwahaniaeth rhwng y Gogleddwr a'r Deheuwr oedd y testun, ac wedi iddynt benderfynu bod pobl y Gogledd yn feirdd ac athronwyr a diwinyddion i gyd, a phobl y De oll yn gerddorion ac actorion a chwaraewyr rygbi digymar, aethant i chwilio am wendidau. Casgliad terfynol y ddau Sowthman oedd mai gŵr drwgdybus oedd y Gogleddwr, a thybiai'r ddau arall mai un di-hid oedd Shoni. Yna traethodd Crad ei farn am y peth a alwai'r byd yn 'tact', ac wrth ennill gwres a huodledd, aeth cyn belled â chyhuddo pob copa walltog yn y cwm—ond David ac Idris Morgan—o fod yn 'Shoni-bob-ochor'. Efallai mai Wili John, a ddaeth i alw'i dad a'i ewythr at eu swper, a lefarodd eiriau doethineb. Yr oedd y gwahaniaeth rhwng Northman a Sowthman yn amlwg ddigon, meddai ef—un yn gwisgo bresus a'r llall yn gwisgo belt. Un yn ei gwman braidd, a'i olwg tua'r llawr, a'r llall yn sgwario'i ysgwyddau a tharo'i fawd yn ei felt. Bresus a belt—yr oedd y peth yn syml iawn.

Llithrai'r dyddiau heibio'n gyflymach yn awr. Llafuriai William Jones mewn clwt o dir ar y llethr yn ystod y dydd, a chadwai'r capel a'r ddrama ef yn brysur gyda'r nos. Ar enw Crad—fel aelod swyddogol o Glwb y Di-waith—yr oedd yr alotment, ond ei frawd yng nghyfraith a weithiai ynddi. Yr unig anfantais oedd y digwyddai'r darn tir fod wrth ochr un Twm Edwards, a syniad y gŵr hwnnw am balu, lawer bore, oedd rhoi ei bwys ar ei raw i draethu'n anghelfydd ar gelfyddyd y ddrama. 'Mi faswn i'n rhoi rhawiad o bridd yn 'i geg o, William,' oedd awgrym Crad un canol dydd. Ond nid oes unrhyw dystiolaeth iddo ddilyn y cyfarwyddyd.

Oedasom yn rhy hir yn barod ymhlith helyntion dramaol William Jones, ac ni fanylwn ychwaneg. Digon yw dywedyd iddo, ar noson y perfformiad, gofio'i linellau bob un, rhoi cam ymlaen a dau gam i'r dde yn y lle priodol, a gwneud i'w wyneb caredig a diniwed ymddangos mor chwyrn a dideimlad ag yr oedd modd. Troesai'n ystyfnig yn yr ymarfer terfynol y noswaith gynt. Syniad y cyfarwyddwr o siopwr oedd gŵr yn gwisgo sbats, cadwyn loyw ar draws ei wasgod, coler big, barf, a sbectol. Cytunodd William Jones i ymddangos felly, ond nogiodd ar bwnc y farf. Adwaenai ef filoedd o siopwyr—wel, ddegau, beth bynnag—ac nid oedd un ohonynt yn farfog. Bu'n rhaid i'r cyfarwyddwr siomedig, ar ôl ysbeidiau o gerdded yn ôl ac ymlaen yn bur ddramatig, fodloni ar ddarlun anghyflawn o ŵr y *Royal Stores.* Felly, chwedl Crad, y collodd y Ddrama Gymraeg locsyn. Ond gallai ei fforddio, meddai ef.

Cawsant lythyr llon oddi wrth Arfon yn niwedd Mawrth. Gadawsai Slough, meddai, i weithio yn Llundain, mewn cronfa recordiau'n perthyn i'r un cwmni. Go anniddorol oedd y gwaith—pacio recordiau a chyfeirio'r parseli i bob rhan o'r byd—ond daethai o hyd i lety heb ei ail, a châi gyfle yn awr i fynd i gapel Cymraeg yn rheolaidd. Yr oedd wrth ei fodd; ond caent yr hanes i gyd pan ddeuai adref dros y Pasg.

Aeth Crad a William Jones i gyfarfod y trên nos Wener y Groglith, a gwyddent ar unwaith fod y llanc yn llawer hapusach nag y buasai pan welsant ef ddiwethaf. Ac wrth ei swper, adroddodd ei stori.

Gan na hoffai ei lety na'i waith yn Slough, neidiodd at y cynnig i symud i Lundain, yn arbennig gan y golygai hynny goron o godiad yn ei gyflog. Penderfynodd dreulio prynhawn a hwyr y Sadwrn dilynol yn chwilio am lety yn y brifddinas.

Diflas iawn fu'r prynhawn. Wedi prynu tri phapur newydd, aeth trwy'r hysbysebau ynddynt yn ofalus, ac yna i ffwrdd ag ef mewn bws ac ar droed i alw yn y tai mwyaf tebygol. Ond siomedig fu'r ymchwil; ni ddarganfu un yr hoffai ymgartrefu ynddo. Ar ôl teirawr o ruthro yma a thraw troes yn flinedig i dŷ-bwyta am gwpanaid o de, ac yno dechreuodd wneud rhestr o'r cyfeiriadau na chawsai amser i alw ynddynt. Cododd y gŵr a eisteddai gyferbyn ag ef wrth y bwrdd, ond cyn troi ymaith i'w ffordd, gwyrodd tuag at y llanc a dywedyd, 'Why don't you try the Y.M.? It's just over the road, first right.' Diolchodd Arfon iddo, a phenderfynodd fynd i'r lle ar unwaith.

Croesodd y ffordd tua'r adeilad hardd ar gongl yr heol gyntaf ar y dde. Safodd gerllaw am funud i wylio'r gwŷr ifainc ysgafndroed a âi i mewn ac allan drwy'r drws, a gwelodd fagad ohonynt yn dychwelyd ar ôl bod yn chwarae pêl-droed yn rhywle. A gâi ef lety yn y plas hwn, tybed? Dringodd y grisiau'n bryderus, a dywedodd ei neges wrth y Porthor ac yna wrth yr Ysgrifennydd. Cafodd groeso a chydymdeimlad, ond gwyddai ar unwaith pan soniwyd am brisiau'r llety na allai ef fforddio byw yno. 'Half a minute,' meddai'r Ysgrifennydd pan droai Arfon ymaith. 'Take this list with you.'

Rhestr o leoedd tebyg i'r Y.M., ond eu bod yn rhatach, ydoedd hi, a chychwynnodd Arfon eilwaith ar ei deithiau ymchwil, er ei bod hi'n dechrau tywyllu. Wedi dwyawr arall o grwydro a holi, safodd yn ddigalon gerllaw'r lle nesaf ar y rhestr. 'The Young Scots Club', meddai'r pamffledyn yn ei law, a phrin yr oedd hi'n werth iddo alw yno. Nid oedd ef yn Ysgotyn—gwaetha'r modd, chwanegodd yn ei flinder chwerw.

Syllodd ar yr adeilad—tri thŷ anferth wedi'u huno. Yr oedd yno le i dros gant, yn sicr, a theimlai Arfon yn eiddigus wrth y llanciau a welai'n ysgrifennu neu ddarllen mewn ystafell fawr gyferbyn ag ef ac wrth y lleill a chwaraeai bing-pong yn y nesaf. Canai bachgen tua'r un oed ag ef yn un o'r llofftydd wrth wisgo ar gyfer dawns neu rywbeth. Yr oedd calon Arfon fel plwm o'i fewn. Y tu ôl iddo, dafliad carreg i ffwrdd, llifai sŵn a goleuadau ar hyd heol lydan; o'i gwmpas, stryd unig a gwag; o'i flaen, cynhesrwydd a chysur y Clwb i'r gwŷr ifainc o'r Alban. Pam nad oedd Clwb tebyg i Gymry ifainc mewn lleoedd fel Slough a Llundain? Crynodd yn unigrwydd oer yr heol, a chwarddodd awel ym mrigau noethion y goeden enfawr y safai dani. Yn naear y gerddi tros y ffordd i'r Clwb y gwreiddiai'r goeden, ac fe'i dychmygai Arfon ei hun, ambell hwyr o haf, yn eistedd i ddarllen ar un o feinciau'r gerddi hynny, a thwrf Llundain fel rhu trai ymhell. Daeth y glaw yn gawod sydyn.

Ymh'le y cysgodai? Rhuthrodd ar draws y stryd i borth y Clwb. Trwy wydr y drws mewnol gwelai gyntedd eang, sgwâr, ac yn ei gongl dde safai gŵr ifanc yn darllen rhyw hysbysiadau ar y mur. Pan ddigwyddodd edrych tua'r drws a chanfod Arfon y tu allan, brysiodd i agor iddo. Daliodd y drws yn agored, a synnodd yn fawr wrth weld y llanc, y tybiai ef ei fod yn aelod o'r Clwb, yn dal i sefyllian y tu allan.

'Aren't you coming in?' gofynnodd.

'No, I'm . . . I'm just sheltering from the rain.'

'Oh, sorry! I thought I'd seen you about the Club. But come and shelter inside. It's cold out here in the porch.'

Dywedai ei acen gref mai Ysgotyn ydoedd.

'Thanks. Till the rain stops.'

Aethant drwy'r cyntedd i ystafell y ping-pong.

'Care for a game?' gofynnodd y gŵr ifanc. Yr oedd y ddau chwaraewr newydd roi'r gorau iddi.

'I wouldn't mind. I used to play a lot at home.'

Enillodd yr Ysgotyn y gêm gyntaf, Arfon yr ail, a bu'n

rhaid cael trydedd i dorri'r ddadl. Erbyn hynny yr oeddent yn weddol hy ar ei gilydd, a hoffai Arfon ei gyfaill newydd yn fawr. Yn araf ac anfodlon y rhoes ei gôt amdano i gychwyn yn ôl i'r llety digysur yn Slough. Clywai sŵn llestri'n tincial yn y cyntedd.

'Nine o'clock,' meddai'r Ysgotyn, Strachan wrth ei enw. 'Porter makes a cup of tea for those who like one. Come on, one for the road!'

Ac uwch y gwpanaid o de adroddodd Arfon ei stori.

'Why don't you try and get in here?' oedd cwestiwn Strachan. 'Best place in London. Nowhere like it. And very reasonable.'

'But I'm not a Scotsman.'

'That doesn't matter. It's a Club for young Scotsmen, but the founders made it a rule that there should be a sprinkling of others—English, Irish, Welsh. See that fair-haired chap? Irish. But I don't remember a Welshman here. There's a laddie called Williams on the second floor, but he's from Aberdeen . . . Oh, Miss Campbell!'

Ysgrifenyddes y Clwb oedd Miss Campbell, gwraig dal a syth, braidd yn sarrug yr olwg. Daeth Arfon i wybod y cuddiai'r edrychiad llym dynerwch rhyfeddol. Yr oedd yn amlwg fod Strachan yn dweud ei stori ef wrthi.

'You wouldn't mind sharing, I suppose?' gofynnodd y wraig i Arfon pan ddychwelodd y ddau ato. Eglurodd fod bachgen a gysgai'n un o dri mewn ystafell ar lawr uchaf yr adeilad yn bwriadu ymadael ddiwedd yr wythnos wedyn. A hoffai ef gymryd ei le? Wyth swllt ar hugain yr wythnos oedd y pris am wely, brecwast, cinio gyda'r nos, tri phryd ddydd Sadwrn a phedwar ar y Sul. Amrywiai'r prisiau yn ôl maint a sefyllfa'r llofft, ond deallai hi oddi wrth Mr Strachan mai am un o'r lleoedd rhataf y chwiliai ef.

Mawr oedd llawenydd Arfon, a diolchodd yn gynnes iawn iddi. Cludai ei bethau yno'r Sadwrn canlynol, meddai, ac edrychai ymlaen yn eiddgar at fyw yn y Clwb. Bu bron iddo â gweiddi 'Sgotland for ever!' allan yn y stryd ar ei ffordd i ddal bws i orsaf Paddington.

Ac ni siomwyd ef yn y Clwb. 'Y lle gorau yn Llundain' a ddywedasai Strachan wrtho, a gwir oedd y gair yn nhyb Arfon. Digonedd o ddŵr poeth bob amser ar gyfer y baddau, bwyd heb ei ail a hwnnw'n brydlon bob gafael, cwmni siriol a chyfeillgar, llyfrgell ddiddorol, ystafell dawel a chyffyrddus i ysgrifennu neu ddarllen ynddi, gwres unffurf drwy'r lle—a ellid gwell? A chyn bwysiced â dim arall, efallai, dihangfa rhag chwilfrydedd a drwgdyb llechwraidd y 'wraig-tŷ lojin'.

Gloywai llygaid Arfon wrth iddo adrodd yr hanes uwchben ei swper. A gallai yn awr gerdded mewn rhyw ugain munud i gapel Cymraeg, ac yno y treuliai nos Sadwrn a dydd Sul. Caent ryw fath o Noson Lawen bob Sadwrn, a chyfle i gyfarfod pobl ifainc o Gymry. Yr oedd y capel yn orlawn bob nos Sul, ac uchel oedd y clebran ar y stryd ar ôl y gwasanaeth ac wedyn mewn un neu ddau o'r tai-bwyta gerllaw. Acenion pob sir o Fôn i Fynwy—'Tewch, da chi!' yn ateb naturiol i ''Wn'co man'co, bachan!' Cyfarfuasai ddau a fuasai'n gyd-ddisgyblion ag ef yn yr Ysgol Ganolraddol, ac un ferch . . . o Dre Glo . . . A gwridodd Arfon.

'Sut rai ydi'r Scotsmyn 'na, Arfon?' gofynnodd ei ewythr. 'Y syniad sy gin i ydi mai rhai powld iawn ydyn nhw.'

'Bechgyn ffein, Wncwl. Ma' 'da nhw lot i'w ddysgu i ni. Daro, 'na lân ŷn nhw, Mam! Pob llofft yn daclus, pob bath yn cal 'i iwso yn y bora. Wy'n cwnnu 'nghap iddyn nhw, odw, wir.'

Aeth William Jones ac Arfon a Mot am dro i'r mynydd y bore wedyn.

'Yr hogan 'na, Arfon,' meddai'r dyn bach ymhen tipyn.

'Pwy, Wncwl?'

'Yr hogan 'na o Dre Glo sy'n dŵad i'r capal yn Llundain.'

'O?'

'Ia, wir, fachgan . . . Tyd yma, Motyn. Mae 'na lot o'r ci defaid yn hwn, wsti, ac mae arna' i ofn yn fy nghalon . . . Mot! Mot! . . . Oes, ofn yn fy nghalon iddo fo ddychryn yr ŵyn bach. 'Yli, chei di byth ddŵad allan hefo mi eto os wyt ti'n mynd i redag ar ôl defaid. Wyt ti'n dallt? . . . Ia, wir, fachgan.'

'Shwd ôch chi'n gwbod, Wncwl?'

'Gwbod be'? . . . Diar, mae'r oen bach 'na'n rhy wan i sefyll bron, on'd ydi? Dyna ti, Motsyn; 'rwyt ti'n hogyn da 'rŵan, 'ngwas i.'

'Am Enid.'

'O? Rhyw dderyn bach, wsti . . . Clyw! Dyna'r gog! Oes gin i bres yn fy mhocad, dywad? Oes, fachgan.'

'Odi Mam yn gwbod?'

'Nac ydi. Ddaru hi ddim sôn gair, beth bynnag. Hogan fach ddel, ydw i'n siŵr?'

'Odi.' Yr oedd y gwrid ar wyneb Arfon yn huotlach na geiriau.

'Fedar hi siarad Cymraeg?'

'Diar, gall! Mae'i thad hi'n flaenor yn Nhre Glo.'

'Be' mae hi'n wneud yn Llundain, Arfon?'

'Mynd yn nyrs. Mae hi'n dod sha thre heno, ac ŷn ni'n trafaelu'n ôl 'da'n gilydd nos Lun. Ond pidwch â gweud dim wrth Mam, Wncwl.'

Cawsant Sul hapus, a'r teulu i gyd yn gryno unwaith yn rhagor. Aeth Crad i orffwys ar ôl cinio, a rhoes William Jones ei het am ei ben.

'Tyd, Arfon,' meddai. 'Mi awn ni am dro wrth yr afon.'

'Wel . . .' A gwridodd y llanc. Cofiodd y chwarelwr fod ganddo dipyn o gur yn ei ben, ac ni wnâi rhyw awr o orffwys yr un drwg iddo yntau, meddai.

Hwyr y Llun a ddaeth. Daliai William Jones yn groyw nad oedd gan Grad hawl i fentro allan i'r glaw; fe âi ef i hebrwng Arfon at y trên. Pan gyrhaeddodd y ddau borth yr orsaf, estynnodd y llanc ei law.

'Wel, so long 'nawr, Wncwl.'

'Yr ydw i'n dŵad ar y platfform, 'ngwas i.'

'Ond . . .'

'Tyd, ne' mi golli di'r trên.'

Daeth y trên yn swnllyd i'r golwg yn fuan, a gwelodd y ddau yr het werdd yn ymwthio allan o ffenestr un o'r cerbydau. Yna diflannodd pan sylweddolodd ei pherchen fod cwmni gan Arfon. Safodd y cerbyd hwnnw gyferbyn â hwy, a William Jones a agorodd y drws.

'Dyma ti, Arfon. Digon o le, fachgan.'

'Hylô, Enid! 'Ma . . . 'ma f'Wncwl William.'

'Sut ydach chi, 'nginath i?'

Hoffodd y ferch ar unwaith. Wyneb crwn, iach; llygaid onest, siriol; gwefusau llon, caredig; gwallt tywyll, gloyw. Ac yr oedd ganddi lais swynol â'i lond o chwerthin. Merch naturiol, ddi-lol.

'Hwdiwch, rhannwch hwn rhyngoch ar y daith.' A thynnodd o'i boced dabled mawr o siocled.

'Pryd buoch chi'n prynu hwn, Wncwl?'
'Meindia di dy fusnas . . . Wel, da boch chi.'
'So long, Wncwl.'
'So long.' Hogan fach glên, meddai wrtho'i hun, gan deimlo'n falch iddo brynu'r siocled iddi. Pe na hoffasai'r ferch, aethai â'r siocled adref i Eleri.

Bore trannoeth, galwodd William Jones yn y Llythyrdy i godi arian, ac araf oedd ei gam tuag adref.
'Be' sy, William?' gofynnodd Crad iddo wrth weld yr olwg bell a dwys yn ei lygaid.
'Mae'n rhaid imi droi adra ddiwadd yr wsnos 'ma, fachgan.'
'Y?'
'Rhaid. Mi wnes i lw i mi fy hun yr awn i'n ôl pan âi f'arian i i lawr i ugian punt.'
'Ond 'falla . . .' A thawodd Crad. ''Falla y daw gwaith yn reit fuan' a oedd ar flaen ei dafod, ond gwyddai mai geiriau gwag oeddynt.
''Tasat ti'n talu chweugain yn lle punt i ni, William . . .'
'Punt ne' ddim, Crad.'
Ysgydwodd Crad ei ben; di-fudd fyddai dadlau unwaith eto ar y pwnc llosg hwnnw. Yr *oedd* hi'n biti hefyd, a byddai Eleri a Wili John bron â thorri'u calonnau. A theimlai ef a Meri hi'n o chwithig ar ôl yr hen William. Daria, petai o ddim ond yn cael job fach fel . . . Fel beth?
'Be' wnei di yn Llan-y-graig, William?'
'Mynd yn ôl i'r chwaral, debyg iawn.'
'Ia, ond . . . hefo Leusa.'
'O, derbyn cynnig Bob, fy mhartnar, a mynd i fyw ato

fo. 'Rydw i'n reit ffond o Jane Gruffydd, ac mae Alun yr hogyn, a Dafydd, y bachgen arall, yn hogia iawn, wsti.'

Ni wyddai Crad beth i'w ddweud, a dewisodd ei ffordd arferol allan o bob anhawster. 'Meri!' gwaeddodd, a phan ddaeth hi i lawr o'r llofft, torrodd y newydd iddi. Ond nid oedd ganddi hithau weledigaeth, dim ond awgrymu, fel y gwnaethai yntau, i'w brawd dalu chweugain yn lle punt yr wythnos iddynt.

'Na, 'does dim arall amdani,' meddai William Jones. 'Ac i ddeud y gwir, mae arna' i dipyn o hiraeth am y chwaral a'r hen hogia a'r Llan. Oes, wir, hiraeth go arw weithia. Mi a' i ddydd Sadwrn.'

Daeth y fasged wellt eto i'r golwg tua diwedd yr wythnos, a rhoes ei pherchennog ei feddiannau oll yn daclus ynddi. Ond ni chwarddai neb am ei ben y tro hwn; yn wir, yr oedd dagrau yn llygaid Eleri, ac er y ceisiai Wili John ymddangos yn ddifater a chwibanu uwch y gorchwyl, braidd yn floesg y swniai yntau pan ddywedai rywbeth wrth ei ewythr. A'r noson honno, yn ei wely, datguddiodd y gyfrinach fod ganddo ef a Gomer Rees, bachgen Shinc, gynllun i gymryd meddiant o Nymbar Wan a gweithio'r pwll yn well ganmil nag y gwnaed erioed o'r blaen. A châi Wncwl William le fel is-reolwr arno.

Yr oedd yn well gan William Jones fynd tua'r orsaf wrtho'i hunan bach, meddai ef, pan ddaeth amser cychwyn am y trên. Ymddangosai'n daer iawn ar y pwnc, a bu raid i Grad ac Eleri a'r lleill ildio. Y lleill? Daethai bagad ynghyd—Twm Edwards, Shinc, David ac Idris Morgan, Simon Jenkins y saer, Ned Andrews tros y ffordd, a Mrs Leyshon, y fam yn y ddrama. Pam goblyn na ddaethai'r côr i gyd a holl bobl y capel i'w hebrwng? gofynnodd i Grad mewn sibrwd ffyrnig.

Wedi ysgwyd llaw â phawb yn o frysiog, rhoi cusan a swlltyn i Eleri, ac anwylo Mot am y tro olaf, i ffwrdd â'i goesau yn fân ac yn fuan wrth ochr y fasged wellt. Ond araf deg fu ei hynt drwy'r pentref. Gwelai rywun a adwaenai byth a beunydd, rhywun o'r côr neu o'r capel neu o Glwb y Di-waith, a rhaid oedd ymdroi ennyd i ganu'n iach. Erbyn iddo gyrraedd gwaelod Bryn Glo, deuai'r frawddeg, 'Wedi cael fy ngwaith yn ôl yn y chwaral, wchi,' yn beiriannol o'i enau.

'Gwaith!' meddai Huw Bowen yn ei ffordd araf, ddryslyd. 'Beth yw 'wnnw, bachan?' Buasai Huw druan yn segur ers tua saith mlynedd bellach, gan iddo ddigwydd gweithio yn y darn o'r Pwll Bach a gaewyd gyntaf oll.

Cyrhaeddodd yr orsaf o'r diwedd, a safodd yno am funud i syllu ar y pentref ac i fyny'r cwm. Gwenodd wrth gofio'r olwg gyntaf a gawsai ar y lle, ryw naw mis cyn hynny, a'r dychryn a ddaethai i'w feddwl wrth iddo syllu ar y strydoedd llwydion yn hongian wrth eu dannedd ar noethni'r llethrau. Wrth gwrs, twll o le oedd Bryn Glo, 'pen draw'r byd', chwedl Bob Gruffydd, ac fe fyddai hi'n braf cael dychwelyd i awyr iach a thawelwch Llan-y-graig. A rhyw greaduriaid powld a swnllyd a oedd i lawr yn y Sowth 'ma, pobl fel . . . fel . . . wel, ugeinia o'r tacla. Gwelai rywun yn gwthio beic i fyny'r heol a ddringai tua Nelson Street. Wili John, efallai? Hen fôi bach iawn oedd Wili John . . . Dacw ddau ddyn yn sgwrsio ar gongl Nelson Street . . . Crad a Shinc? Un da oedd yr hen Grad! Chwarddodd William Jones yn dawel wrth gofio'r ystumiau a dynasai Crad fel plisman yn nrama Twm. Hen fôi iawn oedd Shinc hefyd, o ran hynny, ond ei fod e'n yfed tipyn ac wedi berwi'i ben hefo daliadau'r

Comiwnyddion... Hylô, dacw rywun yn ymuno â'r ddau...David Morgan, efallai? Neu Mr Rogers? Gwelsai'r gweinidog y noson gynt, ond go drwsgl oedd ei ymgais i ddiolch iddo am ei bregethau a'i gyfeillgarwch. Piti na fuasai wedi medru ei fynegi ei hun yn well, ond dyna fo... Ci oedd 'nacw wrth ymyl y tri? Ia. Mot, tybed? Pob parch i gŵn o frid, wrth gwrs, ond mwngrel amdani bob tro, mwngrel hefo tri blewyn yn y ddafaden o dan ei ên. Un blewyn, a dyna i chi gi cas, yn chwyrnu ar bawb. Dau flewyn—ci go lew. Tri blewyn—dyna'r ci! Fel Mot...Daria unwaith, fe gollai'r trên oni frysiai i godi tocyn.

Eisteddai dau ŵr dadleugar yng nghongl y swyddfa-dicedi.

'A rat leavin' a sinkin' ship, mun!' meddai un ohonynt rhwng ei ddannedd.

'Ay, but...' Tawsant i syllu ar y gŵr â'r fasged, a chredodd William Jones am funud mai amdano ef y siaradent. Rhoes ei fasged i lawr, a thynnodd ei bwrs allan o boced-gefn ei drowsus.

'Ay, but 'e's a good player, mind,' oedd dadl yr ail ddyn.

'Wasn't Bryn Glo good enough for 'im when things were goin' well 'ere? Uh?'

'Ay, but...'

'And didn't we teach 'im all 'e knows 'bout rugby? Uh?'

'Ay, but...'

'And so now we 'aven't got no money for tidy away fixtures, whass 'e do?'

'Ay, I know, but...'

'Scoots off to play for that team down Cardiff.'

'Ay, but...'

'A rat leavin' a sinkin' ship, Dai!'

Ymbalfalai bysedd William Jones yn ansicr yn ei bwrs.
'Yes?' meddai llais y clerc o'r twll sgwâr yn y mur.
'Well, I. . . I. . . It's all right, thank you.'
A chyda'i bwrs yn un llaw a'i fasged wellt yn y llall, brysiodd ymaith drwy'r drws ac yn ôl i'r heol.

11 *DAU ACTOR*

'Llythyr imi? O b'le, tybed?' gofynnodd William Jones pan ddaeth i'r tŷ un canol dydd rai wythnosau wedyn.
'Agor o iti gael gweld, 'ngwas dewr i,' meddai Crad. 'Yr ydw inna wedi cael un.'
Diolchai'r *British Broadcasting Corporation* i Mr William Jones am ei lythyr, a byddent yn falch o roi gwrandawiad iddo yn y stiwdio yng Nghaerdydd am chwarter wedi chwech y nos Lun ganlynol. Gallai Mr Jones ddarllen darnau o'i ddewis ei hun os mynnai, ond hyderent y byddai'n barod hefyd i ddarllen rhai o'u dewis hwythau. Rhyw ddyn o'r enw Emrys Lloyd a oedd wedi arwyddo'r llythyr.
'Yrris i ddim llythyr atyn nhw, 'nen' Tad,' oedd sylw'r chwarelwr dychrynedig.
'Na finna, ac os ydi Meri'n meddwl fy mod i. . . '
'Meri?'
'Ia. Wyt ti'n cofio'r giamocs wnes i wrth actio'r plisman hwnnw i Dwm Edwards? Wel, mi gafodd Twm y syniad i'w ben fy mod i'n *born actor,* wel'di, a 'dydi o byth yn blino ar ddeud hynny wrth Meri. Y tebot iddo fo!'

'Wel?'

'Mae o'n 'nabod rhai o'r bechgyn sy'n actio i'r BBC tua Chaerdydd 'na, medda fo, ac mae o wedi perswadio Meri y medrwn i roi'r lot i gyd ym mhocad fy ngwasgod. Fi! "Yffarn dân!" chwedl Shinc.'

'Ond y llythyra 'ma?'

'Meri wedi sgwennu drostan ni'n dau i Gaerdydd. Yr ydw i i gael *audition* am chwech nos Lun, William, a thitha am chwartar wedi. Ond fydd y bôi yma ddim yno.'

'Pam nad aiff Twm 'i hun i lawr yno?'

'Mae o wedi bod, 'ngwas i. 'I lais o dipyn yn rhy drwm ac yn rhy galad—medda fo. Mae'n haws gin i gredu mai 'i ben o oeddan nhw'n feddwl.'

Daeth Meri i mewn â basged yn ei llaw.

'Dyma hi,' meddai Crad. 'Mae William a finna,' chwanegodd wrthi, 'wedi bod yn pwyllgora tipyn ynghylch y llythyra 'ma, ac 'rydyn ni wedi penderfynu sgwennu at y dyn 'ma i ddeud ein bod ni'n dau yn sâl.'

'Wnewch chi ddim o'r fath beth,' atebodd ei wraig. 'Mae hwn yn siawns i chi drio ennill tipyn, ac 'roedd Twm Edwards yn deud . . .'

'Mi fydda' i'n tagu dy Dwm Edwards di y tro nesa' y gwela' i o. Os wyt ti'n meddwl fy mod i'n mynd i lawr i Gaerdydd i wneud coblyn o ffŵl ohona' fy hun, 'rwyt ti'n gwneud coblyn o gamgymeriad. Wyt, myn coblyn i!'

(Gwelaf adolygydd yn rhoi clec ar ei fys a'i fawd ac yn prysur sgriblio'r nodiad—'Blerwch arddull. "Coblyn" deirgwaith yn yr un araith.' Y mae'r gŵr yn llygad ei le, ac os caf innau gyfle i ddweud y drefn mewn adolygiad . . . Ond dyna a ddywedodd Crad â'i dymer yn drech na'i synnwyr llenyddol.)

'Ond Crad bach,' meddai Meri, 'fyddi di ddim gwaeth o fynd yno.'

'Ddim gwaeth! Faswn i a William ddim gwaeth 'taen ni'n cerddad ar ein dwylo, mewn het silc bob un, i mewn i'r capal ac i ganol y Sêt Fawr bora Sul, ond. . . '

'Twt, paid â lolian.'

'Nid lolian ydw i. Be' wna i yn 'i stiwdio fo?'

'Dim ond isio clywad dy lais di maen nhw. A 'falla y bydd gan un ohonoch chi lais i'r dim ar gyfer y weiarles. Lwc ydi o i gyd, medda Twm Edwards, a . . . '

'Os clywa' i enw'r cradur yna eto. . . '

'Rhaid i chi wneud dim ond darllan 'chydig o ddarna.'

'Pa ddarna?'

'Wel, mae o'n deud y cewch chi fynd â rhai i lawr hefo chi. Mi faswn i'n mynd â *Rhys Lewis* a'r *Telyn y Dydd* 'na sy gan Arfon.'

'Mi a' i â'r llyfr 'na o bregetha oedd gan fy nhaid, a William yr Esboniad mawr 'na oedd gan yr Hen Gron. Ac os na fydd 'na ddiwygiad yn y BBC, nid ar William Jones a Charadog Williams y bydd y bai. . . Pwy sy'n mynd i sgwennu'r llythyr 'na, William? Chdi, ne' fi?'

'Fe fydd y cinio'n barod mewn munud,' oedd sylw Meri, 'ac mae arna' i isio'r bwrdd.'

Yr oedd Crad yn benderfynol. Helpodd i glirio'r llestri ar ôl cinio, a chludodd bapur-ysgrifennu a phin dur ac inc i'r bwrdd.

'Reit, William!' Ac ysgrifennodd y cyfeiriad ac 'Anwyl Syr'.

'Oes 'na ddim dwy *n* yn "Annwyl", dywad?' gofynnodd William Jones. 'Aros imi gael gweld sut mae o yn sgwennu'r gair yn y llythyr 'ma. . . Oes, fachgan.'

'O'r gora.' A chywirodd Crad y gair. 'Wel, be' ddeuda' i wrtho fo?'

'Deud dy fod ti'n sâl, yntê?'

'Ia, ond . . .'

'A finna.'

'Ia, mi wn i hynny, ond sut mae dechra'r llythyr?'

'Annwyl Syr.'

'Mae hynny gin i.'

'Ydi.'

'Be' wedyn?'

'Dim ond gair bach . . .'

'Nid at Bob Gruffydd yr ydw i'n sgwennu, was.'

'Naci.'

'Annwyl Syr . . . Hm! . . . Hyn sydd i'ch hysbysu . . . Fasa hynny'n gneud, William?'

'Braidd yn rhy ffurfiol, faswn i'n meddwl, Crad.'

'Ia . . . Annwyl Syr . . . Meri!'

'Ia, Crad?' gwaeddodd hithau o'r gegin fach.

'Sut basat ti'n dechra'r llythyr 'ma?'

'Faswn i ddim yn 'i ddechra fo.'

'O'r nefoedd! Sut y basat ti'n 'i ddechra fo 'tasat ti'n 'i ddechra fo?'

'Annwyl Syr.'

'Mae hynny gin i ers oria.'

'Gair gan obeithio y bydd yn eich cyrraedd mewn iechyd fel ag y mae'n fy ngadael innau ar hyn o bryd.'

Rhoes Crad ei bin dur i lawr mewn anobaith, gan hylldremio tua'r gegin fach.

'Annwyl Syr,' meddai eto ymhen ennyd. 'Twt, mi wnaiff "Hyn sydd i'ch hysbysu" y tro yn iawn.'

Ac wedi deng munud o lafur caled, yr oedd y llythyr yn barod.

7 Nelson Street,
Bryn Glo,
Mai 7, 1936.

Annwyl Syr,

Hyn sydd i'ch hysbysu bod yr isod, Caradog Williams a William Jones, yn wael iawn yn eu gwlâu a than law'r Meddyg yr hwn a'u gwaharddodd i deithio am rai misoedd.

Yr eiddoch yn ffyddlon,

Caradog Williams.
William Jones.

'Wnaiff o'r tro, William?' gofynnodd yr awdur.

'Gwnaiff, am wn i, wir, fachgan. Ond oes isio deud ein bod ni yn ein gwlâu?'

'Hylô, hylô! Beth sy'n mynd 'mlân yma?' Mr Rogers a alwai drwy'r ffenestr, a brysiodd William Jones i agor y drws iddo.

Dangosodd Crad y ddau lythyr o Gaerdydd i'r gweinidog.

'Da iawn!' meddai yntau. 'Da iawn, wir! Wy'n falch iawn eich bod chi'n mentro, fechgyn. A chan fod acen y Gogledd 'da chi'ch dau, 'falla bydd y bobl yng Nghaerdydd yn falch o'ch gwasanaeth chi. Fyddwch chi ddim gwaeth o fynd lawr yno, ta beth.'

''Dydan ni ddim yn golygu mynd yno, Mr Rogers.' Ac estynnodd Crad ei lythyr ei hun.

Gwenodd y gweinidog wrth ei ddarllen.

'Crad, fachgen, ŷch chi'n rhoi syniad yn fy mhen i.'

'O?'

'Odych. Mae'r BBC yn moyn darlledu gwasanaeth o Salem y mis nesa' 'ma. Ond fel ŷch chi'n gwbod, wy' i 'di cael llwnc tost ers tro 'nawr, a . . .'

'Ond mae'n *rhaid* i chi ddarlledu, Mr Rogers. Os oes 'na rywun yng Nghymru fedar roi pregath werth 'i chlywad iddyn nhw, chi ydi hwnnw.'

'Ia, wir,' ategodd William Jones.

'Mae hi'n ddyletswydd arnoch chi. On'd ydi, Meri?'

'Be'?' gofynnodd ei wraig, a ddaethai i mewn i'r gegin atynt.

'Y BBC yn gofyn i Mr Rogers roi pregath ar y weiarles, a fynta'n mynd i wneud esgus 'i fod o'n sâl.'

'Wrth gwrs, y mae siarad am ryw hannar awr ar y weiarles yn dipyn o straen,' sylwodd Meri.

'Straen ne' beidio,' chwyrnodd Crad, ''dydi o ddim yn mynd i wrthod. Ydi o, William?'

'Nac ydi.' Edrychodd William Jones yn benderfynol, er na wyddai'n iawn sut y gallai ef a Chrad achub y gwasanaeth.

'Os pregethwch chi fel yr ydach chi'n gwneud bob Sul, Mr Rogers . . . Yntê, William?'

'Ia'n Tad.'

'Ond wy'n teimlo'n nerfus iawn wrth feddwl am ddarlledu, fechgyn. Odw, wir.'

'Twt, 'does 'na ddim byd yn y peth,' oedd barn Crad.

'Nac oes, 'neno'r Tad,' meddai'r clochydd.

'Gwneud hynny i'm cymell i yr ŷch chi, fechgyn. Ma'n well 'da fi gredu'r llythyr 'ma.'

'O, 'doeddan ni ddim yn meddwl postio'r llythyr 'na,' meddai Crad.

'Nac oeddan,' cytunodd ei frawd yng nghyfraith.

'Trio dychryn tipyn ar Meri yr oeddan ni am iddi hi sgwennu drostan ni i Gaerdydd.'

'Ia'n Tad, trio dychryn Meri.'

'Odych chi am fynd yno, 'ta?'

'Ydan, debyg iawn.'

'Ydan, 'nen' Tad.'

'Wel, 'rwy'n edmygu'ch gwroldeb chi, fechgyn. Odw, wir. A rhaid i finna gisho ymwroli.'

Aeth Mr Rogers ymaith heb iddynt weld y winc a daflodd ar Meri na'r wên slei a oedd yn ei llygaid hi.

'Wel, 'rŵan 'ta, William.' Ac wedi eistedd wrth y bwrdd a'i ethol ei hun yn gadeirydd ac ysgrifennydd y pwyllgor o ddau, cydiodd Crad yn y pin dur a thynnodd ddalen lân tuag ato. 'Be' oedd y darna oeddat ti'n adrodd yn y *Penny Reading* erstalwm, dywad?'

' "Bedd y Dyn Tylawd" oedd un.'

'Reit.' Ac ysgrifennodd Crad y pennawd hwnnw ar ei bapur.

'Ond 'dydw i ddim yn 'i gofio fo, fachgan.'

'Sut oedd o'n dechra?'

''Does gin i'r un syniad, wir. 'Roedd rhwbath am "fedd y dyn tylawd" yn niwadd pob pennill.'

'Ond fedri di ddim dechra adrodd yn niwadd pob pennill, na fedri?' A chwarddodd y cadeirydd.

'Na fedra. Croesa fo allan, Crad.'

'Reit. . . Be' arall, William?'

'Mi ddysgis i salm ar gyfar y Seiat ryw dro.'

'Pa salm oedd hi?'

' "Yr Arglwydd yw fy mugail".'

Ysgrifennodd Crad enw'r salm ar y ddalen.

'Ond 'dydw i ddim yn 'i chofio hi 'rŵan, mae arna' i ofn, Crad. A pheth arall, i'r BBC, nid i'r Seiat, yr ydan ni'n mynd.'

Nodiodd Crad, a chroesodd allan yr ail bennawd hefyd.

'Rhwbath arall, William?'

'Fedra i ddim meddwl am ddim, fachgan. Mi fydda Huw Lewis yn canu rhyw benillion digri hyd y bonc yn y chwaral, ond rhai go wirion oeddan nhw.'

'Sut oeddan nhw'n mynd?'

'Ar fy ffordd wrth fynd i Lundan
Mi welais deiliwr bychan,
Ac wrth ymgomio gydag ef
Ar ei lawes gwelais leuan.
Mi dynnis fy mhistol allan,
Mi saethis hi yn 'i thalcan,
A thwrw, twrw mawr yn dod i lawr . . .

Wn i ddim be' sy wedyn.'

Cytunodd y ddau na wnâi hwnnw mo'r tro.

'Wyt ti'n cofio rhai o'r penillion hynny y byddai'r hen Ddafydd Morus yn 'u hadrodd yn y caban ar awr ginio, William?'

'Rhai da oedd rheini yntê? 'Roedd gynno fo un am dafod merch, on'd oedd? Sut oedd o'n mynd, hefyd?

On'd ydyw yn rhyfeddod
Fod dannedd merch yn darfod?
Ond tra fo yn ei genau chwyth,
Ni dderfydd byth mo'i thafod.'

'Ia, dyna fo. A beth am hwnnw oedd yn sôn am 'i fron o fel gwydr?'

'Mi ddymunais fil o weithiau
Fod fy mron o wydyr golau,
Fel y gallai'r fun gael gweled
Bod y galon mewn caethiwed.'

'Ia. Wyt ti'n cofio chwanag?'

'Nac ydw, wir, fachgan. Be' amdanat ti, Crad?'

'Fydd y bôi yma ddim yn mynd yn agos i'r lle, 'ngwas i,' sibrydodd.

'Ond. . .?'

''Dydw i ddim wedi anghofio sut i golli f'anadl, William.'

Daeth Meri i mewn o'r parlwr gyda phentwr o lyfrau. 'Hwdiwch, stydiwch rai o'r rhain,' meddai.

Hanes a Chân, Rhys Lewis, Telyn y Dydd, Y Môr Canoldir a'r Aifft, Nedw, Telynegion Maes a Môr, Ceiriog—yr oedd yno ddigon o ddewis, a threuliodd y ddau weddill y prynhawn yn dethol darnau allan ohonynt. Ysgrifennodd Crad y rhestr yn ofalus ar ei ddalen o bapur—er budd Meri.

Galwodd Twm Edwards drannoeth i gynnig eu 'cyfarwyddo'. Taflodd olwg beirniadol ar y rhestr, ac yna, â'i fys ar 'Ora Pro Nobis' Eifion Wyn, gofynnodd, 'Pwy sy'n mynd i adrodd hwn?'

'Fi,' atebodd Crad.

'Reit. Gad i fi dy glywad di, Crad.'

Â winc ar ei frawd yng nghyfraith, taranodd Crad y llinellau cyntaf am y curlaw a thymestlwynt Tachwedd a'r derlwyn yn siglo i'w gwraidd. Rhuthrodd Meri i lawr o'r llofft.

'Grêt, w!' oedd barn Twm.

'Be' sy'n mynd ymlaen yma?' gofynnodd Meri.

'Practis ar gyfar nos Lun,' eglurodd ei gŵr.

'Nid fel'na yr wyt ti'n mynd i adrodd yno, gobeithio?'

'Ia. Pam?'

'Am fod gan y BBC beiriant i yrru dy lais di o Gaerdydd

i Gaergybi, os mynnan nhw. Insyltio'r peiriant ydw i'n galw'r fath weiddi.'

'O? Sut hynny?'

'Fydd dim o'i angan o. Mi fydd pobol yn Llan-y-graig yn dy glywad di'n iawn hebddo fo os wyt ti'n mynd i sgrechian fel'na.'

'Ond mae o'n ddarn dramatig, on'd ydi, Twm?'

'Odi, odi. Ond 'falla bod ti'n gorwneud dicyn bach.'

''Falla, wir. 'Rydw i wedi straenio fy ngwddw, beth bynnag.'

Gafaelodd pwl o besychu cas yn yr adroddwr, a suddodd yn llipa i'r gadair freichiau. Aeth Meri yn ei hôl i'r llofft.

Bu'r pyliau o golli anadl a phesychu yn rhai aml a ffyrnig tros y Sul, a chydiodd William Jones yn ei het droeon, gan fwriadu rhedeg am y meddyg. Teimlai fod Meri yn galon-galed iawn, yn diflannu bob tro i'r llofft neu i'r drws nesaf a'i gŵr yn y fath wasgfeydd.

'Wnaiff y pesychu 'ma ddim lles i'th lais di, Crad,' meddai hi fore Llun ar ôl brecwast, pan benderfynodd ei gŵr lithro i afael ffit arall. 'Mi laddodd blisman unwaith, cofia,' chwanegodd ar ei ffordd i'r gegin fach.

Gwisgodd y ddau eu dillad Sul yn y prynhawn, a phenderfynodd Meri, wedi taflu golwg beirniadol trostynt, y gwnaent y tro. Cydiodd mewn brws i dynnu'r llwch oddi ar eu dillad.

'Daria, nid i briodas yr ydan ni'n mynd,' chwyrnodd Crad.

Mynnodd Meri eu bod yn dal y trên dau er mwyn iddynt gael digon o hamdden uwch cwpanaid o de yng Nghaerdydd. William Jones a gariai'r ddau lyfr—*Rhys Lewis* a *Telyn y Dydd*—gan na chymerai Crad ffortiwn am gerdded trwy Fryn Glo 'yn edrach fel prygethwr cynorthwyol'.

Cawsant gerbyd iddynt eu hunain, a darllenodd William Jones yn uchel gynghorion Wil Bryan i'r pregethwr ifanc, Rhys Lewis.

'Un da oedd yr hen Wil,' meddai Crad, gan chwerthin. 'Gad i mi 'i drio fo.'

A chyda llais ysgafn, hwyliog, bachgennaidd, dechreuodd yntau ddarllen y darn—yn effeithiol dros ben, ym marn ei gydymaith. Ond safodd y trên yn Ynys-y-gog, a daeth clamp o ŵr tew i mewn atynt.

'Shwmâi?' meddai mewn llais dyfnach na rhu un tarw.

'Shwmâi?' atebodd Crad.

Suddodd y gŵr yn ôl i'w gongl, a syllodd y ddau arall drwy'r ffenestr dde ar y dyffryn lle cysgai'r hen eglwys a'r ffermydd gwyngalchog. Daethai diwydiant heibio i Ynys-y-gog, gan suddo pwll a chodi pentref rywsut-rywsut cyn brysio ymlaen i fyny'r cwm, ond arhosai'r dyffryn ar y dde yn ei dawelwch gwyrddlas o hyd. Cyn hardded ag unrhyw olygfa yn Llan-y-graig, meddai William Jones wrtho'i hun.

Tynnodd y gŵr tew amlen o'i boced, a dangosodd iddynt y cyfeiriad a oedd yn argraffedig ar y llythyr o'i fewn.

'*British Broadcasting Corporation,*' meddai.

Nodiodd y ddau.

'Trefor Jones yn ffaelu troi lan,' chwanegodd.

'Y canwr?' gofynnodd Crad.

'Ia. A ma'n nhw 'di gofyn i fi yn 'i le fa. Program sy'n mynd dros y byd i gyd.'

'Ydach chi wedi bod yno o'r blaen?' gofynnodd William Jones.

'Gannodd o witha, bachan. Wy'n cal weiar o Gardydd 'na bob wthnos. Ma'n nhw'n niwsans. Ond 'na fe!'

'Be' ydach chi'n ganu hiddiw?' oedd cwestiwn diniwed y chwarelwr.

'Rhaglen fach yn Gwmrag sy 'da fi 'eddi. "Arafa, don" yw un o' nhw.'

Rhythodd Crad ar y dyn, a ffrwydrodd 'Y?' syfrdan o'i enau. 'Solo i denor ydi honno,' chwanegodd.

'Tenor wy' i,' atebodd y llais a ddeuai, a barnu oddi wrth ei sŵn, o ddyfnder pob dyfnder.

Taflodd William Jones 'Ydi, wir, diwrnod reit braf' i'r distawrwydd anghysurus.

Rhewodd y distawrwydd hwnnw rhyngddynt am weddill y daith, a rhyddhad i'r chwarelwr oedd cael camu o'r trên yng ngorsaf Caerdydd.

'Tyd, mi awn ni am dro o gwmpas y siopa Crad,' meddai allan ar yr heol.

'Diawch, mae'n rhaid ein bod ni'n edrach yn rhai dwl, William! Y tebot iddo fo! Sbïa arno fo! Mae'r cradur yn rhy dew i symud bron. Tenor, myn coblyn i! Os ydi'r bôi yna'n denor, mi ydw inna'n ganeri. 'Does dim rhyfadd fod pobol yn cwyno am y stwff sy ar y weiarles 'na . . .'

'Tyd yn dy flaen.'

Troesant i'r chwith ar hyd ffordd fawr lydan y tramiau, a rhyfeddai William Jones at brysurdeb a harddwch yr heol. Mor fawr a nobl oedd y siopau a'r sinemâu! Safodd wrth ymyl un sinema anferth i gael golwg ar yr hysbysiadau a'r darluniau yn y cyntedd a oedd fel plas gorwych ac ynddo golofnau tal. Diar, piti na châi Wili John ac yntau brynhawn yma hefo'i gilydd.

'Dacw fo eto! Y lemon!'

'Pwy, Crad?'

'Y bwbach 'na oedd hefo ni yn y trên.'

'Twt, paid â chymryd sylw ohono fo.'

Aethant i mewn i siop *Marks and Spencer*, ac anghofiodd Crad ei ddicter wrth roi barn ar hyn a'r llall ar y cownteri. Prynodd William Jones declyn i blicio tatws, yn anrheg i Meri. Troesant wedyn i mewn i *Woolworth's*, a theimlai'r chwarelwr fel plentyn mewn siop deganau. Gwariodd chwe cheiniog ar gyllell i Wili John a chwe cheiniog arall ar bwrs bach glas i Eleri, ac yna cofiodd fod arno eisiau rhywbeth i ladd malwod yn yr ardd. Wedi iddo brynu blwch o dabledi anffaeledig ar gyfer y gwaith hwnnw. 'Be' arall sy arnon ni isio, Crad?' gofynnodd.

'Dim byd.'

'Oedd Meri ddim yn sôn bod arni isio sosban, dywad?'

'Gwranda, William. Os wyt ti'n meddwl fy mod i'n mynd i gario sosban i'r BBC 'na . . . Dacw fo eto! Y nefoedd, mae o'n dewach nag oedd o yn y trên!'

'Be' am gael te yma, Crad?'

'Reit.'

Ar ôl te crwydrasant heibio i'r castell ('Dim *patch* ar gastall Caernarfon' oedd barn William Jones amdano) ac yna drwy erddi tua'r Amgueddfa. Trawodd y cloc mawr uwch Neuadd y Ddinas hanner awr wedi pedwar.

'Mi awn ni i'r Miwsïam am dipyn, Crad.'

Daria, yr oedd yn rhaid iddo roi diwrnod i Wili John ac Eleri yng Nghaerdydd, meddai wrtho'i hun pan aeth i mewn i neuadd urddasol yr Amgueddfa. Gallai fforddio hynny, er bod ei arian yn o brin bellach. Taflai ffenestri'r gromen fawr yn y to ryw olau tyner, rhudd, tros farmor mur a llawr, a chamodd William Jones ar flaenau'i draed fel petai mewn rhyw deml sanctaidd iawn. Syllodd y ddau yn hir ar 'Hogyn y Tabwrdd', y cerflun pres o waith

Syr Goscombe John, ac yna i ffwrdd â hwy i fyny'r grisiau ar y dde.

'Y Corn Hirlais,' meddai William Jones wrth ymyl y cas ar ben y grisiau. Llefarai fel un ag awdurdod ganddo, er mai 'Hirlas' oedd y gair.

I mewn â hwy i oriel hardd.

'Ydi'r fedal sy gin ti yma, William?' oedd cwestiwn Crad wrth iddynt fynd heibio i gas o fedalau a fathwyd mewn gwahanol ryfeloedd.

'Ydi, fachgan. Dyma hi.'

Yr oedd yn yr oriel lawer piano hen o wahanol rannau o Gymru, gwisgoedd Cymreig o bob math, darluniau o hen dai a hen beiriannau, certi ac offer amaethyddol, ac amryfal bethau yn ddarluniau byw ynddynt eu hunain o fywyd cymdeithasol Cymru.

''Roedd fy nhad yn cofio gorfod gwisgo hwn, William,' meddai Crad.

'Be'?'

' "Welsh Not". Am siarad Cymraeg yn yr ysgol.'

Ym mhen draw'r oriel safai coits henffasiwn.

'Wyddost ti be' wnawn ni, William?'

'Be'?'

'Llusgo'r goits 'ma allan i'r ffordd a llogi dau ddyn i'w thynnu hi ffwl-sbîd at y BBC. Inni gael cyrradd mewn steil, wyt ti'n dallt. "Caradog Wilias a William Jones newydd gyrradd o'r ddeunawfed ganrif, bobol".'

Troesant i mewn i weld ystafelloedd y ffermdy Cymreig —cegin, llaethdy, parlwr, ac ystafell wely.

'Pwy fasa'n meddwl, yntê, Crad?'

'Meddwl be'?'

''I bod hi'n bosib' creu llun fel hwn o gegin ffarm. Pwy ddaru osod y petha yma wrth 'i gilydd, tybad?'

'Wn i ddim, wir, fachgan. Ond mae o'n dipyn o fôi, pwy bynnag ydi o.'

'Be' ydi'r cregyn mawr 'na sy ar y silff ben tân, dywad?'

''Does gin i'r un syniad, William.'

'Ôn nhw'n defnyddio rheina i alw'r gweision o'r caea at 'u bwyd,' meddai rhyw ddyn bach tew a ddigwyddai sefyll gerllaw. Credodd William Jones am ennyd mai llais Shinc a glywai, ond yr oedd y gŵr hwn yn dew a golwg lewyrchus arno. Daliai ddau lyfr o dan ei fraich a gwisgai sbectol â'i ffrâm o gorn du. Athro mewn ysgol neu goleg, efallai.

'Be' mae'r ysgub 'na o ŷd yn wneud yn hongian yn y to?' gofynnodd iddo.

'O, "y gaseg fedi" yw hon'na. Yn yr hen amser ôn nhw'n arfer cal seremoni ar ddiwedd y cynhaea' ac wedi'ny yn gwneud caseg fedi o'r ysgub ola' a'i hongian hi ar un o drawstia'r to.'

'Rhyw deimlad rhyfadd ydach chi'n gael wrth sefyll yma, yntê?' sylwodd William Jones wrtho.

'Shwd ŷch chi'n feddwl?'

'Wel, mae hi'n anodd egluro'r peth. Yr ydach chi'n sefyll y tu allan i'r gegin yn sbio ar y byrdda a'r dresal a'r cwpwrdd cornal 'na a'r droell a'r hen gloc, ac eto yr ydach chi'n teimlo eich bod chi y tu fewn, yn rhan o'r gegin rywsut. Fel petasech chi allan ac i mewn yr un pryd.'

Edrychodd Crad yn amheus ar ei frawd yng nghyfraith.

'Felly wy' inna'n teimlo bob tro wy'n dod yma,' meddai'r dyn tew. 'Fel 'tawn i'n galw mewn tŷ 'wy'n hen gyfarwydd ag e a'r bobl yn digwydd bod mas a finne'n aros iddyn nhw ddod 'n ôl. Yr hen wraig ôdd yn darllen y Beibl 'na newydd daro'i sbectol lawr a rhytag mas i gau'r beudy am y nos, ontefa? Odych chi 'di gweld *Plu'r Gweunydd*?'

'Lle?'

'Enw llyfyr yw a—gan Mr Iorwerth Peate, y dyn drefnws yr ystafelloedd Cymreig 'ma.'

'Naddo, wir, wchi.'

'Wel, ma' 'da fa soned am y gegin 'ma yn y llyfyr. Soned fendigedig—yr hen gloc yn dal i dipian yn araf a phopeth arall yn llonydd o'i gwmpas a. Ac ŷch chi'n gwbod shwd ma' fa'n cwpla'r soned?'

'Na wn i, wir.'

'Fel hyn: "Ai oddi cartref pawb? . . . Dic doc, dic doc." Lled dda, ontefa! . . . Wel ma' rhaid i fi fynd. Diwetydd da i chi'ch dou.'

'Pnawn da.'

Bu'n rhaid iddynt hwythau droi ymaith ac i lawr y grisiau, gan fod yr Amgueddfa'n cau am bump.

'Rhaid inni ddŵad â Wili John ac Eleri i lawr yma ryw ddiwrnod, Crad. Mi fydd gweld yr ystafelloedd 'na yn addysg iddyn nhw.'

'Bydd.'

'Oedd gan dy fam ddim canhwyllarn dwbwl fel hwn'na welson ni yn y gegin, dywad?'

'Nac oedd.' Aethai Crad yn ŵr tawedog iawn.

Crwydrodd y ddau yn araf heibio i Neuadd y Ddinas, gan loetran wrth y mur uwchlaw'r gamlas a fuasai unwaith yn cludo glo a haearn o Ferthyr i borthladd Caerdydd. Lle bu gynt ysgraffau llwythog yn rhwygo'r dŵr, a thwrf ceffylau a gyrwyr ar y lan, nid oedd yn awr ond llonyddwch y llysnafedd gwyrdd ar wyneb y gamlas, a'r borfa'n tyfu'n wyllt tros y llwybr ar ei min. Dychwelodd y ddau tua'r Amgueddfa, gan droi i mewn i'r gerddi o'i blaen. Eisteddasant ar un o'r seddau yno, yn ddau ŵr mud a phell. Hanner awr wedi pump, meddai'r cloc uwch Neuadd y Ddinas cyn hir.

'Hannar awr eto, Crad.'

'Ia.'

'Diar, mae Caerdydd 'ma yn lle hardd, fachgan!'

'Ydi.'

''Roedd y dyn 'na welson ni yn y Miwsïam yn un reit ddiddorol, on'd oedd?'

'Oedd.'

'Rhes dda o diwlips, yntê?'

'Ia.'

'Cerrig Gorsadd ydi'r rhain o'n blaena ni, mae'n debyg?'

'Ia, am wn i.'

'Mae'r eiddew 'na sy'n tyfu trostyn nhw yn rhoi rhyw olwg gynnas iddyn nhw, on'd ydi?'

'Ydi.'

'A chochni'r cerrig 'u hunain, wrth gwrs.'

'Ia.'

Yr oedd gallt y sgwrs yn un go serth. Bu tawelwch hir.

''Dydw i ddim yn credu bod y dyn hwnnw welson ni yn y trên yn ganwr o gwbwl, Crad. Wyt ti?'

'Ydw.'

'Y?'

'Nac ydw.'

Agorodd William Jones ei *Delyn y Dydd.*

'Be' ydi ystyr "Ora Pro Nobis"?' gofynnodd.

'Gweddïwch trosom ni.'

Chwarddodd y chwarelwr, gan feddwl mai ymgais at ddigrifwch oedd y cyfieithiad. Edrychodd Crad yn gas.

'Be' goblyn wyt ti'n chwerthin?' meddai. 'Dyna oedd Arfon yn ddeud.'

Pum munud o dawelwch, ac yna trawodd y cloc mawr chwarter i chwech.

'Mi awn ni'n ara' deg, Crad. Mae'n well inni fod yn rhy hwyr nag yn rhy fuan, on'd ydi?'

'Y?' Yr oedd Crad yn gas eto.

'Yn rhy fuan nag yn rhy hwyr oeddwn i'n feddwl.'

Tros y ffordd o'r Amgueddfa yr oedd y BBC, yn ôl Twm Edwards. Cerddodd y ddau yn araf heibio i'r lle, gan gymryd arnynt nad oedd ganddynt yr un diddordeb ynddo. Yn yr ystafell ar y dde eisteddai ychydig o bobl wrth fyrddau bychain yn ymgomio ac yn yfed te, a daeth hwrdd sydyn o chwerthin o'r bwrdd agosaf i'r ffenestr. Gwgodd Crad tuag ato. Gwelent trwy'r ffenestr ar y chwith ddynion wrth beiriannau cywrain, a rhoes Crad ei law wrth ei foch. 'Wyt ti'n siŵr nad ydyn nhw ddim yn bwriadu tynnu'n dannadd ni yn y lle 'na, William?' gofynnodd.

Troesant yn eu holau a cherdded yn dawel o ddewr tua'r porth. Daeth hwrdd arall o chwerthin o'r bwrdd wrth y ffenestr. Yn nrws yr adeilad safai gŵr mewn gwisg swyddogol â thair streip ar ei fraich. Sylweddolodd William Jones ymhen ennyd nad oedd Crad wrth ei ochr mwyach. Rhuthrodd ar ei ôl.

'Crad! Crad!'

'Mi fydda' i yn y stesion, William.' Ac i ffwrdd ag ef fel gafr ar daranau.

Dangosodd y chwarelwr lythyr y gwahoddiad i ŵr y tair streip ac eglurodd fod Mr Caradog Williams wedi ei daro'n wael gartref, yn wael iawn. Arweiniwyd ef i ystafell-aros, ac eisteddodd yn bryderus ar fin un o'r cadeiriau â'i het galed ar ei lin. Pum munud i chwech, meddai'r cloc. 'Ia, wir,' oedd sylw William Jones wrtho'i hun, a'i fysedd yn ceisio chwarae alaw ar gantel ei het.

Daeth gŵr ifanc i'r drws cyn hir.

'Mr Caradog Williams?' meddai.

'No, he's. . . he's. . . can't come. . . very ill.'

'Mr William Jones?'

'Yes, sir.'

'Sut ydach chi, Mr Jones?' Ac estynnodd ei law.

'Go lew, wir, thanciw. Mr Lloyd?'

'Ia.'

Eisteddodd y gŵr ifanc wrth ei ymyl.

'Gogleddwr ydach chi, yntê, Mr Jones?'

'Ia, o Lan-y-graig, Sir Gaernarfon.'

'Tewch! Un o Lan-dŵr ydw inna. Ers faint ydach chi i lawr yn y Sowth 'ma?'

'Ers yn agos i flwyddyn bellach.'

''Rydach chi'n dipyn o actor, yr ydw i'n dallt.'

'Wel, nac ydw, wir, ond fod Meri, fy chwaer, yn meddwl fy mod i ar ôl imi actio mewn rhyw ddrama ym Mryn Glo 'cw. Ond wn i ddim mwy am actio na thwrch daear. . . Hynny ydi,' chwanegodd yn frysiog heb wybod yn iawn sut i orffen y frawddeg.

'Wel, gan fod Mr Caradog Williams yn methu â bod yma, mi wrandawn ni arnoch chi'n gynta'. Y ffordd yma, Mr Jones.'

Aethant i mewn i stiwdio a rhoddwyd y chwarelwr i sefyll o flaen meicroffôn. Gostyngodd y gŵr ifanc fraich y peiriant, gan fod William Jones mor fyr.

'Dim ond i chi siarad i mewn i hwn,' meddai. 'Oes gynnoch chi ryw ddarna arbennig yr hoffech chi inni wrando arnyn nhw? Os nad oes, dyma i chi nifer o betha yn y sgript yma. Mi siarada' i hefo chi drwy'r *loud-speaker* 'na mewn munud.'

Aeth Mr Lloyd ymaith, ac edrychodd William Jones o'i gwmpas yn ofnus. Ni feiai Grad am ddianc am ei fywyd; yn wir, teimlai yntau yr hoffai gilio drwy'r drws yn slei bach. Byddai'n bur hawdd iddo wneud hynny a rhoi rhyw esgus brysiog i'r swyddog yn y cyntedd. I be' goblyn yr oedd Meri eisiau ysgrifennu i'r lle yma? Crynai ei ddwylo wrth iddo chwilio am 'Ora Pro Nobis' yn *Nhelyn y Dydd.* Bu bron iddo â neidio o'i groen pan dorrodd llais o'r blwch du mawr y tu ôl iddo.

'Reit, Mr Jones. Gawn ni glywed eich darn cynta' chi, os gwelwch chi'n dda?' Llais Mr Lloyd ydoedd.

Undonog a chrynedig oedd y darlleniad, tebyg iawn i ymgais Wili Jôs yn y *Band of Hope* erstalwm.

'Wel, ma' fa 'di dysgu darllen, 'ta beth, bois,' oedd sylw un o'r tri gŵr a wrandawai yn y pen arall. 'Ond ma' fa bron â llefan.'

'Diolch, Mr Jones,' meddai'r llais o'r blwch pan gyrhaeddodd yr adroddwr ddiwedd y gân. 'Eich darn nesa' 'rŵan, os gwelwch chi'n dda.'

Daeth y bysedd crynedig o hyd i gynghorion Wil Bryan i'w gyfaill Rhys Lewis.

'O'n i'n credu taw bachan doniol ôdd Wil Bryan,' meddai'r gŵr digrif a eisteddai wrth ochr Mr Lloyd yn yr ystafell-wrando.

Arhosodd William Jones ymhen tipyn, gan deimlo i Wil Bryan roi gormod o gynghorion i Rys.

'Ydach chi isio chwanag o hwn?' gofynnodd. 'Go hir ydi o, yntê?'

'Ia, braidd, Mr Jones,' atebodd llais Mr Lloyd. 'Triwch rai o'r darna sy'n y sgript 'na.'

Disgrifiad go farddonllyd oedd y cyntaf, darlun o fachlud yn chwalu ei aur a'i oraens a'i borffor i'r môr. Swniai William Jones, ar waethaf yr ansoddeiriau lliwiog, fel petai'n dyfynnu o lyfr rhent.

'Trowch i'r drydedd dudalen 'rŵan, Mr Jones. Hannar munud, mi ddaw rhywun i'r stiwdio atoch chi i ddarllen part y Stiward.'

Ymgom rhwng chwarelwr a Stiward a oedd ar y ddalen, ac ymunodd gŵr ifanc â William Jones wrth y meicroffôn. Agorodd Emrys Lloyd ei lygaid wrth wrando arnynt.

'Gwranda, Ellis,' meddai wrth y dyn a eisteddai gydag ef.

'Odi, ma' William Jones yn actor wrth bido ag acto,' sylwodd Ellis Owen, un arall o swyddogion y BBC.

'Yr un darn drosodd eto, os gwelwch chi'n dda,' meddai Emrys Lloyd wrth y stiwdio. 'A'r tro yma, Mr Jones, triwch swnio'n fwy ofnus ar y dechra ac wedyn, yn y diwedd, mi liciwn i'ch clywad chi'n colli'ch tempar dipyn.'

'Y llais bach mwya' diniwad glywes i 'riôd, Emrys,' meddai Ellis Owen, gan godi a cherdded o gwmpas yr ystafell-wrando. 'Y feri llais yr wy' i'n whilo amdano fa.'

'I be'?'

'I'r *serial.*'

'*Y Pwll Du*?'

'Ia.'

'Ond mewn pwll glo mae honno'n digwydd.'

'Ia, ond ma' 'da fi Ogleddwr bach ynddi hi—dyn bach ofnus a nerfus sy'n troi'n dicyn o arwr cyn y diwedd. A 'ma fe, Emrys, 'ma fe! William Jones!'

'Mae arna' inna isio William Jones hefyd ar gyfer *Y*

Chwarelwr. Mi fydd yn fendigedig fel Huw Parri, dyn bach diniwad sy gin i yng nghanol y rhaglen.'

'Ond o'n i'n meddwl taw am ricordo'r *Chwarelwr* yn y Gogledd ôt ti?'

'Y rhan fwya' ohoni hi. 'Rydw i'n mynd i fyny yno 'fory. Ond mae'n rhaid imi wneud dwy neu dair o'r golygfeydd yn y stiwdio. A mi fydd llais William Jones . . . Tyd, mi awn ni â'r hen gyfaill i'r cantîn am baned.'

'Ond beth am yr *audition* nesa'?'

'Hannar awr wedi chwech. Tyd.'

'Reit. William Jones am byth!'

'William Jones am byth! 'Roeddwn i wedi dechra syrffedu ar gynnal yr *auditions* 'ma, Ellis, ond diolch i'r nefoedd fod 'na amball un fel William Jones yn dŵad i'r golwg weithia. Hannar munud, mi reda' i i nôl sgript *Y Chwarelwr.*'

Aethant â William Jones i'r ystafell lle gwelsai ef a Chrad y byrddau bychain, ac yno, uwch cwpanaid o de, teimlai'n fwy cartrefol. Piti i'r hen Grad redeg i ffwrdd, hefyd!

'Mae arna' i isio i chi gymryd rhan mewn rhaglen am y chwaral ddiwadd yr wsnos nesa', Mr Jones,' meddai Lloyd, 'ac mae gan Mr Owen 'ma waith i chi mewn *serial* sy'n dechra yr wsnos wedyn.'

'Wel, na, wir, mi fasa'n well gin i beidio, diolch i chi yr un fath.'

'Ond . . .'

'Fy nghalon i, ydach chi'n dallt. A'r doctor wedi fy warnio i, wchi.'

'Ond . . .'

'Diolch i chi yr un fath, yntê?'

Edrychodd y ddau ŵr ifanc ar ei gilydd yn syn. Pam gynllwyn y daethai'r dyn i'r arbraw oni fwriadai ddarlledu?

'Teimlo'n nerfus yr ydach chi, Mr Jones?' gofynnodd Lloyd.

'Dipyn bach, wchi.'

'Wel, 'does dim rhaid i chi. Rhan fechan fydd gynnoch chi yn *Y Chwarelwr,* gan fy mod i'n bwriadu ricordio'r rhan fwyaf o'r rhaglen yn y Gogledd. Dyma'r sgript.'

Ymgom rhwng dau bartner o chwarelwyr yn y wal oedd cychwyn y rhaglen, a darllenodd William Jones hi â diddordeb mawr.

'Go dda, wir,' meddai. 'Ond fyddwn ni byth yn deud "swp o lechi", wchi.'

'O?'

'Na, "pentwr o lechi" ddeudwn ni yn y chwaral.'

'Diolch, Mr Jones. Mi newidia' i hwn'na.'

'Nid "llechi" faswn i'n roi yn fan'na, Mr Lloyd.'

'Ymh'le?'

'Lle mae'r dyn sy'n hollti yn trosglwyddo'r cerrig i'w bartnar. "Crawia" ddeudwn ni, nid "llechi".'

'Campus, Mr Jones. Diolch yn fawr i chi.'

'Ac wedyn yr ydach chi'n sôn am "gŷn bach". 'Dydan ni byth yn defnyddio'r "cŷn bach" yn y wal, wchi.'

'Ond cŷn bach sy gynnoch chi yno, yntê?'

'Ia, ond "cŷn manollt" fyddwn ni'n 'i alw fo. Yn y twll yr ydan ni'n defnyddio'r "cŷn bach"—hefo gordd haearn i hollti plyg ne' i dorri piler go hir yn ddau iddo fo gael bod yn hwylus i'w daro ar y wagan. Na, "cŷn manollt" a'r "ordd bren fach" yn y wal bob amsar, Mr Lloyd.'

'Wel, wir, Mr Jones, yr ydw i'n ddiolchgar iawn i chi. A gwrandwch, y mae'n *rhaid* i chi gymryd rhan yn y rhaglen yma, doctor ne' beidio. Mi fydd 'na well siâp arni hi pan ddo' i'n fy ôl o'r Gogledd wedi i rai o'r chwarelwyr fynd drosti hi'n ofalus, ond ŵyr neb yn y byd pa newid fydd yn rhaid imi'i wneud yma yn y stiwdio ar y munud ola'. Felly, mae'n *rhaid* i chi fod yma.'

'Wel, os medra' i fod o help i chi, Mr Lloyd . . .'

'Ac ma' *rhaid* i chi ddod miwn i'r *serial,*' meddai Ellis Owen. 'I 'weud y gwir, wy' ddim yn cretu'r stori 'na am y doctor. Odw i'n reit?'

'Wel . . .' A gorffennodd William Jones ei gwpanaid o de.

Wrth y drws ar ei ffordd allan, pwy a welai'n cyflwyno'i lythyr i ŵr y tair streip ond y 'canwr' tew a ddaethai i mewn i'r trên yn Ynys-y-gog.

'Sid Jinkins, Ynys-y-gog,' meddai ei ryferthwy o lais. '*Audition. Six-thirty.*'

'Dowch i mewn i'r ystafell-wrando am eiliad, Mr Jones,' meddai Emrys Lloyd, 'imi gael rhoi amsera'r rhaglen am y chwarel i chi. Dos di â'r dyn tew 'na i'r stiwdio, Ellis.'

Arhosodd William Jones am funud i wrando ar y 'canwr' yn darlunio'r haul yn machlud. 'Llithrai'r haul yn araf tros y penrhyn, gan fwrw ei aur a'i borffor i'r môr', oedd y frawddeg gyntaf. Dyna oedd y geiriau, ond yr hyn a ddywedai goslef y darllenwr oedd, 'Tynnodd yr ysgerbwd ei benglog a'i daro dan ei fraich cyn dawnsio ar y bedd.'

Brysiodd y chwarelwr tua'r orsaf. Yno, yng nghongl y sedd hir wrth fur y swyddfa-dicedi, eisteddai Crad mewn unigrwydd ac amynedd mawr. Neidiodd ar ei draed pan welodd ei frawd yng nghyfraith.

'Tyd, mi gei di ddeud y stori wrtha' i yn y trên,' meddai. 'Mae 'na un ar gychwyn 'rŵan.'

'Yr argian fawr!' 'Wel, da drybeilig, William!' 'Mi fydd Meri wrth 'i bodd, fachgan,' a sylwadau tebyg a saethai o'i enau yn y trên.

'Mi glywis i 'u bod nhw'n talu'n reit dda hefyd,' sylwodd wedi cael holl fanylion yr hanes.

Ni feddyliasai William Jones am hynny. Cofiodd nad oedd ganddo ond rhyw ddecpunt ar ôl yn y Llythyrdy, a rhoddai'r gwaith hwn fis neu ddau eto iddo ym Mryn Glo. Diawch, yr oedd hi'n werth iddo wneud ei orau er mwyn hynny.

Cerddai Crad o orsaf Bryn Glo fel gŵr a gyflwynasai ryw wrhydri rhyfeddol. Sgwariai ei ysgwyddau a daliai ei ben yn uchel, a bu'n rhaid i William Jones ofyn iddo arafu ei gamau cyn hir.

'William i fod ar y weiarles, Meri!' gwaeddodd cyn gynted ag yr agorodd ddrws y tŷ.

Ef a adroddodd yr hanes wrthi—yn ei ffordd ei hun. Swm a sylwedd y stori gyffrous oedd na fuasai erioed, ym marn swyddogion y BBC, actor tebyg i William ar gyfyl y lle, undyn â llais mor beraidd, neb â dychymyg mor fyw.

'Sut y doist *ti* ymlaen, Crad?' gofynnodd hithau pan ddaeth taw ar yr huodledd.

'O, fy llais i braidd yn gryg, meddan nhw. Yr hen aflwydd 'ma sy ar fy mrest i, mae'n debyg.'

'Fyddan nhw'n eich clwed chi yn Llan-y-graig, Wncwl?' oedd cwestiwn Wili John.

'Byddan, am wn i, wir, fachgan.'

'Rhyfadd meddwl amdanat ti i lawr yng Nghaerdydd 'na,' meddai Crad, 'a'th lais di i fyny yn nhŷ Bob Gruffydd a Thwm Ifans. Diawch, mi rown i ffortiwn am weld wynab Ifan Siwrin, fachgan! Rhaid iti yrru gair at Bob. Mi fydd pob set yn Llan-y-graig yn mynd y noson honno.'

Galwodd Twm Edwards amser swper, yn dyheu am wybod sut hwyl a gawsent. Manteisiodd Crad ar gyfle arall i bentyrru ansoddeiriau ar athrylith William Jones.

''Na fe, 'ti'n gweld, Crad,' oedd sylw Twm. 'Y drilad gafodd a 'da fi yn y ddrama.'

Brysiodd Meri i gynnig brechdan arall i'w gŵr.

12 *UN ACTOR*

Prin y mae eisiau d'atgoffa, ddarllenydd hynaws, am orchestion diorchest William Jones ar y radio. Cofi amdano fel y pysgotwr Huw Parri yn *Y Chwarelwr,* ac fel Ben Roberts, y Gogleddwr nerfus ond hynod garedig a dewr, ym mhenodau'r ddrama-gyfres, *Y Pwll Du*. Ym mhob pennod ond un. Bu farw, mor dawel a di-sôn ag y buasai fyw, yn y bumed, gan ddwyn y dagrau'n llif i'th lygaid. 'Nos dawch, yr hen hogia,' meddai wrth droi ei wyneb tua'r mur, a'r munud nesaf clywai'r glowyr eraill sŵn yr achubwyr yn torri llwybr drwy'r cwymp. Ond nid oedd modd deffro William Jones—nage, Ben Roberts, onid e? Neu efallai iti ei gael ar ei orau fel 'ymofynnydd pryderus' yn y gyfres *Holi ac Ateb?* Pan holai'r Meddyg, swniai fel petai'n cael annwyd a chur yn ei ben bob yn eilddydd ac iddo grwydro'r byd i chwilio am feddyginiaeth, ac wrth iddo holi'r Garddwr, hawdd oedd tybied mai rhyw Job â'i amynedd yn ddiderfyn a welai'r malltod ar ei ffa a'r malwod hyd ei fresych ac adar y greadigaeth yn difa'i afalau. Ac, wrth gwrs, fe gofia'r plant am William Jones fel Sam, y milwr ungoes, yn *Y Siop Deganau*.

Prin y mae eisiau d'atgoffa am hyn oll, ond rhyw olwg o hirbell a gefaist ti ar y darlledwr, wedi'r cwbl. 'Go dda, wir!' neu 'Symol iawn!' meddit, yn ôl dy chwaeth a'th hwyl ar y pryd, a gwelaist, fel finnau, ddau neu dri o lythyrau ffyrnig—a dienw—yn un papur newydd yn cyhoeddi bod gwell actorion na William Jones ym mhob pentref yng Nghymru a'i bod hi'n hen bryd i'r BBC roi cyfle iddynt. Pan ddarllenodd y pechadur y llythyr cyntaf un bore yn y *Workmen's* ym Mryn Glo, cytunodd ag ef ar unwaith. Ond yr oedd Crad yn wyllt.

'Y bwgan iddo fo!' meddai rhwng ei ddannedd.

'Pwy?'

'Y bôi tew hwnnw o Ynys-y-gog. Yr ydw i'n siŵr mai fo sgwennodd y llythyr. Y 'sgerbwd! Y tebot!'

Ond nid oedd y dyn bach mor sicr, oherwydd gwyddai gystal â neb am ei ddiffygion fel actor. Teimlai'n grynedig o hyd bob tro yr âi ar gyfyl y meicroffôn, a mawr oedd amynedd Emrys Lloyd a'r swyddogion eraill lawer gwaith wrth geisio sicrhau'r oslef iawn neu'r pwyslais cywir. Ond cytunent fod mwy ym mhen William Jones nag a freuddwydiasent ar y cychwyn. Cadwai ei naturioldeb syml bob gafael, a rhoddai weithiau ryw arwyddocâd newydd, hollol annisgwyl, i ambell frawddeg. Nid oedd iddo un arlliw o'r 'actor' yn ôl syniadau Twm Edwards; ni thynnai ystumiau er mwyn eu tynnu. Pur gyfyng, fel y cofi, oedd cylch ei waith ar y radio—y dyn bach gwylaidd neu'r dyn bach ffwndrus bob tro—ond yr oedd, ym marn llawer, yn ddiguro fel cymeriad felly. Y feirniadaeth a glywais i amlaf oedd mai'r un un oedd ef ym mhob darllediad—fel Huw Parri, fel Ben Roberts, fel y milwr ungoes, ac efallai mai gwir y gair. William Jones oedd William Jones, ond dadleuai rhai fod hynny'n gryfder ynddo. Yn ffodus, adrodd ei hanes yw fy ngwaith i, nid ei amddiffyn na'i glodfori.

Ni chlywais i erioed farnau mor wahanol ar unrhyw bwnc o dan haul. 'Gwych! Rhyfedd o naturiol!' oedd sylw Mr Rogers wrth ei wraig ar ôl gwrando ar *Y Chwarelwr*. ''Oples, bachan. Wy' ddim yn deall bois y BBC 'na,' meddai Twm Edwards wrth Shinc y bore trannoeth ar eu ffordd i godi tatws yn yr alotment. 'Dim digon o snap,' oedd dedfryd Jack Bowen. 'Y tempo yn berffaith, William,' meddai David Morgan. Dywedai rhai iddo swnio'n rhy lenyddol, eraill fod ei acen Ogleddol yn rhy amlwg, rhai . . . Ond ymlaen—neu yn ôl—â'r stori.

'Nid i briodas yr ydw i'n mynd, Crad,' meddai William Jones, ar gychwyn i Gaerdydd i'r ymarfer cyntaf ar gyfer *Y Chwarelwr*.

''Rwyt ti'n colli dy wallt yn o ddrwg, 'ngwas i,' oedd ateb y gŵr â'r brws.

'Mynd yn hen, wel'di. Mi fydda' i'n dair ar ddeg a deugain yr wsnos nesa'.'

'Taw, fachgan! Rhaid inni gael te-parti . . . Reit, mi wnei di'r tro 'rŵan. Hannar munud, imi gael taro'r brws 'ma dros dy het di.'

Aeth Crad gydag ef i'r orsaf, gan gerdded yn bur dalog. 'Pwy ŷn nhw'n feddwl ŷn nhw?' gofynnodd Twm Edwards i'r hysbyslen a ddarllenai y tu allan i Neuadd y Gweithwyr.

Gan fod y rhan fwyaf o'r rhaglen wedi'i recordio ymlaen llaw, dim ond pedwar actor a oedd yn y stiwdio. Teimlai William Jones, ar y ffordd i'r lle â'r sgript o dan ei fraich, fod y BBC yn talu arian da iddo am y nesaf peth i ddim—tair golygfa, un wrth droed y graig cyn tanio, un yn y caban-ymochel, a'r llall eto yn y fargen ar ôl y ffrwydriad. Diar, haerllugrwydd oedd cymryd y pres am gyn lleied o waith. Ond sylweddolodd yn fuan iawn yn y stiwdio fod yn rhaid iddo fod ar flaenau'i draed bob ennyd. Torrai rhyw sŵn neu'i gilydd o flaen neu yng nghanol llawer o frawddegau Huw Parri, a chan mai o stiwdio arall neu oddi ar recordiau y deuai'r sŵn, ni chlywai William Jones mohono. Felly, rhaid oedd iddo aros am arwydd—fflach o olau gwyrdd yn belydryn ar fur y stiwdio—cyn dweud ambell frawddeg, a rhyw brofiad go annifyr oedd yr aros hwnnw. Yn y caban-ymochel, er enghraifft, ceisiai swnio'n hollol ddidaro ond, a'i lygaid eiddgar yn gwylio'r pelydryn ar y mur, nid hawdd oedd hynny. Rhoddai disgwyl anesmwyth William Jones yn y stiwdio gyffro annaturiol yn llais Huw Parri yn y caban-ymochel, a chafodd Emrys Lloyd gryn drafferth gyda'r darn hwnnw. Efallai y cofia'r darllenydd beth o'r ymgom.

HUW PARRI: Mae 'sgotwr da yn gwneud 'i blu'i hun bob amsar. Mi fydda' i, beth bynnag.

(Sŵn y ffrwydriadau dipyn yn nes.)

ROBIN HUWS: Maen nhw'n tanio'n o brysur tua'r Twll Mawr 'na hiddiw.

HUW: Bydda', 'nen' Tad. A mi ddigwyddodd peth rhyfadd iawn yn y tŷ 'cw un noson. 'Ro'n i wedi gorffan gwneud *March Brown,* a dyna lle'r oedd y ddau bry' gin i ar ddarn o bapur glân ar y bwrdd.

ROBIN: Pa ddau bry'?

HUW: Yr un o'n i wedi'i wneud a'r un go-iawn o'n i'n ddefnyddio fel patrwm. Wel, wir, fedra' neb ddeud y gwahaniaeth rhyngddyn nhw, wchi. A phan o'n i'n edrach arnyn nhw, dyma bry' copyn mawr yn dŵad i lawr 'i we o'r to ac yn cerddad o gwmpas y papur i sbio ar y ddau bry'.

(Sŵn ffrwydriad agos.)

Wel, wnes i ddim meddwl y basa'r pry' cop. . . Dyna fo, Robin.

ROBIN: Ia, ffrwydriad go dda hefyd, Huw.

(Sŵn y plygion a'r mân gerrig yn syrthio o'r graig.)

HUW: Mae 'na blygion go fawr yn fan 'na, mi gei di weld. Mi rois i ddigon o bowdwr ynddo fo y tro yma. . . A fel 'ro'n i'n deud, dyma'r pry' cop yn sbio ar y ddau bry' ac yn cydio yn un ohonyn nhw, a chyn i mi gael cyfla i'w stopio fo, i ffwrdd â fo i fyny i'r to. A wyddoch chi pa bry' ddaru o gymryd?

ROBIN: Yr un go-iawn, wrth gwrs.

HUW: Wel, naci, fachgan. Fy mhry' i! Fy mhry' i! Mi ddiflannodd hefo fo i ryw dwll bach yng nghongol y *ceiling*, a dyna'r dwytha' welis i o'r *March Brown* hwnnw, y pry' bach gora' wnes i 'rioed.

(Sŵn y Corn Heddwch.)

Dyna'r 'heddwch', hogia. Tyd, Robin, inni gael gweld pa lanast' wnaeth y powdwr 'na. Tyd, mae digon o isio cerrig arnon ni y mis yma ar ôl llosgi cymaint o bowdwr i ryddhau dim ond baw o'r hen graig 'na. Tyd . . .

Nid oedd angen swnio'n gyffrous wrth sôn am y 'plygion go fawr', er enghraifft. Digwyddiad cyffredin, pob-dydd, i chwarelwr oedd gwrando ar ffrwydriad yn y twll amser saethu. Ond â'i lygaid disgwylgar yn rhythu ar fur y stiwdio i weld y golau, anodd ar y cychwyn oedd i William Jones ymddangos yn ddidaro, a bu beth amser cyn dysgu'r gelfyddyd o giledrych am y golau gwyrdd. Yr oedd eisiau iddo weiddi tipyn hefyd mewn un olygfa, ac ni fedrai yn ei fyw gofio camu'n ôl yn gyflym a throi ei ben ymaith. Ond ei bechod parod oedd siarad wrth ei gyd-actorion yn lle wrth y meicroffôn. 'Tyd, Robin,' meddai, gan droi at yr actor gerllaw iddo, a swniai ei lais, yn ôl Emrys Lloyd, yn dawel a phell. Anghofiai mai'r meicroffôn oedd 'Robin' a phob cymeriad arall y dywedai rywbeth wrtho, a bod yn rhaid iddo daflu ei sylwadau i'r teclyn bob gafael. Yn wir, y peiriant hwnnw a deyrnasai yn y stiwdio; ato ef yr oedd yn rhaid gwyro ymlaen i sibrwd, arno ef yr oedd rhywun i wenu neu wgu, ac oddi wrtho ef yr oedd eisiau neidio'n ôl mewn braw. Yr oedd yn dda gan William Jones glywed llais Emrys Lloyd yn cyhoeddi seibiant a chyfle am gwpanaid o de.

Pan gyrhaeddodd Fryn Glo, yr oedd Crad yn yr orsaf yn ei gyfarfod, er ei bod hi'n tywallt y glaw. Teimlai William Jones yn ddig wrtho. Cawsai Crad wanwyn a dechrau haf pur hapus, ond daethai gyda'r tywydd poeth byliau o wendid trosto a blinai'n fuan iawn. Dychwelasai'r colli anadl hefyd, a châi ambell noson a'u dychrynai fel teulu.

'Be' goblyn oeddat ti'n dŵad allan heno?' oedd cyfarchiad y chwarelwr.

'Sut hwyl gest ti, William?' oedd yr unig ateb.

Am chwarter wedi wyth y noswaith ddilynol y darlledid *Y Chwarelwr,* ond yr oedd rhaid i William Jones fod yn y stiwdio am hanner awr wedi pump ar gyfer yr ymarfer terfynol. Aethant drwy'r rhaglen i gyd am chwarter i saith, ac ymddangosai Emrys Lloyd yn bur fodlon arni pan yrrodd yr actorion am gwpanaid o de tua chwarter i wyth. Dywedodd William Jones droeon wrtho'i hun ac wrth y rhai o'i gwmpas fod y te yn dda iawn. Nerfus? Dim peryg'!

'Triwch gofio troi dalen eich sgript yn berffaith ddistaw, Mr Jones, rhag i'r sŵn fynd i'r meic,' oedd cyngor olaf Mr Lloyd iddo. 'Pob hwyl i chi!'

Ym Mryn Glo, aethai Crad i'r drws nesaf ryw awr yn rhy gynnar.

'Faint ydi hi o'r gloch, Meri?' gofynnodd ychydig wedi saith.

'Rhyw bum munud wedi saith.'

'Mi a' i draw i'r drws nesa' i fod yn barod.'

'Ond diar annwl, am chwartar wedi wyth y mae'r peth.'

'Ia, ond 'falla... 'falla y byddan nhw'n dechra'n gynnar, wsti.'

''Dydyn nhw byth yn gwneud hynny, Crad.'

'O, ydyn. Mi glywis i am ryw raglan yn dechra awr cyn 'i hamsar.'

'Chlywist ti ddim o'r fath beth. Ista wrth y tân 'na.'

'Mi a' i draw at Dai Morgan am sgwrs.'

Ymgasglodd y teulu i gyd o gwmpas set-radio Idris Morgan tuag wyth o'r gloch. Pur gyfyng oedd hi yn y parlwr, gan fod yno organ go fawr a silffoedd llyfrau a bwrdd-ysgrifennu yn ogystal â'r dodrefn arferol, ond dygasai Mrs Morgan gadeiriau o'r gegin, ac yr oedd Wili John ac Eleri'n falch o gyfle i eistedd ar glustogau ar y llawr. Troesai Idris yr ystafell yn rhyw fath o stydi, a gwnaethai ei dad ysgwâr o bren, â brethyn oddi tano i'w gadw rhag llithro, i'w osod ar y bwrdd, a phiniai'r bachgen unfraich ei bapur ar hwnnw pan fynnai ysgrifennu. Yr oedd yn rhaid iddynt oll yfed glasiaid o ddiod fain, a rhoddwyd banana bob un i Wili John ac Eleri.

'Tro fo ymlaen eto, Idris,' meddai Crad. 'Rhag ofn.'

Daeth llais rhyw ferch yn canu am noson serog a'r lloer yn llawn.

'Twt. Ydi hon'na wrthi o hyd?'

Eisteddai Mrs Morgan, gwraig fechan nerfus a'i gwallt yn wyn perffaith, wrth ochr Meri, a gwgodd Crad ar yr hosanau a droedient.

'Wn i ddim sut y medrwch chi wrando a gweu,' meddai.

Daeth y gân i'w therfyn.

'Reit.' A chroesodd Crad ei goesau a rhoi ei fawd yn nhwll-braich ei wasgod. Ond yr oedd gan y ferch leuadlyd gân arall am grwydro yn llaw ei chariad dan y serog nen.

'Ydi'r gryduras byth yn mynd i'w gwely, deudwch?' chwyrnodd Crad. 'Mae hi'n siŵr o fod ymhell ar ôl chwartar wedi wyth.'

'Na, ma' munud arall i fynd,' meddai Idris.

Aeth y munud heibio, ac yna cyhoeddodd llais raglen *Y Chwarelwr*.

'Hen bryd hefyd,' oedd sylw Crad.

'Odi Wncwl William yn y dechra?' gofynnodd Wili John.

'Sh!' meddai ei dad.

Nid oedd Wncwl William yn y dechrau. Cafwyd golygfa mewn tŷ, un arall yn y wal, un wedyn yn yr efail, ond nid oedd sôn am William Jones.

'Shwd ma'n nhw'n gweu y sawdwl ddwbwl 'ma? Odych chi'n gwpod?' gofynnodd Mrs Morgan i Meri.

'O, mae gin i batrwm yn rhywla yn y tŷ,' atebodd hithau. 'Mi chwilia' . . .'

'Sh!' Edrychai Crad yn ffyrnig.

'Mi chwilia' i amdano fo 'fory,' sibrydodd hithau.

''Na Wncwl William!' meddai Wili John.

'Naci. Sh!' atebodd ei dad.

''Falle'u bod nhw 'di'i newid a ar y funad ddwetha',' meddai Eleri.

'Nac ydyn. Sh!'

''Ne' dorri'i *scenes* a mas,' awgrymodd Wili John.

'Naddo. Sh!'

Daeth llais Huw Parri cyn hir, a mawr oedd y cyffro yn y parlwr.

'Dyna fo!'

''Na fe!'

''Na Wncwl!'

'Ia, 'na fe!'

'Sh!'

Hylldremiai Crad ar unrhyw un a symudai neu a besychai yn ystod y rhan nesaf o'r rhaglen, a chyda rhydd-had y deallodd Wili John ac Eleri i'w hewythr gyrraedd diwedd ei drydedd olygfa. Caent hawl i anadlu wedyn.

Cytunent oll fod William Jones yn wych. Wrth gwrs, fe wyddai Crad fod 'lot ym mhen yr hen William erioed', a David Morgan iddo ei ddangos ei hun yn 'dicyn o fachan' pan ganai yn y côr. Ac uwch glasiaid arall o'r ddiod fain, proffwydwyd dyfodol disglair i'r gŵr ifanc.

Ar ôl swper, crwydrodd Crad a Wili John ac Eleri i lawr i'r orsaf i roi croeso brwd iddo.

'Mi roist y cwbwl i gyd yn y cysgod, William,' oedd barn Crad. A nodiodd Wili John yn ddwys.

Aeth William Jones i lawr i Gaerdydd eto yr wythnos wedyn i gymryd rhan ym mhennod gyntaf *Y Pwll Du*. Wedi i'r actorion ymgynnull yn yr ystafell-aros, daeth Ellis Owen, y cyfarwyddwr, atynt i wrando ar y darlleniad cyntaf ac i ofyn iddynt farcio ar eu copïau ymh'le yr oedd angen y golau gwyrdd cyn llefaru. Gyferbyn â William Jones, eisteddai gŵr yn tynnu at ei ddeugain oed, a theimlai'r chwarelwr yn sicr iddo'i gyfarfod yn rhywle o'r blaen. Dywedai ei ddwylo mai athro ysgol neu rywbeth tebyg ydoedd. Wyneb tenau, myfyrgar; llygaid onest, chwerthingar, o las golau; talcen uchel iawn; gwallt crychiog yn dechrau britho uwch ei glustiau. Adwaenai ef, yr oedd yn siŵr o hynny. Ymh'le y gwelsai ef o'r blaen? Yn Llan-y-graig? Na, Deheuwr oedd hwn, a barnu oddi wrth ei iaith. Ym Mryn Glo? Na, ni chofiai ei gyfarfod ym Mryn Glo. Ceisiai llygaid y chwarelwr lynu wrth y sgript yn ei ddwylo, ond ni fedrai yn ei fyw beidio â thaflu golwg slei ar y gŵr. Daria unwaith, yr oedd mor sicr â bod ei enw'n William Jones. . . Enw? Beth oedd enw'r dyn, tybed? Edrychodd ar ddalen flaen y sgript—Lewis James, Evan Thomas, David Jenkins, Ted Howells, Phillip . . . Yr argian fawr! Howells! Nid *Lieutenant* Howells? Ia, fo oedd o—wedi tyfu'n ddyn, a'r gwallt a fu'n gnwd unwaith yn awr yn denau a brith. Ond Howells, Howells oedd o.

'Chi yw Ben Roberts, ontefa Mr Jones?'

'O, mae'n ddrwg gin i, Mr Owen.' A sylweddolodd William Jones i'r cwmni o actorion ddechrau darllen y ddrama.

Ar ôl y darlleniad, pan godai pawb i fynd i'r stiwdio, cydiodd y chwarelwr ym mraich Howells.

'*Lieutenant* Howells!'

'Jones! Fachgen! Jones!' gwaeddodd, gan roi ei ddwy law ar ysgwyddau William Jones.

'Odych chi'n 'nabod eich gilydd, 'ta?' gofynnodd Ellis Owen, y cyfarwyddwr, a safai gerllaw.

''Nabod ein gilydd! Ellis, bachan, fyddwn i ddim yma 'eddi oni bai am Jones 'ma. Ond fe weda' i'r stori wrthoch chi yn y cantîn. Fachgen! Jones!'

Gan fod Ted Howells yn hen gyfarwydd â darlledu, cymerodd ofal tadol o'r dyn bach yn y stiwdio, a thrwyddo ef dysgodd William Jones lawer am y gelfyddyd. Cyn gynted ag yr awgrymai llais Ellis Owen ryw welliant—a bu raid ail-lunio llawer o linellau Ben Roberts—brysiai Howells at ochr y chwarelwr i ysgrifennu ar ei sgript ac i sibrwd cyngor neu eglurhad. Yn wir, a rhan y Gogleddwr o goliar yn *Y Pwll Du* yn un go fawr, ni allai William Jones ei ddychmygu ei hun yn ei meistroli heb y cymorth hwn.

Aethant am gwpanaid o de tuag wyth, ac eisteddodd y chwarelwr nerfus gyda Howells ac Ellis Owen a dyn tawel canol oed o'r enw David Jenkins. Mynnodd Howells adrodd hanes gwrhydri William Jones yn Ffrainc, a phan ddychwelodd pawb i'r stiwdio, teimlai'r dyn bach yn anghyffyrddus; yr oedd yn amlwg yr edrychai'r actorion arno gyda pharch ac edmygedd. O'r blaen, rhyw wincio ar ei gilydd yr oeddynt, yn arbennig ar ôl clywed parodi dyn digrif o'r enw Lewis James—

'Pam, Arglwydd, y gwnaethost ei gorff a mor hir
A choesau'r hen fachgan mor fyr?'

Ond yn awr, yr oedd arwr yn eu plith. Go daria'r Howells 'na, oedd sylw William Jones wrtho'i hun.

Aeth y ddau i'r orsaf gyda'i gilydd, gan fod rhan helaeth o'u taith yn yr un trên. Adroddodd William beth o'i helynt, a chafodd yntau hanes Howells. Pa bryd y deuai Jones draw i'w weld? Beth am y Sadwrn wedyn? Campus! Byddai Olwen a'r plant wrth eu bodd.

Edrychai William Jones ymlaen at ddweud y stori wrth Crad, ond pan gyrhaeddodd Fryn Glo, Wili John a'i cyfarfu yn yr orsaf.

'Lle mae dy dad, 'ngwas i?'

'Yn 'i wely, Wncwl. Y doctor 'di bod.'

'O?'

'Ma' fa 'di methu cal 'i anal am awr, Wncwl, a ma' fa mor wannad â chath.'

Yn y tŷ, gwelodd ei brawd ar unwaith y pryder yn llygaid Meri.

'O, tipyn o orffwys, a mi fydd yr hen Grad yn iawn eto,' meddai wrthi. Ond yr oedd ofn yn ei galon.

''Da' i ddim i fyny i'w weld o heno, Meri, rhag ofn 'i fod o'n cysgu,' chwanegodd.

'Mae'n rhaid iti fynd. Clyw!' Yr oedd curo taer ar lawr y llofft.

'Sut hwyl gest ti, William?' oedd cwestiwn Crad pan aeth William Jones at ochr ei wely.

'Reit dda, fachgan. Wyddost ti pwy welis i yno?'

'Gwn. Ifan Siwrin!'

'Howells. *Lieutenant* Howells oedd hefo mi yn y Fyddin. Ac 'rydw i'n mynd draw ato fo ddydd Sadwrn.'

'Yn lle mae o'n byw?'

'Ddim ymhell o'i hen gartra yn y Rhondda. Mae o'n athro ysgol yno, ac mae gynno fo ddau o blant, y rhai dela' welist ti 'rioed, yn ôl y llun ddangosodd o imi.'

'Piti na chawn i dy glywad di nos 'fory, hefyd, fachgan. Y doctor 'na am imi aros yn fy ngwely.'

'Twt, paid â phoeni; 'rwyt ti wedi darllan y sgript.'

Ond fe gafodd Crad wrando ar bennod gyntaf *Y Pwll Du*. Daeth Wili John adref yn gynnar o'i waith gyda'r nos drannoeth.

'Be' sy gin ti, dywad?' gofynnodd ei fam.

'Set-radio. On apro. No obligeshion. Dau swllt yr wthnos.'

A heb ofyn cymorth neb, cysylltodd y set â'r trydan yn y mur a hongiodd wifren ar y polyn lein a gostwng un arall i bridd yr ardd. Cyn pen awr yr oedd Crad ar ei eistedd yn ei wely yn fflamio rhyw ddyn a draethai'n lleddf ar ddyfodol y Seiat. Pam goblyn na rôi rhywun daw ar y creadur?'

Nid oedd dim terfysglyd iawn ym mhennod gyntaf *Y Pwll Du*. Darlun ydoedd o bedwar coliar a bachgen newydd adael yr ysgol am y lofa yn paratoi i fynd i'w gwaith un bore—astudiaeth ddiddorol o bum cymeriad a chefndir eu cartrefi. Yn y penodau eraill y ceid hanes y cwymp, treigl araf y dyddiau dan ddaear a phryder y ceraint ar y lan. Ond gwrandawai Crad ar bob gair o enau Ben Roberts ag awch; nid oedd wiw i neb symud llaw na throed.

'Campus, William! Y gora ohonyn nhw, 'ngwas i. O ddigon,' oedd dyfarniad y claf pan ddychwelodd yr actor. 'Chdi a Howells.'

''Rydan ni'n dau yn mynd draw i'w gartra fo ddydd Sadwrn, Crad—hynny ydi, os byddi di'n teimlo'n ddigon da.'

Ond ei hunan yr aeth William Jones yn gynnar y prynhawn Sadwrn hwnnw. Trigai Howells mewn tŷ cymharol newydd ar lethr werddlas, braf, a mawr oedd y croeso a gafodd y chwarelwr gan Olwen Howells a chan y plant, Ieuan a Mair. Gorweddai tipyn o barc o dan y tŷ, ac yno y treuliodd y ddau ddyn a'r plant y rhan fwyaf o'r prynhawn yn gwylio pedwar llanc yn chwarae tennis. Lle buasai hagrwch tip glo, yr oedd cwrt tennis yn awr.

Amser te, *Y Pwll Du* oedd diddordeb pennaf Ieuan a Mair. Shwd yr oedd Dada ac Wncwl yn gallu siarad yng Nghaerdydd iddynt hwy eu clywed ugain milltir i ffwrdd? Ceisiodd eu tad egluro'r dryswch, ond nid gwaith hawdd oedd ateb rhai o'r gofyniadau. Ategodd William Jones yr eglurhad gydag ambell 'Ia' doeth, er bod yr un cwestiynau yn ei boeni yntau. Fel un o gyfeillion eu tad ar y radio yr edrychai'r plant ar Wncwl; ni wyddent ddim am y noson erchyll yn Ffrainc. Ond honno a gofiai eu mam wrth benderfynu bod yn rhaid i'r ymwelydd gymryd chwaneg o'r jam neu damaid arall o gacen. Ni wyddai William Jones sut y medrai lusgo adref ar ôl bwyta cymaint. Diar, rhai da am fwyd a chroeso oedd pobol y Sowth, yntê?

Ar ôl te, cerddodd ef a Howells i lawr i waelod y pentref i weld tad a mam yr athro. Cronnai'r dagrau yn llygaid Mrs Howells wrth iddi ysgwyd llaw ag ef, a thaflai olwg tyner a phell tua'r mur lle'r oedd darlun hardd o'i mab mewn gwisg filwrol. Ysgydwodd William Jones ei ben a gwenodd wrth groesi'r parlwr i syllu ar y llun. Diar, fel yr aethai'r blynyddoedd heibio, yntê, mewn difrif! Ymh'le yr oedd y bachgen a chwaraeai rygbi erbyn hyn? O, athro yn Llundain oedd John, y mab ieuangaf. A'r ferch a enillai ar ganu mewn eisteddfodau? Yn America, yn briod a chanddi hithau, fel Ted, ddau o blant. Yn America! Tewch, da chi!

'Odych chi'n 'nabod Dai Morgan sha Bryn Glo 'na?' gofynnodd y tad.

''Rargian, ydw. Byw drws nesa' iddo fo, ac yn perthyn i'w gôr o.'

'Bachan! Cofiwch fi ato fa—Jim Hŵals, yr arweinydd côr gora yng Nghymru, gwedwch chi wrtho fa. A gwedwch fod 'da fi gystal côr ag ariôd, er bod hanner cant o'r dynon mas o waith. A gofynnwch a odi fa'n cofio'r got ros i iddo fa a'i dicin côr yn Nhre Glo? 'Na wep ôdd 'da Dai y nosweth 'onno, w!'

Gwrthododd William Jones aros i swper yn nhŷ Ted Howells. Pryderai am Grad, meddai, ond mynnodd Olwen iddo gymryd cwpanaid yn ei law cyn cychwyn.

Brysiodd o'r orsaf ym Mryn Glo, a phwy a welai y tu allan i siop yr Eidalwr ond Wili John.

'Sut mae dy dad?' gofynnodd.

'Ma' fa mas.'

'Ond 'roedd y Doctor . . . Mas ymh'le?'

'Yn nhŷ Gomer, wy'n credu.'

'Wyt ti wedi prynu da-da at 'fory, 'ngwas i?'

''Na lle wy' i'n mynd 'nawr.'

'Hwda. Tyd â rhai i minna. Y rhai mint hynny.'

'O.K.'

Aeth William Jones yn syth i dŷ Shinc. Yno, yn y parlwr anhrefnus, dadleuai Crad na wyddai'r Comiwnyddion y gwahaniaeth rhwng trefn ac anhrefn. Yr oedd Shinc ar ei draed a'i ddyrnau yn yr awyr i wneud ei ddadleuon yn gliriach. Tybiai'r chwarelwr mai ei ddifyrru ei hun yr oedd Crad, ond ofnai iddo ddewis ffordd nad ystyriai'r meddyg yn fendithiol. Tawelwch a gorffwys fuasai ei gyngor ef.

'Ddaru'r Doctor alw pnawn 'ma, Crad?'

'Naddo, wir, William. Ddaeth y cradur ddim yn agos.'

'Ond 'doeddat ti ddim i godi nes iddo fo dy weld di.'

'Os ydi'r bôi yn meddwl fy mod i'n mynd i aros yn fy ngwely i'w blesio fo, mae o'n gwneud coblyn o gamgymeriad. Be' 'tai o ddim yn galw am fis?'

'Ond gorffwys ddeudodd o, Crad.'

'Gorffwys! Mi gysgis i drwy'r pnawn, ond ar ôl te dyma fabi Nymbar Wan—plentyn Sali dew—yn sgrechian digon i fyddaru'r meirw, a rhyw gathod goblyn yn ffraeo yn y cefn 'cw, a rhyw ddyn bach piwis yn malu awyr ar y weiarles 'na. . . . Gorffwys!'

Bu raid i Grad dalu am ei ryfyg drannoeth drwy aros yn ei wely yn lle mynd i'r capel. Er hynny, cafodd y gwasanaeth o Salem a phregeth Mr Rogers—ar y radio. Ac wrth ei ddilyn, melys oedd dychmygu'r olygfa—Richard Emlyn, hogyn Shinc, wrth yr organ; David Morgan, yn ei goler galed a'i fwa du, yn taflu golwg rhybuddiol o flaen pob emyn ar ddau leisiwr anhydrin—Isaac Jones yn y Sêt Fawr a Mrs Bowen yn un o'r seddau blaen; Idris wrth ei ochr yn gwrando'n astud ar bob nodyn a ddihangai o'r organ; Jac Jones, glanhawr y capel, yn pesychu'n uchel er mwyn i'w ferch yng Nghaerdydd ei glywed; a William Jones, rhwng Eleri a Wili John, yn credu y dibynnai llwyddiant y darllediad ar yr eiddgarwch yn ei lygaid ef.

Ond Mr Rogers a oedd gliriaf ym meddwl Crad, a dychmygai bob ystum ac osgo o'i eiddo. Gwelai'r llygaid treiddgar yn yr wyneb tawel, cerfiedig; y pen a daflai'n sydyn y cnwd o wallt yn ôl o'r talcen; a'r bysedd hirion, nerfus yn clymu am fin y pulpud. Nid oedd Crad yn weddïwr, ond deisyfai â'i holl natur y byddai'r gwasanaeth, a'r bregeth yn arbennig, y rhai mwyaf effeithiol a fuasai ar y radio erioed.

Y Samariad trugarog oedd testun y bregeth seml. Rhoes Mr Rogers ddarlun byw, ond cynnil, o'r cyfreithiwr hunan-ddoeth a geisiai faglu Crist, ac yna o'r digwyddiadau a welsai neu a ddychmygasai'r Gwaredwr ar y ffordd a droellai'n serth o Jerusalem i Jericho. Aeth wedyn i sôn am Gymru. 'Gwlad y Menig Gwynion?' 'Gwlad beirdd a chantorion, enwogion o fri?' 'Gwlad y Gân?' Crud yr Eisteddfod a'r Gymanfa? Cartref pregethwyr ac areithwyr mawr? Magwrfa'r athronydd a'r diwinydd? Aelwyd y crefyddwr a'r moesolwr? Efallai fod rhai o'r pethau hyn yn wir, er y credai y llithrai'r termau braidd yn rhy rwydd i'n llafar ni ein hunain. Ni bu cyfraniad y genedl, yn ei farn ef, yn un eithriadol i na llên na cherdd na dysg y byd, ac wrth iddo daflu golwg i'r dyfodol, ni welai arwyddion o'i wlad yn cyflwyno rhyw draddodiad neu fudiad arbennig iawn i genhedloedd eraill. Codai unigolion â gweledigaeth ac athrylith yn eu trem,

> 'Y rhai, mewn cnawd fel ninnau, ar wahân
> Freuddwydiant eu breuddwydion.'

Ond unigolion oeddynt. Ymh'le, ynteu, yr oedd cryfder y genedl? Ni roddai Crist fawr o hanes y Samariad hwnnw, ond hoffai'r pregethwr feddwl amdano fel gŵr a fagwyd gan rieni duwiol a charedig ar aelwyd grefyddol. Hoffai gredu iddo wrth gynorthwyo'r truan hwnnw, yn reddfol bron, heb resymu'r peth o gwbl, gyfieithu ei ffydd i weithredoedd. Trigai ef, Mr Rogers, mewn cwm â'i bobl yn awr yn dlawd ac archolledig, ond gwelai bob dydd ysbryd caredig y 'cymydog' a ddarluniasai'r Gwaredwr. Cymwynasgarwch a charedigrwydd—filoedd o weithiau y rhyfeddasai atynt yn y cwm hwn lle'r oedd ef yn fugail. Ond yn awr, yn y dyddiau blin, yr oedd y rhinweddau hyn yn rhan o'u bywyd, bron mor naturiol â'r lliwiau mewn gardd neu'r murmur yn llif yr afonig. 'Gwlad beirdd a chantorion, enwogion o fri?' Efallai. Ond fe wyddai fod yn y rhannau o Gymru a adwaenai ef bobl garedig a thrugarog, gwŷr a gwragedd syml, di-lol, nad aethant y tu arall heibio. Unwaith, flynyddoedd pell yn ôl, canodd bardd o Iddew folawd pêr i enwogion ei genedl. 'Canmolwn yn awr y gwŷr enwog,' meddai, ac aeth i sôn, yn naturiol iawn, am y llywodraethwyr a'r cynghorwyr, am y proffwydi a'r dysgedigion, am y cerddorion a'r beirdd. Gwŷr enwog.

'Bu rhai ohonynt hwy gyfryw ag a adawsant enw ar eu
hôl,
Fel y mynegid eu clod hwynt.'

Ond, yng ngeiriau bardd o Gymro,

'Fel y niwl o afael nant
Y disôn ymadawsant.'

Neu, i ddyfynnu awenydd yr Apocryffa eto—

'Bu hefyd rai heb fod coffa amdanynt,
Ac a aethant fel pe nas ganesid hwynt,
A'u plant ar eu hôl hwynt.'

Pobl syml a di-sôn, gwir fawredd pob cenedl. Gwelai'r pregethwr y rhai hynny mewn ambell wlad fel clai yn nwylo'r crochenydd, ac arswydai weithiau wrth feddwl am y dyfodol. Ond diolch fod y caredig a'r trugarog yn blodeuo o'n cwmpas yng Nghymru. 'Eithr gwŷr trugarog oedd y rhai hyn,' meddai'r bardd o Iddew, ac ni allai dalu harddach teyrnged iddynt.

'Byth y pery eu hiliogaeth,
A'u gogoniant ni ddileir.'

Hoffai—yr oedd trydan ei deimlad fel pe'n goleuo llais y pregethwr—weld y wlad a garai, y Gymru hon, yn tyfu'n fawr ac enwog a'i meibion yn arwain y byd, ond pa orchestion bynnag a gyflawnai hi, gweddïai y cadwai, mewn llwydd ac aflwydd, mewn hindda ac mewn ystorm, harddwch yr ysbryd trugarog a oedd yn etifeddiaeth mor dda.

Arhosodd Crad yn ei wely y bore trannoeth, ond teimlai'n llawer gwell ar ôl cinio a chrwydrodd ef a William Jones i lawr y pentref am dro. Rhuthrodd Twm Edwards atynt gerllaw Neuadd y Gweithwyr.

'Otych chi 'di clywed, bois?'

'Clywad be'?' gofynnodd Crad.

'Ma' pymthag o' ni 'di cal gwaith.'

'Taw, fachgan! Ymh'le?'

'Yn Llan-y-bont. Ma'n nhw'n mynd i gwnnu *arsenal* mawr yno, gwaith i filodd. Labro fydda' i, ond ma' rhai fel Seimon Jenkins y Saer 'di cal jobyn nêt. Fe fydd bws yn mynd o fan hyn bob bora ac yn ôl bob nos. 'Na dda, ontefa!'

'*Arsenal*?' meddai William Jones. 'Be' 'di hwnnw, deudwch?'

'Miwnishons, bachan.'

'Diar annwl! Ond o'n i'n meddwl mai ar gyfar rhyfal yr oedd isio llefydd felly?'

'Ia, ia, ar gyfar rhyfal y ma'n nhw. Rhag ofan, 'chi'n deall. Y bachan 'Itler 'na. Ma'n bryd rhoi stop arno fa. 'Rôdd Shinc yn gweud wrtho' i . . .'

Ond brysiodd William Jones draw i'r Swyddfa Lafur. Ysgydwodd y clerc ei ben. Y mae'n debyg y byddai gwaith ymhellach ymlaen, ond yr oedd yn rhaid cael yr adeiladau'n barod yn gyntaf, a chawsant ddigon o ddynion i hynny. Efallai yr hoffai Mr Jones alw ymhen rhyw fis?

Pan ddychwelodd at y ddau, dywedai Crad hanes ei bwl o afiechyd wrth Twm.

'Twt, 'dyw'r doctoriaid 'ma'n dda i ddim,' oedd barn y

dramaydd. 'Pam nad ei di i lawr at yr hen Watkins i Ynys-y-gog, Crad? Ma' fa'n gallu gwneud gwyrthia, bachan. Ôdd cefnder i gnither i fi yn 'oples cês—dau spesialist 'di rhoi mish iddo fa i fyw. Ond fe ath at Watkins, a 'nawr ma' fa'n O.K. Canser, a dau spesialist 'di rhoi . . .'

'Lle mae o'n byw?' gofynnodd William Jones.

'Watkins? Ŷch chi'n gwpod y ffordd sy'n troi lan at yr hen eclws yn Ynys-y-gog? Ma' 'na dŷ mawr coch hanner y ffordd, ar y llaw dde. Fe etho' i â'r wraig 'co yno pan ôdd hi'n dost 'da'i stwmog, a bachan, ôdd hi'n byta *steak and chips* cyn pen wthnos. Ffact.'

'Ydi o'n ddrud?' gofynnodd Crad.

'Drud! Punnodd ar bunnodd ôdd Lizzie 'co 'di'u talu i'r Doctor 'ma, ond dim ond pedwar a 'wech gwnnws Watkins arna' i.'

'Be' mae o'n roi i rywun sâl?' gofynnodd William Jones. 'Llysia?'

'Llysie a phils a ffisig. Ma' pob math o stwff 'da fa. Cera draw i'w weld a, Crad. Bryn Gobeth—'na enw'r tŷ. Jiw, ma' fa'n sgolar, bachan!'

'Fyddi di ddim gwaeth o'i drio fo,' meddai'r chwarelwr ar ôl i Dwm Edwards eu gadael. 'Be' am gymryd te go gynnar a dal y trên pump? Mi fûm i'n codi arian bora.'

'Twt, rêl cwac ydi o, William. Yr ydw i wedi clywad am y dyn.'

Er hynny, daliodd y ddau y trên, ac wedi cyrraedd Ynys-y-gog, aethant ar hyd y ffordd wledig a ddringai tua'r hen eglwys. Ar ôl rhyw hanner awr o gerdded araf, safent o flaen y tŷ mawr o briddfeini coch. Bryn Gobaith, meddai'r llythrennau aur uwch y drws.

'A! Dau druan mewn ymchwil am feddyginiath! Croeso, fy nghyfeillion! Croeso i Fryn Gobaith!'

Ni wyddent am funud o b'le y daethai'r llais, ac yna gwelsant ddyn tal a thew yn camu at y ddôr ar hyd llwybr yr ardd.

'Y ffordd hyn, bererinion yn yr anial, y ffordd hyn!'

Dilynasant ef drwy'r ardd i ddrws yng nghefn y tŷ. 'Llais Ifan Siwrin, myn coblyn,' sibrydodd Crad. Ac yr oedd y dyn yn debyg i Ifan Davies, ond ei fod yn dewach o lawer a'i ben yn foel.

Aeth â hwy i mewn i ystafell braf yn edrych i lawr ar y caeau gwyrddlas rhyngddynt ac Ynys-y-gog. Eisteddodd Crad a William Jones wrth y lle tân a'r dyn wrth y bwrdd. Edrychodd arnynt tros ei sbectol fawr, ac yna agorodd lyfr-ysgrifennu o'i flaen. Rhoes ei ddannedd-gosod wên.

'Yn awr 'ta. Un yn dioddef oddi wrth ei nerfau a'r llall oddi wrth ei frest. Nerfau newyniaethus, ysgyfaint â dwst y garreg yn gronic ynddynt. *Diagnosis* cywir, onid e?'

'Dŵad yma yr oeddan ni, Mistar Watkins . . .' Eisteddai William Jones yn ansicr ar fin ei gadair.

'*Doctor* Watkins, *if you please.*'

'Ia . . . y . . . Doctor Watkins. Dŵad yma yr oeddan ni . . .'

'*Mens sana in corpore sano.*'

'Y?'

'Gair mawr yr hen Rufeinwyr, fy nghyfaill. Ac ychydig a ddysgodd y byd er eu dyddiau hwy. Eich nerfau, onid e, fy ffrind?'

'Na, yr ydw i'n o lew diolch, ond mae Crad 'ma . . .'

'Mor ddall yr ydym! Mor ddiweledigaethus! Sefwch am funud, fy nghyfaill . . . Diolch. Yn awr, eich llaw dde allan, gan bwyntio at y llun acw ar y mur . . . Da iawn. Yn awr, sefwch ar un droed . . . Da, fy nghyfaill; da fy ffrind . . .'

'Ond dŵad yma . . .'

'Yn awr, caewch eich llygaid . . . Da, fy nghyfaill. Ac yn awr rhowch eich bys cyntaf ar flân eich trwyn.'

Wrth geisio ufuddhau, collodd William Jones ei gydbwysedd a suddodd yn ôl yn drwsgl i'w gadair.

'A! Onid y gwir a ddwedais i? Ewch â'ch meddwl yn ôl fy nghyfaill. A fuoch chwi, yn weddol ddiweddar, mewn rhyw sefyllfa straeniaethus?'

'Mewn be'?'

'Rhyw sefyllfa a ôdd yn dreth ar eich nerfau. Ceisiwch feddwl, fy ffrind.'

Cofiodd William Jones am ei ymweliad â'r BBC.

'Wel, do, mi fûm i'n . . .'

'Campus, fy nghyfaill. Ac yr oedd eich llwnc a'ch genau'n sych?'

'Wel, oeddan, ond dŵad yma yr oeddan ni . . .'

'A'ch llaw yn crynu?'

'Wel, oedd, ond . . .'

'Y *Great Sympathetic*, fy ffrind.'

'Y be'?'

'Y *Great Sympathetic Nervous System* yn ddiffygiol, yn dlawd, yn waniaethus, fy ffrind. Y mae Natur, fy nghyfaill, y mae Natur yn eich rhybuddio, yn gofyn i chwi, yn gofyn yn daer i chwi, gymryd gofal. A phan siarada ei llais hi . . .'

'Ond dŵad yma . . .'

'A phan siarada ei llais hi, y mae clust y doeth yn astud wrandawol. Ond na thralloder eich calon. Y mae Doctor Watkins at eich gwasanaeth, y cymorth hawdd ei gael mewn . . .'

'Fi ydi'r dyn sâl,' meddai Crad, 'nid William. A *Great*

Sympathetic ne' beidio, yr ydan ni am ddal y trên saith 'na.'

Gwelodd y dyn fod Crad o ddifrif ac yn ŵr go anhydrin. Penderfynodd ei ddychryn.

'Colier â'ch brest yn wan, ontefa, fy ffrind?'

'Ia, ac mi ddaethon ni yma gan feddwl . . .'

'Y llwch ar furiau'r ysgyfaint fel y mortar acw ar y mur. A'r corff druan, sy'n dibynnu ar yr awyr iach a rydd Natur iddo, yn teneuo a gwanychu bob dydd, bob awr. Dewch i'r ffenestr yma am funud, fy nghyfaill.' Cododd Crad a chroesodd at y ffenestr. 'Beth a welwch chwi wrth gefan y ffermdy acw?'

'Ceffyl a dwy fuwch.'

'Cywir, fy ffrind. Ac onid oes golwg dda arnynt hwy? Mwy o fwyd, medd y meddygon wrth eich gwraig, onid e? Mwy o laeth a hufan ac wyau a ffrwythau, os gallwch chwi fforddio'r pethau hynny. A roddir llaeth a hufan ac wyau a ffrwythau i'r anifeiliaid hyn? Neu i'r ŵyn a'r defaid ar y mynydd acw? A roddir hwy, fy nghyfaill?'

'Na, ni roddir y pethau hyn iddynt hwy,' oedd ateb Crad gyda winc ar ei frawd yng nghyfraith.

'A welsoch chwi ddafad yn hongian yn siop y bwtsiwr? Do? A'r braster yn dew arni, ontefa? O b'le y daeth y braster 'wnnw? Ni fwytaodd y ddafad eich cigoedd a'ch wyau a'ch ffrwythau, dim ond y borfa las, ac yfed yr awyr iach ar y brynia.'

''Falla y dylwn inna fynd i bori am fis,' oedd sylw amharchus Crad.

'Ond yn awr, gan eich bod chwi am ddala'r trên . . .'

Brysiodd y dyn ar draws yr ystafell a thrwy'r drws. Clywent ei sŵn ymhlith ei boteli ymhen ennyd.

‘Aros di imi gal gafal yn y Twm Edwards ’na,’ hisiodd Crad.

‘Be’ ma’ Twm wedi’i wneud iti ’rŵan?’

‘Mi ro’ i *steak and chips* iddo fo! Y tebot!’

‘Ond wyddost ti ddim, ’falla fod gan y dyn ’ma . . .’

‘Athrylith, William, athrylith! Yn Saesneg, *genius.* Yn iaith Wili John, *boloney.* Mi fasa wedi gwneud plisman bendigedig yn nrama Twm. Digon o lais a digon o giamocs. ’Dydi’r ffaith fy mod i’n sâl ddim yn rhoi hawl i bob ffŵl drio’i law ar fy ngwella i a stwnsian fel y mae hwn.’

‘Ond mi ddeudodd o’r gwir amdanat ti.’

‘Hawdd iawn iddo fo.’

‘O?’

‘Mi ddeudodd fy mod i’n goliar. Y marcia glas ’ma ar fy nhalcan i yn gweiddi hynny, ’ngwas i. Mi ddeudodd fod fy mrest i’n wan. Mi fedra’ dyn dall gasglu hynny dim ond iddo wrando ar y fegin o frest sy gin i. Mi ddeudodd fy mod i’n dena’. Mi welodd hynny trwy a thros ’i sbectol.’

‘Sh!’

Dychwelodd y ‘Doctor’.

‘Y rhai hyn i chwi,’ meddai wrth William Jones, gan estyn blwch crwn iddo. ‘Cymerwch bump, bob dwyawr, pump bob dwyawr.’

‘Diolch.’ A thynnodd y dyn bach ei bwrs allan.

‘Yn awr eich achos chwi, fy nghyfaill,’ meddai wrth Crad. ‘Y rhai hyn,’ gan roi blwch crwn arall ar y bwrdd, ‘ar ôl pob pryd. Y rhai hyn,’ gan daro blwch hirgul wrth ochr y cyntaf, ‘wedi deffro yn y bora a chyn cysgu’r nos. A’r rhai hyn bob dwyawr.’

‘Dim, diolch.’

'Beth, fy nghyfaill?'

'Dim, diolch. 'Dydw i ddim isio'r un o'r petha.'

'Ond, Crad! . . .' Cododd William Jones yn frawychus o'i gadair.

'Tyd, William, mae'n bryd inni fynd am y trên.'

'Ond . . .'

'Tyd, ne' mi fydd rhaid inni aros awr a hannar am y trên wedyn.'

'Faint sy arnon ni i chi, Doctor?' gofynnodd y chwarelwr yn frysiog, gan deimlo y gwaeddai ei nerfau am ddogn o'r feddyginiaeth yn y blwch.

'Pedwar a 'wech, fy nghyfaill.'

Daeth o hyd i'r arian a brysiodd ar ôl Crad. Cerddodd y ddau yn dawel ar hyd y ffordd.

'Crad?' meddai William Jones o'r diwedd.

'Ia, William?'

'Fydda ddim yn well i ti . . . Fydda ddim yn well i ti . . .?'

'Be'?'

'Gymryd y pils 'ma. 'Falla . . . 'falla y gwnân nhw les iti, wsti, oherwydd . . .'

'Diolch, William.' A chymerodd Crad y blwch.

Aent heibio i'r ffermdy lle'r oedd y ceffyl a'r ddwy fuwch.

'Wyt ti'n gweld cynffon y fuwch goch 'na, William? 'I nerfau hi, wel'di.' Ac ysgydwodd Crad ei ben yn drist.

'Trio hel y pryfad i ffwrdd y mae hi, Crad.'

'Ond y mae'r fuwch arall yn reit llonydd. Na, 'i nerfau hi, William, 'i nerfau hi, 'ngwas del i.'

Caeodd Crad fotwm ei gôt ag un llaw, ac yna camodd yn ôl a chodi ei fraich. Nofiodd y blwch crwn drwy'r awyr a disgynnodd wrth drwyn y fuwch goch.

'*Good shot,* yntê William!'

Ni wyddai William Jones pa un ai gwenu ai dweud y drefn a oedd ddoethaf. Ni wnaeth yr un o'r ddau, dim ond brysio ymlaen i gyfeiriad yr orsaf. Pa stori a ddyfeisient ar gyfer Meri, tybed? Y 'Doctor' heb un math o feddyginiaeth at yr anhwyldeb a flinai Crad? Ia, fe wnâi'r esgus hwnnw.

Trannoeth, yn y prynhawn, derbyniodd lythyr oddi wrth Tom Owens, y Stiward, yn canmol ei waith ar y radio ac yn holi ei helynt. Mawr oedd y sôn am *Y Chwarelwr,* ac edrychai pawb ymlaen at benodau eraill *Y Pwll Du*. Gwelsai Tom Owen yn y papur hefyd mai William Jones fyddai'r holwr yn y gyfres o sgyrsiau, *Holi ac Ateb*, a oedd ar gychwyn. Cofiai ei hen gyfeillion yn y chwarel ato'n fawr iawn, ac ef oedd testun llawer sgwrs yn y cabanau. Wedi chwaneg i'r un perwyl, 'Ni wn beth yw eich cynlluniau yn awr,' meddai'r llythyr, 'ond os penderfynwch droi'n ôl i'r chwarel, bydd yn bleser gennyf wneud yr hyn a allaf trosoch.'

'Chwara' teg iddo fo!' oedd sylw Meri a Chrad pan ddangosodd y llythyr iddynt. Yna aeth William Jones â Mot am dro i fyny'r mynydd, ac eisteddodd cyn hir ar y ddaear gynnes i syllu ar draws y cwm. Yr oedd yn hen gynefin bellach â chroen anafus y llethr ac â hunllef y tip yn ymgreinio uwchben. Yn araf, fel yr edrychai, llithrodd tawch ysgafn dros yr olygfa ac ymwthiodd darlun arall i'r golwg drwyddo. Gwelai doeau tai a chapeli a thŵr eglwys Llan-y-graig yn ymffurfio yng ngwaelod y tawch, ac uwchlaw iddynt y llwybr melyngoch a ddringai tua'r chwarel. Chwaraeaai'r awel yn y coed uwch Afon Gam a chrwydrai rhyw bysgotwr araf tua'r Pwll Dwfn yn is i lawr. Deuai sŵn plant o'r caeau gerllaw, a gwelai Gwen a Megan a Meurig, plant yr Hendre, yn cael hwyl yn y cynhaeaf gwair, a Thwm Ifans, eu tad, yn dweud y drefn wrth Cymro, y ci . . . Ciliodd y tawch, a syllodd William Jones eto ar Fryn Glo a'r llethr ddi-goed a thywyllwch y tip. 'Ia, wir, Mot,' meddai'n freuddwydiol, a chododd y ci ei lygaid mawr brown a gwthio'i drwyn yn ddeallgar i'w law.

Wrth gwrs, byddai'n rhaid iddo aros am rai wythnosau eto ar gyfer *Y Pwll Du* a'r *Holi ac Ateb* 'na a oedd i gychwyn ymhen pythefnos. A soniasai Howells fod y dyn a ofalai am *Awr y Plant* yn bwriadu cynnig rhan iddo mewn rhyw gyfres o ddramâu. Beth oedd enw'r gyfres, hefyd? Ni chofiai, ond clywsai mai helyntion nifer o deganau mewn ffenestr siop oedd y deunydd, ac mai milwr bach coch a syrthiasai oddi ar silff a thorri ei goes fyddai ef . . . Ac wedyn, fe fyddai'n rhydd i droi'n ei ôl . . . Sut hwyl a gâi Bob ar ei fargen newydd, tybed? Cerrig rhywiog, meddai yn ei lythyr diwethaf . . . A ddaliai'r hen Ddafydd Morus i gludo'i gath i'r chwarel bob dydd? A John Williams i 'falu am ei ieir? . . . Ia, wir . . . Rhoddai ffatri arfau Twm Edwards a'i griw waith i filoedd . . . Ond dyna fo, yn y chwarel yr oedd ei le ef, yntê? Ac yr oedd hi'n hen bryd iddo ddychwelyd yno at yr hen hogia . . . Oedd, 'nen' Tad . . . Nid gwaith hawdd fyddai gadael Bryn Glo, a methasai wneud hynny unwaith. Ond tipyn o deimladrwydd a ddaethai trosto y tro hwnnw, y ffŵl gwirion iddo fo . . . Chwarae teg i'r BBC, talent arian reit dda a medrai roi pres i Meri cyn mynd . . . Medrai . . . Byddai'n siŵr o deimlo'n chwithig am amser ar ôl blwyddyn yn y Sowth fel hyn, a hiraethu am Eleri a Wili John a Meri . . . A'r hen Grad . . . Ia, wir . . .

Na, ni hoffai'r olwg ar Grad, yr oedd yn rhaid iddo

gyfaddef . . . A beth pe . . .? Twt, codi ysbrydion oedd hel meddyliau felly. Ni ddigwyddai dim i Grad; cawsai byliau fel hyn o'r blaen, a dyfod trostynt. Ond, dim ond er mwyn dadl, dim ond fel damcaniaeth . . . Ia, wir . . . Cyfarthodd Mot gan awgrymu iddo flino ar fod yn ei unfan gyhyd. Cododd William Jones.

'O'r gora, Motsi Potsi, mi awn ni. A wnawn ni ddim gadal yr hen Grad, wnawn ni?'

Pranciodd a chyfarthodd y ci mewn llawenydd mawr.

'Dim peryg'! 'Tasan nhw'n cynnig job i ni fel Jineral Manijar, a'r hen Grad yn sâl, mi fasan ni'n deud wrthyn nhw am fynd i ganu, on' fasan, 'ngwas i?'

Yr oedd hi'n amlwg y cytunai Mot.

13 *ELERI*

Yr oeddynt yn deulu hapus yn niwedd Gorffennaf—Crad yn llawer gwell (dylanwad meddyginiaeth yr hen Watkins, meddai Twm), Arfon gartref am wythnos o wyliau ac yn dal i ganmol ei lety yn Llundain, Eleri wedi cael hwyl ar ei harholiadau yn yr Ysgol Ganolraddol, Wili John bellach yn gynorthwywr yn lle negesydd yn siop Lewis y cigydd, a William Jones yn ennill clod ac arian wrth ddarlledu. Canai Meri uwch ei gwaith.

Ond, yn ddistaw bach, poenai Eleri gryn lawer ar feddwl ei hewythr. Yr oedd hi'n ferch dal a thlos ac yn talu llawer o sylw i'w hymddangosiad, gan gyrlio'i gwallt a hawlio arian i brynu rhyw ddilledyn neu addurn byth a hefyd. Taflu ei phen a wnâi ei mam, gan ddweud mai rhyw dro diflanedig yn ei hanes oedd hwn ac y tyfai allan ohono cyn hir. Ai dweud hynny i'w hargyhoeddi ei hun yr oedd Meri? Ni hoffai William Jones ei difrawder goramlwg. Credai hefyd fod yr un anesmwythyd yng nghalon Crad, er na soniai ef air am y peth. Fflamychai weithiau pan ofynnai Eleri am arian i fynd i'r sinema neu i brynu rhywbeth neu pan ddeuai i'r tŷ yn o hwyr, ac yna cymerai arno iddo anghofio popeth am yr ystorm. Ond cymryd arno a wnâi, yr oedd y chwarelwr yn sicr o hynny.

Ia, tipyn o broblem oedd merch ddwy ar bymtheg oed, meddai William Jones wrtho'i hun, gan ysgwyd ei ben fel gŵr â chanddo brofiad helaeth o drin rhai tebyg. Ni chynorthwyai Eleri fawr ddim ar ei mam yn y tŷ, fel petai gwaith felly islaw ei sylw hi, ac âi allan i rywle bob cyfle a gâi—i weld un o'i chyfeillion, i chwarae tennis, i'r sinema, ac weithiau i ddawns. Mynnai gael prynu ei dillad ei hun yn awr, gan ystyried chwaeth ei mam yn henffasiwn, a chwynai nad oedd ganddi hi gôt wen fel Nan Leyshon a Freda James ac eraill o'i chydnabod. Pam na châi hi fynd i weithio i Gaerdydd neu i Lundain yn lle byw mewn rhyw dwll o le fel Bryn Glo? A hi oedd yr unig un o'r genethod nad âi ar wibdaith i Borthcawl ar y Sul. Beth a oedd o le yn hynny? Ond ni chodai Eleri mo'r cwestiynau hyn yng nghlyw Crad.

Ac eto, hen hogan iawn oedd Eleri, hogan ffeind fel ei mam a siriol-fyrbwyll fel ei thad. Ia, 'nen' Tad, un o'r genod nobla'. Beth a ddaethai trosti, tybed? A oedd hi mewn cariad â rhywun? Âi allan i gyfarfod y postman yn bur slei ambell fore, a deuai i'r tŷ yn o hwyr weithiau. Gwylltiodd yn o arw un amser te pan ddywedodd Wili John ei fod yntau am gribo'i wallt fel Jack Q.P. Jack

Bowen? Na, yr oedd ef wedi symud i weithio mewn swyddfa yng Nghaerdydd, ac yn hŷn na Eleri o rai blynyddoedd. Ond, erbyn meddwl. . . Na, yr oedd hi'n rhy gall i lolian hefo rhyw sbrigyn rhodresgar fel hwnnw. . . Ia, wir, tipyn o broblem, yntê?

Un noson rai dyddiau ar ôl i Arfon ddychwelyd i Lundain y torrodd y ddrycin.

'Lle mae Eleri?' gofynnodd Crad wrth dynnu'i esgidiau cyn troi i'w wely.

'I'r pictiwrs y deudodd hi 'i bod hi'n mynd,' atebodd Meri.

'Pictiwrs! Ond mae hi'n un ar ddeg!'

'O, mi ddaw hi 'rŵan. Dos di i'r gwely, Crad. A thitha, William.'

Ond cau ei esgidiau eto a wnaeth ei gŵr.

'Lle'r wyt ti'n mynd, Crad?' gofynnodd William Jones wrth weld ei frawd yng nghyfraith yn codi a chamu'n benderfynol i gyfeiriad y drws.

'I nôl yr hogan 'na.'

'Ond wyddost ti ddim yn y byd lle mae hi,' oedd dadl Meri. 'Dos di i'r gwely, Crad. Mi fydd hi yma mewn munud.'

Ond allan yr aeth Crad.

'Dos hefo fo, William. Mi wyddost un mor wyllt ydi o.'

'Gwn.' A rhuthrodd William Jones ar ei ôl.

Yr oedd hi'n noson gynnes, braf, a'r lloer yn fawr uwch y cwm. Pan droes y ddau gongl Nelson Street a chychwyn i lawr y rhiw, gwelsant ddau gariad yn dringo'n araf, fraich ym mraich, tuag atynt.

'Dacw hi,' meddai Crad. 'Mi faswn i'n 'nabod y cap coch 'na yn rhwla.'

'Crad?'

'Ia?'

'Fydda ddim yn well inni droi'n ôl 'rŵan? 'Rydan ni wedi'i gweld hi ac yn gwbod y bydd hi adra mewn munud.'

'Os ydi'r hogan yn meddwl y medar hi fy ngwneud i dan fy nhrwyn . . .'

'Tyd, mi awn ni adra, Crad.'

'Hylô, maen nhw wedi dianc i rwla. I mewn i Bristol Street, gei di weld.'

'Ia, a mi drown ni'n ôl yn ara' deg, Crad.'

'Wnawn ni, wir!'

Yr oedd Bristol Street yn wag, ond ymlaen drwyddi yr aeth Crad. Cuddiai dau gariad yn nrws siop fechan yn ei phen draw.

'Eleri!'

Nid oedd ateb.

'Eleri!'

'Ia, Dada?'

'Gwadna hi adra'r munud yma. Wyddost ti 'i bod hi ymhell wedi un ar ddeg? Ac os wyt ti'n meddwl fy mod i'n mynd i grwydro i chwilio amdanat ti yn y nos fel hyn . . .'

'O'n i'n mynd adra 'nawr, Dada.'

'Oeddat ti, wir! . . . O, Mr Bowen, ai e? Gwell i titha 'i gloywi hi, 'ngwas i, cyn i flaen fy nhroed i roi cychwyn iti.'

A'i 'gloywi hi' a wnaeth Jack Bowen, gan danio sigarét ac yna chwibanu tipyn wedi iddo gyrraedd tir diogel.

Brysiodd Eleri adref o'u blaen, a disgwylient ei chael hi'n beichio wylo ar wddf ei mam. Yn lle hynny, yr oedd hi'n hynod dawel â her yn ei llygaid.

'Dos i'r gwely 'na,' meddai ei thad yn swta.

'Ia, i'r gwely â ni i gyd, Eleri fach. Mi fyddwn ni wedi

anghofio pob dim am y peth erbyn 'fory, wsti,' meddai William Jones.

'Na fyddwn, Wncwl William.'

'Gwranda, 'nginath i,' meddai Crad, yn dechrau colli'i dymer eto. 'I'r gwely 'na ddeudis i, yntê? A heb swpar.'

'Dada?' Yr oedd rhyw gryndod peryglus yn y llais.

'Y?'

'Nid deuddeg ôd wy' i nawr. Ac os ŷch chi am fy nhrin i fel heno . . .'

'Wel?'

'Wy'n mynd o' 'ma.'

'Yli, dos i'r gwely 'na cyn imi golli fy nhempar a chwilio am wialen fedw. Mynd o' 'ma, wir! Dos . . . Be' wyt ti'n wneud, Meri?'

'Dim ond torri tamad o fara-'menyn iddi hi. Mae'r hogan isio bwyd bellach.'

'Isio bwyd ne' beidio, yn syth i'r gwely 'na y mae hi i fynd.'

Trannoeth, tawedog iawn oedd Crad tros ei frecwast. Ni chysgasai fawr ddim ac ni theimlai'n dda o gwbl.

'Dyna ti, wyt ti'n gweld,' meddai Meri. 'Gwylltio fel matsen, ac wedyn 'dyfaru a phoeni. Mi fasa'n well o lawar 'tasat ti wedi gwrando arna' i a William, yn lle codi ffys.'

'Ffys! Aros di imi gael gafael yn y Jack Bowen 'na; mi ddangosa' i iddo fo faint sy tan Sul!'

'O'n i'n meddwl bod yr hogyn yn gweithio yng Nghaerdydd 'rŵan,' sylwodd William Jones.

'Ydi, mae o,' meddai Meri. 'Ond mae o 'di bod adra am wsnos. Mynd yn 'i ôl pnawn 'ma.'

'Sut y gwyddost ti?' gofynnodd Crad.

'Eleri ddeudodd wrtha' i.'

'Lle mae hi?'

'Allan yn rhwla. Mi gafodd frecwast hefo Wili John.'

Amser cinio, ceisiodd William Jones fywhau tipyn ar bethau trwy brofocio Eleri ynghylch y rhuban yn ei gwallt. Torrodd hithau i grio, a syllodd pawb yn syfrdan ar ei gilydd.

'Gwranda, Eleri,' meddai ei thad, pan ddaeth hi ati ei hun, ''tasat ti hefo rhyw hogyn fel . . . fel Richard Emlyn ne' rywun neithiwr, faswn i ddim wedi codi twrw. Yr wyt ti'n hen hogan fach iawn, wsti, ac er dy les di dy hunan yr oedd Wncwl William a finna'n dŵad i chwilio amdanat ti. Mi gei di a Wili John fynd i'r pictiwrs heno.'

Wylo'n hidl a wnaeth Eleri.

Aeth William Jones a Chrad i lawr i'r pentref am dro yn y prynhawn, gan droi'n ôl yn hamddenol ychydig wedi pedwar. Brysiai Meri i'r tŷ yr un pryd â hwy â basged yn ei llaw.

'Diar, mae hi'n boeth,' meddai, 'ac 'rydw i bron â syrthio o isio 'panad.'

Ni ddaeth Eleri i mewn i de, a dyfalent oll i b'le yr aethai. At un o'i ffrindiau, efallai. Troes y dyfalu yn bryder erbyn amser swper. Deg. Un ar ddeg. Hanner nos.

'Mi a' i i lawr i dŷ'r Jack Bowen 'na,' meddai Crad, a aethai i'r drws ugeiniau o weithiau.

'Na, mi reda' i yno,' meddai William Jones. 'Fydda' i ddim dau funud.' A brysiodd ymaith.

Curodd yn hir wrth ddrws Huw Bowen cyn gweld golau'n llamu o'r diwedd i dywyllwch y llofft. Clywai rywun yn dod i lawr y grisiau.

'Pwy sy 'na?' Safai Huw Bowen yn ei grys nos tu ôl i'r drws a ddaliai'n gilagored.

'Fi. William Jones. Eleri, hogan Crad, heb ddŵad adra.

Hefo Jack, eich hogyn chi, yr oedd hi neithiwr, ac mi gafodd hi dafod ofnadwy gan 'i thad. A heno . . .'

''Da Jack ni?' Mrs Bowen a siaradai, gan wthio'i phen tros ysgwydd ei gŵr. 'Ond ma' fa bron â bod yn *engaged* i ferch 'i fishtir yng Nghardydd. Merch sy'n y *College* yn *Oxford.* 'Rŷch chi'n gwneud *mistake.*'

Diolchai William Jones na ddaethai â Chrad gydag ef. Ymddiheurodd am aflonyddu arnynt mor hwyr, ac yna cludodd ei goesau byrion ef adref ar garlam bron. Yr oedd golwg frawychus ar wynebau Meri a Chrad a Wili John.

'Be' sy 'di digwydd?' gofynnodd y dyn bach â'i wynt yn ei ddwrn.

'Mae hi wedi mynd â'i dillad hefo hi,' meddai Meri. 'A'r bag lledar oedd gan Crad.'

Eisteddai Crad yn y gadair-freichiau a'i wyneb fel y galchen.

''Taswn i ddim ond yn gwbod i b'le'r aeth hi,' meddai gan guro'i ddwrn yn ffyrnig ar fraich y gadair, 'mi faswn i'n llogi car i fynd ar 'i hôl hi. Be' wnawn ni, William? Be' wnawn ni?'

'Mi wn i un peth y mae'n rhaid inni 'i wneud.'

'Be'?'

'Dy yrru di i'th wely. Mae hi'n tynnu at un o'r gloch y bora, ac mi wyddost be' ddeudodd y doctor.'

'Ond daria unwaith . . .'

'Fedrwn ni wneud dim heno. Mae hi'n rhy hwyr. Mi a' i i lawr i weld Sam Pierce, y plisman, ben bora.'

Ni chysgodd yr un ohonynt ryw lawer y noson honno. Cododd William Jones yn fore, ac i ffwrdd ag ef tua saith i dynnu Sam Pierce o'i wely. Rhoes hwnnw'r manylion i lawr yn ofalus, gan addo ffônio disgrifiad o Eleri i'r heddswyddog yng Nghaerdydd. Galwodd orsaf Bryn Glo ar y ffôn. Na, nid oedd y clerc a oedd yno'r prynhawn cynt ar gael, ond deuai at ei waith am hanner awr wedi wyth. Stokes, y porter, a siaradai.

Dychwelodd y chwarelwr i'r tŷ am damaid o frecwast ac orig arall o ddyfalu a damcanu pryderus yng nghwmni Meri a Wili John. Ddegau o weithiau y gofynnodd Meri a'i brawd yr un cwestiynau i'w gilydd, gan archwilio'r un tir dro ar ôl tro. Ond ymbalfalu yn y tywyllwch yr oeddynt, heb ganfod llewych yn unman. Yr oedd Crad yn ei wely, yn llipa ar ôl dwy noson ddi-gwsg.

Aeth William Jones gyda Sam Pierce i weld y clerc yn yr orsaf. Eleri Williams? Adwaenai ef hi'n dda, gan iddo fod yn yr un dosbarth â hi yn ysgol Tre Glo. Na, ni welsai mohoni y prynhawn cynt. Jack Bowen? Do, fe aethai ef yn ôl i Gaerdydd ar y trên dau. Cwmni? Na, ei hunan yr oedd.

'Y bws,' meddai'r plisman. 'Ma' 'na un 'nawr am hanner awr 'di naw. A Ben, 'nghender, yw'r condyctor.'

Brysiodd y ddau at siop yr Eidalwr, a daeth y bws a redai o Dre Glo i Gaerdydd i'r golwg cyn hir. Llanc tew, digrif, gwallt coch, oedd Ben, â gwên lydan ar ei wyneb bob amser.

''Na record, Sam!' meddai wrth ei gefnder, pan arhosodd y bws.

'Beth?'

' "Y Delyn Aur"!' A chwarddodd dros bob man.

'Gwranda, Ben,' meddai'r plisman, 'a thria fod yn sobor am funud, os na fydd hynny'n ormod o straen arnot ti. Ma' merch fach o Fryn Glo 'ma 'di cilo bant. *Seventeen,* gwallt tywyll, llyged glas . . .'

'Pryd cilws hi?'

'Pnawn ddo'.'

'Bws tri o'r gloch?'

'Ia, 'falla. Ddath merch fach miwn i'r bws pnawn ddo'?'

'Gad i fi drio cofio 'nawr . . . Bws tri, bws tri . . . Na, ddath dim merch fach i'r bws.'

'Wyt ti'n siŵr, 'nawr? Yn berffeth siŵr?'

'Odw. Dim ond dau—Jinkins yr Emporiym a 'Leri Williams ddath miwn.'

'Eleri Williams! 'Na'r ferch 'ŷn ni'n whilo amdani, y twpsyn tew!'

'Dishgwl di yma, Sam, 'dyw'r ffaith fod dillad plisman amdanat ti ddim yn rhoi'r hawl iti . . .'

'Gad dy glebar. Pam na faset ti'n gweud ar unwath fod y ferch ar y bws, w?'

'Ond merch *fach* wedaist ti. Ac os yw 'Leri Williams yn ferch fach, wy' inna'n dena' a thitha'n dew.' A chwarddodd Ben yn uchel eto.

'Wyt ti'n siŵr taw hi ôdd hi? Shwd wyt ti'n 'i 'nabod hi?'

'Shwd wy' i'n 'i 'nabod hi! Shwd wy' i'n 'i 'nabod hi! Yn *Scotland Yard* y dylet ti fod, Sam, bachan . . . Shwd wy' i'n 'nabod 'Leri Williams a 'itha'n trafaelu ar y bws 'ma bob bora i'r ysgol! Jiw, jiw!'

'Be' ôdd hi'n wishgo?'

'Cap coch, côt nefi blŵ, a 'rôdd bag lledar 'da hi.'

'Rhwbath arall?' Tynnodd Sam Pierce ei nodlyfr allan.

'Ôdd. 'Nawr 'wy'n cofio, bachan.' Taflodd Ben winc i wyneb eiddgar William Jones.

'Wel, cer 'mlân!'

'Trwsus pen-glin!' A throes pwl o chwerthin wyneb mawr Ben yn gochach na'i wallt. Yna gwelodd y pryder yn llygaid y chwarelwr, a sobrodd yn sydyn.

'I Gardydd ath hi,' meddai. 'Ôdd hi'n mynd yno ar 'i holides, medda hi wrtho' i. Ôdd hi'n ishta'n y bws 'da rhyw ferch ddath miwn yn Nhre Glo, merch sha'r un ôd â hi. Ôn nhw'n nabod 'i gilydd, ond 'smo fi'n gwbod pwy ôdd y llall.' A dyna'r cwbwl a wyddai Ben.

Galwodd William Jones yn nhŷ Jack Bowen ar ei ffordd adref. Yn ffodus, aethai Mrs Bowen allan i siopa, a chafodd heb un trafferth gyfeiriad y swyddfa lle gweithiai'r mab yng Nghaerdydd.

'Yr ydw i am fynd i lawr i Gaerdydd bora 'ma,' meddai wrth Meri. 'Mae'n rhaid imi fod yno heno ar gyfar *Y Pwll Du,* ond liciwn i gael gair hefo'r Jack Bowen 'na cyn hynny. Paid â sôn wrth Crad, rhag ofn y bydd o isio dŵad hefo mi. Wedi cael telegram o'r BBC dywed wrtho fo.'

Pur bryderus oedd ei gamau o orsaf Caerdydd i gyfeiriad y Swyddfa yr oedd Jack Bowen yn glerc ynddi. Clywsai Mrs Bowen, ar ei ffordd adref o'r capel un bore Sul, yn ymffrostio bod 'Jack ni' mewn plas o le yn awr ac mai ef oedd y prif glerc yno. Yr *oedd* yr adeilad yn un mawr, ond darganfu William Jones nad oedd gan Jack a'i feistr ond un ystafell fechan yn union wrth ben y drydedd res o risiau. Curodd ar y drws.

'Well?' gofynnodd gŵr bychan, llechwraidd yr olwg, a agorodd iddo.

'I would like to see Mr Bowen, if you don't mind, syr.'

'On business?'

'No, preifat, syr.'

'Hm! Can't have your uncles calling here for you, you know, Bowen,' meddai'r dyn, gan droi'n ei ôl i'r ystafell.

'No, sir. I'm awfully sorry, sir. Won't take a minute, sir.'

Ni chlywsai William Jones lais mwy taeog a sebonllyd erioed.

'You'd better have a word with him on top of the stairs. I'll give you ten minutes.'

'Thank you, sir.'

Ia, Jack Bowen oedd y prif glerc, meddai'r chwarelwr wrtho'i hun; dim ond ef a'r dyn bach llechwraidd a weithiai yn aflerwch y swyddfa dlawd.

'Wel, beth ŷch chi'n moyn, Northman?' gofynnodd y llanc, ar ben y grisiau, â'r swagrwr eto yn ei dôn.

'Dŵad i lawr yma i chwilio am Eleri yr ydw i. Mi gododd dicad i Gaerdydd 'ma pnawn ddoe, a welson ni ddim golwg ohoni hi wedyn.'

'Dyw hi ddim 'da fi, Northman.' A thynnodd Jack Bowen leinin poced ei gôt allan mewn ymgais at ysmaldod. Cadwodd y chwarelwr ei dymer.

''Roedd hi hefo chdi echnos, nos Fercher. Welaist ti hi wedyn?'

'Do, y ffŵl fach. A mi wetas i wrthi am fynd sha thre.'

'Pryd oedd hyn?'

'Diwetydd ddo', ar ôl te. Mi ddath hi i'r digs 'co. A 'na'r cwbwl wn i, Northman.'

'Be' ddigwyddodd?'

'Mi ddath hi i'r digs 'co, ac o'n i *yn* cychwyn mas. Ôdd cwmni 'da fi.'

'Rhyw ferch arall, mae'n debyg!'

''Dyw hynny'n ddim o'ch busnes chi, Northman.'

'I b'le'r aeth hi?'

'Shwd wy' i'n gwbod? Mi wedais i wrthi am fynd 'nôl yn strêt.'

'Est ti ddim i'w danfon hi at y bws?'

'Netho i ddim gofyn iddi ddod lawr i Gardydd, do fa? Y ffŵl fach!'

'Ydi, mae hi'n ffŵl fach, mae arna' i ofn, yn rhoi ymddiriedath mewn rhyw greadur fel ti.' A brysiodd William Jones i lawr y grisiau heb dorri gair arall.

Crwydrodd hyd heolydd y ddinas drwy'r prynhawn, gan gyflymu ei gamau bob tro y gwelai gap neu het goch. Ond ofer fu ei ymchwil, ac wedi yfed cwpanaid o de, troes yn ddigalon tua stiwdio'r BBC. Go ddienaid fu ei berfformiad fel Ben Roberts yn yr ymarfer y noson honno, ac oni bai fod Ted Howells wrth ei benelin, collasai ei le droeon ar y sgript ac aethai holl gynghorion y cyfarwyddwr yn angof.

'Be' sy'n bod heno, Jones?' gofynnodd Howells, pan gawsant seibiant a chwpanaid o de.

Dywedodd ei stori. Ond nid oedd gan ei gyfaill weledigaeth, a'r cwbl a allai ei wneud oedd sibrwd yng nghlust Ellis Owen, y cyfarwyddwr, gan awgrymu iddo beidio â thalu sylw manwl i ran Ben Roberts y noson honno.

Yr oedd Meri a Wili John ar y platfform ym Mryn Glo. Adroddodd hanes ei ddiwrnod wrthynt, a deallodd mai'r unig newydd a gawsent hwy oedd i Eleri fenthyca tri swllt oddi ar Freda James, un o'i chyfeillion, y bore cynt. Crad ddim hanner da ac yn poeni'n ofnadwy. Mr Rogers wedi ysgrifennu at weinidog pob eglwys yng Nghaerdydd, rhag ofn y digwyddai un ohonynt hwy neu o'u haelodau daro arni.

Llusgodd dyddiau pryderus heibio. Ceisiai Meri anghofio'i hofnau trwy fynd ati i lanhau, yn hollol ddiangen, bob ystafell yn y tŷ; ond eistedd yn ddiymadferth yn ei gadair-freichiau a wnâi Crad, heb fawr o ddiddordeb hyd yn oed yn helyntion Ben Roberts yng ngwaelod y Pwll Du. Richard Emlyn, hogyn Shinc, a'u synnodd fwyaf. Âi ef i lawr i Gaerdydd ar ei feic bob dydd, gan loetran yn ddisgwylgar ar gonglau'r strydoedd. Hyd heolydd Caerdydd y treuliodd Idris Morgan hefyd brynhawn a hwyr y Sadwrn, a thrawodd ar Mr Rogers yno droeon.

'Idris, fachgen,' meddai'r gweinidog, pan gyfarfyddent am y pumed tro. 'Oes 'da ti ddim gwell i'w wneud na chrwydro'r hewl fel hyn?' Yna, gyda gwên, 'Dere, mi awn ni 'da'n gilydd i whilo amdani.'

Ond nid oedd sôn am Eleri.

Ben bore Iau y galwodd Mrs Leyshon, gwraig un o swyddogion Nymbar Wan a'r 'fam' yn nrama Twm Edwards. Buasai hi wrth y drws yn hwyr y noson gynt, meddai, ond gan fod y lle'n dywyllwch, penderfynasai gadw'i newydd tan y bore. Yr oedd hi'n sicr—wel, bron yn sicr, beth bynnag—iddi weld Eleri'n gweithio fel gweinyddes mewn sinema fawr yng Nghaerdydd. Ar ei ffordd allan o'r sinema y cawsai gip arni, a rhedasai i fyny'r grisiau ar ei hôl, ond collasai hi yng nghanol y dyrfa, a rhaid oedd iddi droi'n ei hôl i frysio am ei thrên.

'Mi a' i i lawr yno ar unwaith,' meddai William Jones, gan ruthro ymaith i ddal y trên cyntaf.

Ond ffolineb oedd ei frys. Yr oedd clwyd haearn gloëdig ar draws mynedfa'r sinema, a safodd gerllaw i wylio'r bobl a âi heibio i'w gwaith.

Cyn hir gwelodd ddwy wraig dlodaidd yr olwg yn troi i mewn i gulffordd wrth ochr y sinema, a dilynodd hwy at ddrws yng nghefn yr adeilad.

'Excuse me, if you please, but when are they opening?'

''Arf parst one,' meddai'r hynaf o'r ddwy, gan chwilio am allwedd y drws.

'When will the Manijar be here?'

'Quarter parst.'

'Thanciw. I want to see him. Do you know where he lives?'

'No, I don't.' Agorodd y wraig y drws, ac awgrymai pob osgo o'i heiddo na fwynhâi'r sgwrs. Mynd i mewn i lanhau'r lle yr oedd y ddwy, tybiodd William Jones.

'Excuse me again, but do you know any of the girls working here?'

Gwylltiodd y ddynes.

'No, I don't. And if it's Elsie you're after, she's as honest as the day, let me tell you.'

'Elsie?'

'My brother's gel. 'Er Dad would kill 'er if she stole anythin'. It's that ginger-'eaded gel in the Stalls done it. Wouldn't trust 'er with my dusters, I wouldn't. Nor Meg 'ere. Why don't you go to 'er 'ouse 'stead of sendin' plicemen to a 'spectable 'ome for all the neighbours to talk 'bout our Elsie? And what's she done, I'd like to know? Askin' questions like she was a criminal an' what time this an' what time that an' where was she when she wasn't there an' nonsense like that. You go an' find that ginger-'eaded puss in the Stalls. Come on in, Meg.' A rhoes glep ar y drws yn wyneb y chwarelwr.

Loetran hyd y strydoedd y bu William Jones drwy'r bore, ac wedi cael tamaid o ginio yn *Woolworth's,* troes ei gamau eto tua'r sinema. Cyn hir agorwyd y glwyd haearn gan ddyn mawr yn gwisgo côt werdd â botymau euraid arni. Na, ni chyrhaeddai'r goruchwyliwr am chwarter awr arall. Y genethod? Twt, yr oedd y rheini'n newid mor aml fel na allai neb meidrol ddilyn eu hynt. Merch dal a thywyll a thlos? Yr oedd amryw yn dal ac yn dywyll, a phob un yn dlos. Yna aeth gŵr y botymau euraid i ymarfer ei lais yn y porth.

'Seats in all parts! Seats at all prices! Ninepence, shillin', an' one an' three! Balcony, one an' six an' two shillins!'

Gwyliodd y chwarelwr y bobl yn dechrau troi i mewn. Rhyfedd bod cymaint yn rhydd i dreulio prynhawn Iau fel hyn yn y sinema, onid e? Piti na ddôi'r goruchwyliwr 'na; gallai fynd i mewn cyn iddynt ddiffodd y goleuadau wedyn, a byddai'n sicrach o ganfod Eleri nag yn y tywyllwch. Ymh'le yr eisteddai? Yn y cefn fyddai orau. Ia, swllt a thair. Sut ddyn oedd y goruchwyliwr 'na, tybed? Rhyw Sais mawr tew â dannedd aur ac yn smocio sigâr a gwisgo sbats. Gobeithio y byddai ei Saesneg yn ddigon da i'r ornest. Daria, yr oedd Cymro yn llawn cystal, os nad gwell, nag unrhyw Sais, a sigâr neu beidio, ni ddywedai ef 'syr' wrtho. Safodd William Jones ar flaenau'i draed i fod dipyn yn dalach, a gwthiodd ei ên allan.

''Ere's the Manager comin',' meddai gŵr y botymau euraid. 'Seats in all parts! Seats at all prices. . . This gentleman wants to 'ave a word with you, sir.'

'Oh? What is it, my man?'

Nid oedd hwn yn fawr nac yn dew, ac nid ysmygai sigâr na gwisgo sbats. Dyn canol oed ydoedd, o daldra cyffredin, a'i ddillad tywyll mor barchus ag eiddo un pregethwr. Tynnodd William Jones ei ên yn ôl.

'My sister's girl, she's run away from home. Eleri Williams. Tall, dark hair, red cap, navy blue coat. Is she working for you here?'

'Williams? No, I don't think. . . Wait a minute, though. I took a new girl on a couple of days ago. Yes,

Monday. We've been rather short-handed—holiday-time, you see.'

'Yes, of course, syr.' Llithrasai'r 'syr' allan ar ei waethaf.

'I believe her name's Williams. Good-looking girl. Nicely spoken, too.'

'Yes, that's Eleri. Tall and dark, syr?'

'Yes. As a matter of fact, she's rather like my own girl to look at. And about the same age.'

'Eleri's seventeen.'

'I thought so. Of course, this one may not be the girl you're looking for.'

'Well, I haven't risen my ticket yet. Where is the best place for me to go to? Upstairs or down?' A thynnodd William Jones ei bwrs allan.

'Downstairs. We always start them downstairs. But there's no need for you to get a ticket. Come along with me.'

'Thanciw very much, syr.'

Dilynodd y goruchwyliwr ar hyd y cyntedd hir. Llun Gary Cooper? Un da hefyd. Y gŵr hwnnw oedd ffefryn Wili John. Ronald Colman? Yr oedd yntau ymhlith yr arwyr yn oriel Wili John.

Pan aethant i mewn i dywyllwch y plas anferth, dywedai Donald Duck y drefn yn arw wrth rywun. Diawch, gallai Wili John ddynwared yr anifail hwn i'r dim, a gwnâi hynny bob nos yn ei wely.

'Nos da, Wncwl. Cysgwch yn dawel,' crygleisiai'r hwyaden Gymreig wrth droi ar ei hochr i gysgu, a cheisiai William Jones ateb mewn llais tebyg.

'We'd better stand here for a moment to get used to the darkness,' meddai'r goruchwyliwr. Yna troes at un o'r genethod gerllaw. 'Where's the new girl who started on Monday?'

'Down there on the left, sir.'

'I'd like to speak to her. Ask her to come here a minute please.'

'Yes, sir.'

Gwisgai'r ferch ffrog werdd ac iddi goler uchel filwrol ac ar ei phen yr oedd cap bychan crwn o'r un deunydd. Byddai'n rhyfedd gweld Eleri mewn dillad felly, meddai'r chwarelwr wrtho'i hun . . . Ia, hi oedd hi, yr oedd yn sicr o hynny.

'Eleri!'

'Wncwl William!' A thorrodd i wylo.

'Come along to my office,' meddai'r goruchwyliwr yn garedig.

'Tyd, Eleri. A phaid â chrio, 'nghariad i. Mi fydd popeth yn iawn 'rŵan, wsti.'

'Can she come home with me, syr?' oedd cwestiwn pryderus William Jones yn y swyddfa. Ofnai y byddai rhyw gytundeb yn ei chadw yno hyd ddiwedd yr wythnos.

'Of course. We're a bit short-handed, but we'll manage all right. You go and get changed, Hilary.'

'Thank you, sir.'

'Hilary is my girl's name,' eglurodd y goruchwyliwr wedi i Eleri fynd allan. 'That's a photo of her, there on the mantelpiece. They're rather alike, aren't they?'

'Yes, indeed, very alike.'

Cododd y dyn a datgloi cwpwrdd haearn yng nghongl yr ystafell. Cymerodd bapur punt allan o flwch a oedd ynddo.

'You're her uncle, aren't you? Her father alive?'

'Yes. A collier he is, but unemployed now, of course. And not very well. Dust on his lungs.'

'Hm!' Agorodd y blwch eto a chymryd papur punt arall ohono. Yna clodd y blwch a'r cwpwrdd yn ofalus.

'Can't be too careful these days,' meddai. 'And we've had a bit of trouble here this week . . . Ah, here she is!'

Gwisgai Eleri ei chap a'i chôt ei hun yn awr. Yr oedd ei llygaid yn goch wedi pwl o wylo. Ysgydwodd y goruchwyliwr law â William Jones ac yna estynnodd y ddau bapur punt i Eleri.

'No, I . . . I don't deserve them, sir.'

'Nonsense! Put them in your pocket. And from now on, Hilary, you're going to be a very good little girl, aren't you?'

'Yes, sir.' A chronnodd y dagrau yn ei llygaid eto.

'I know you are. Good-bye and good luck, my dear.'

Ysgydwodd William Jones law â'r dyn eilwaith cyn troi ymaith, gan ddiolch yn gynnes iddo. Diawch, wedi'r cwbl, er mai Sais oedd o, yr oedd o'n rêl gŵr bonheddig. Oedd, 'nen' Tad. Ysgydwodd law hefyd â gŵr y botymau euraid wrth y porth.

'Dos i nôl dy betha, Eleri. Mi fydda' i wrth y stesion yn aros amdanat ti.'

Bu raid iddo sefyllian yn hir yng nghyntedd yr orsaf, a dechreuodd anesmwytho. Aeth chwarter awr heibio. Daria, dylasai fynd hefo hi rhag ofn iddi newid ei meddwl. Na, ni chodai docyn iddi nes ei gweld yn dod. 'Rargian, byddai Crad yn hanner ei ladd am iddo'i gollwng o'i afael mor rhwydd. Ugain munud. Pum munud ar hugain. Ond ymddangosodd y cap coch yn y pellter yn fuan wedyn.

Cawsant gerbyd iddynt eu hunain, a phan gychwynnodd y trên, torrodd Eleri i feichio wylo.

'O, ma'n flin 'da fi, Wncwl! O, ma'n flin 'da fi!'

'Ydi, mi wn i, Eleri fach.'

'O'n i ddim yn meddwl dim drwg, Wncwl.'

'Drwg!' A chwarddodd William Jones.

Âi'r trên heibio i res o gefnau tai, a chymerodd y chwarelwr ddiddordeb eiddgar ym mhob pwced-ludw a pholyn lein. Petai hi'n ferch fach ryw deirblwydd oed, gallai grychu ei drwyn ac ysgwyd ei dafod a thynnu pob math o ystumiau i'w diddori, ond yr oedd Eleri yn ddwy ar bymtheg. Rhyfedd mor sionc oedd cath, yntê! Rhedasai i fyny'r polyn 'na a thros y wal cyn i'r hen gi bach acw sylweddoli ei bod hi yno bron. . . . Ia, wir . . . Beth oedd y teclyn ar ben y ferch acw? O, gofalu am ford teleffôn yr oedd hi. Gwaith go ddienaid, yntê? . . . Ia, wir . . . 'Doedd y ddwy acw yn y ffenestr oddi tani ddim yn gweithio'n galed iawn. Na, 'roedd rhywun yn talu i un am glebran ac i'r llall am roi paent ar ei hwyneb . . . Ia, wir . . . 'Roedd hi'n bryd i Eleri ddod tros y crio 'na.

'Y Richard Emlyn 'na.'

Cododd ei phen ar unwaith.

'Hen hogyn gwirion.'

'Pam, Wncwl?'

Tawelodd y beichio wylo, ac yr oedd hi'n amlwg iddo daro ar bwnc diddorol.

'Yn dŵad bob cam i Gaerdydd 'ma ar gefn 'i feic bob dydd. Diar, mi ddeudis i'r drefn wrtho fo un diwrnod. Ond dyna fo, mae o mor styfnig â Shinc, 'i dad, bob mymryn.'

'Pam ôdd a'n dod, Wncwl?'

'I chwilio amdanat ti, os gweli di'n dda. Ac 'roedd o'n aros i lawr yma nes bod hi'n twllu bob nos. Mi fasa'n well iddo fo aros adra i ganu'r ffidil ne'r piano o lawar. 'Roedd Idris Morgan yn deud wrtha' i . . . Caea braf, yntê? Fûm i 'rioed yn gweithio mewn cynhaea' ŷd, hogan. Wrth gwrs, 'doedd gynnon ni ddim caea ŷd yn Llan-y-graig acw. Ond mi fyddwn i'n mynd i'r gwair yn reit selog. Diawch, 'rydw i'n cofio unwaith . . .'

'Be' ôdd Idris Morgan yn weud, Wncwl?'

'Am be'?'

'Am Richard Emlyn.'

'O? Deud 'i fod o'n gerddor *champion,* hogan, ac os bydd o'n dal ymlaen i ymarfer fel y mae o, y bydd o'n siŵr o ennill ysgoloriaeth i ryw *Royal College* tua Llundain 'na. Ond dyna fo, un fel 'na ydi Idris.'

'Beth ŷch chi'n feddwl, Wncwl?'

'Un am ganmol pawb. 'Roedd o'n deud fy mod i yn denor gwych, hogan!'

'Ond *ma'* Richard Emlyn yn gerddor.' Fflachiai tân drwy'r dagrau yn llygaid Eleri.

'Wn i ddim, wsti.'

'Shwd ôdd a'n cal 'wara' i'r *Messiah,* 'ta?'

'Ia, ond . . .'

'A phan ôn nhw'n brodcasto o'r cwrdd, *fe* gas 'wara'r organ.'

'Ia, ond . . .'

'A beth am y 'steddfod 'na yn Nhre Glo pan enillws a ar 'wara'r *violin*? Fe wetws y beirniad . . .'

''Falla dy fod ti'n iawn, hogan. 'Falla, wir. Mi fûm i yn y parlwr hefo fo y diwrnod o'r blaen. Dydd Sul oedd hi, dywad? Ia, ar ôl te pnawn Sul. Diawch, 'roedd 'i fysadd o'n medru symud ar y biano 'na! Ond dyna le blêr oedd yn 'i barlwr o!'

'Nid arno fe ma'r bai fod y lle'n shangdifang, Wncwl!'

'Ar bwy, 'ta?'

'Ŷch chi'n gwbod shwd ma'i fam a'n trampo obothdu i ganu o hyd yn lle gofalu am y tŷ. A'i dad a'n mynd mas i yfad yn yr hen Glwb 'na. A wedyn, ma' dou o blant bach yno heb sôn am Gomer a Nan.'

'Oes, mi wn i, ond . . . Ac eto, chwara' teg iddo fo, mae Richard Emlyn yn reit lân a thwt bob amsar. Ydi, ond iti fynd i sôn am y peth, hogyn go lew ydi Richard Emlyn. Ia, wir, hogyn clên. Hen fôi bach iawn ydi Gomer, 'i frawd o, hefyd, ond 'i fod o fel tramp hyd y lle acw weithia. Mae Wili John yn rêl gŵr bonheddig wrth 'i ochor o.'

'Ond ma'n rhaid i chi gofio fod Wili John yn gwitho, Wncwl, a Gomer heb gal job ariôd.'

'Rhaid, o ran hynny, hogan.'

Bu tawelwch rhyngddynt am amser, ac Eleri'n syllu'n freuddwydiol drwy'r ffenestr. Daeth pwl arall o wylo trosti cyn hir.

'Fydd Dada'n gas, Wncwl?'

'Yn gas! Na fydd, 'nen' Tad. 'Roedd 'na lot o fai arno *fo,* wsti. Wn i ddim be' ddaeth trosto fo, ond mi wyddost na fedar o ddim diodda hogyn Huw Bowen. Mae dy dad yr un fath â finna. Os bydd rhywun yn dipyn o lanc, mae 'i wrychyn o'n codi ar unwaith . . . Ond paid â chrio, Eleri fach. Mi fyddwn ni'n chwerthin am ben hyn eto, gei di weld. Ond 'roedd 'na lot o fai ar dy dad, mae'n rhaid imi ddeud.'

'Nac ôdd. Ôdd dim bai ar Dada.'

'Wel, hynny ydi . . . Na, paid ti â chrio 'rŵan, 'nghariad i.'

'Na, Dada ôdd yn iawn. Ac O, wy'n flin, Wncwl.' Aeth yr wylo'n ganmil gwaeth.

'Aros di, faint ydi d'oed di, dywad?'

'Dwy ar bymtheg, Wncwl.'

'Taw, hogan! O, yr o'n i'n hŷn na thi, wsti.'

Ni ddeallai Eleri, a sychodd ei dagrau cyn gofyn,

'Yn hŷn, Wncwl?'

'Pan ddengis i o gartra. O'n, yr o'n i'n ugain oed.'

Edrychodd Eleri'n syn arno. Wncwl William wedi dianc oddi cartref yn ugain oed! Credasai hi mai dyn bach diniwed tros ei hanner cant â'i gorun bron yn foel a fuasai ef erioed.

'I . . . i b'le'r ethoch chi, Wncwl?'

'I Lerpwl, hogan. Ia'n Tad, i Lerpwl.' Rhoddai'r ailadrodd gymorth i ddyfeisio'r stori.

'Pam, Wncwl?'

'O, wedi blino ar Lan-y-graig, wsti, ac ar fynd i'r hen chwaral 'na bob dydd. 'Doedd 'na ddim byd yn digwydd yn y Llan acw, dim ond Huw Ifans, tad Now John, yn cwffio hefo'r plisman o flaen y Bwl ne' Meic Bwtsiar yn lladd tarw ne' fochyn weithia. Ac felly, i ffwrdd â fi i Lerpwl yn slei bach un dydd Sadwrn. Diar 'roedd 'na le yn Llan-y-graig ar ôl imi fynd! 'Roeddan nhw wrthi'n dragio'r Pwll Dwfn, hogan, a chriwia'n crwydro hefo lampa hyd y mynydd bob nos. Golygfa dlos oedd y lampa ar y Foel—meddan nhw.' Ychwanegodd y 'meddan nhw', gan gofio mai yn Lerpwl yr oedd ef. 'Ia, wir, hogan.'

'Beth . . . ddigwyddws, Wncwl?'

'O, mi fuost ti'n fwy lwcus na fi, wsti.'

'Shwd?'

‘Hefo’r tywydd a hefo cael gwaith. Mi fûm i’n ddigon o ffŵl i ddengyd i ffwrdd yn y gaea’, ym mis Ionawr, a lle ofnadwy sy tua’r Lerpwl ’na yr adag honno. Ia, ’nen’ Tad. Rhewynt fel rasal a chenllysg fel marblis. Mi ges i le i aros yn . . . yn Bootle hefo rhyw Wyddelod, ac er ’i bod hi mor oer, ’roedd isio chwyddwydyr i weld y tân oedd yn y gegin. Lle sâl gynddeiriog oedd hwnnw—y dyn yn meddwi bob nos a’r wraig yn rhegi fel cath ac un o’r plant yn cael ffitia a’r babi’n sgrechian drwy’r dydd a thrwy’r nos. ’Doedd gin i mo’r stic sy ynot ti, hogan. Na, dim ond rhyw dri diwrnod arhosis i yno, a fûm i ’rioed yn falchach o weld Llan-y-graig na phan drois i adra. Byth eto! meddwn i. Nefar agen!’ Yna chwarddodd William Jones. ‘On’d ydw’ i’n un da, Eleri?’

‘Pam, Wncwl?’

‘Wel, dyma fi, yn ddyn â’i gorun yn foel, wedi gwneud yr un peth eto! Ond ’mod i wedi dŵad i’r Sowth y tro yma yn lle mynd i Lerpwl, yntê? A’i sticio hi am dros flwyddyn yn lle tri diwrnod. Diar, pan gyrhaeddis i Lerpwl a mynd i chwilio am rywla i aros, mi fu bron imi â thorri ’nghalon a dal y trên yn f’ôl ar unwaith.’

‘A finna, Wncwl.’ Yr oedd y dagrau’n llif eto.

‘Ond mi sticiaist ti hi am wsnos wel’di. Nid rhyw dri diwrnod fel dy Wncwl. Ond ’falla bod gin ti well lle i aros nag oedd gin i.’

‘Ôdd. ’Da whâr Beti.’

‘Pa Beti?’

‘’Smo chi’n ’i ’nabod hi—Beti Francis ôdd yn yr ysgol ’da fi yn Nhre Glo. Ôdd Beti ar y bws, a ma’ hi’n gwitho yn y sinema ’na yng Nghaerdydd. Hi wetws wrtho’ i fod un o’r merched yn dost a dwy arall yn mynd ar ’u holides a bod y Manijar yn whilo am rai yn ’u lle nhw. Mi ethon ni'n syth ato fa ac fe wetws a y cawn i ddechre ddydd Llun. O'n i'n cysgu a chal bwyd 'da Beti, a 'na garedig ôdd 'i whâr hi! Ond, Wncwl bach . . .' Torrodd i wylo'n hidl eto.

'Sut na fasa un ohonon ni wedi dy weld ti tua Chaerdydd 'na, dywad?' oedd cwestiwn William Jones ymhen tipyn.

'O'n i byth yn mynd mas, dim ond i'r sinema. A 'na hir ôdd diwedd yr wthnos, Wncwl! Dydd Gwener a dydd Sadwrn a dydd Sul. Fel blwyddyn! O'n i'n trio darllen, ond llefan y glaw o'n i'r rhan fwya' o'r amsar . . . Shwd ma' Dada, Wncwl?'

'O, mae o'n o lew, wsti, ond 'i fod o wedi poeni lot yn dy gylch di. Mi fydd o'n iawn 'rŵan ar ôl iti ddŵad adra—os na fyddi di'n gwneud rhyw dricia fel hyn eto.'

'Byth eto, Wncwl!'

'Nefar agen!'

'Nefar agen! . . . Glywsoch chi o' wrth Arfon?'

'Do, hogan. Pryd oedd hi, hefyd? . . . Ia, bora ddoe. O, mae o'n swnio'n reit hapus, ac wedi cael 'i symud 'rŵan i'r offis. Mae'r gwaith dipyn bach yn fwy diddorol yn fan 'no, medda fo. Ac mae o'n sôn am fynd i'r *University* yn Llundain bob gyda'r nos cyn bo hir. I gymryd digrî, medda fo.'

'Ma' Wili John yn cal tywydd da, Wncwl.'

Tywydd? Tywydd?

'Yn y gwersyll yn Llangrannog,' chwanegodd Eleri.

'O, ia. Aeth o ddim, hogan.'

'Pam?' Saethodd y gair ato. Ai o'i herwydd hi yr arhosodd Wili John gartref yn lle mynd i Wersyll yr Urdd?

''Roeddan nhw'n brysur iawn yn y siop ar ddiwadd yr wsnos, wsti, a mi ofynnodd Mr Lewis iddo fo ohirio'i wylia tan wsnos nesa'. Mae o am fynd ddydd Sadwrn, medda fo.'

Ni wyddai a gredai Eleri'r stori ai peidio; teimlai ei llygaid ymchwilgar arno, a thaniodd ei bibell.

'Shwd ma' Mot, Wncwl?'

'Yn rêl bôi, hogan, ond 'i fod o'n ddrwg ofnadwy. Wyddost ti be' wnaeth o ddoe?'

'Beth?'

'Mynd i siop Wili John a dŵad oddi yno hefo darn o gig â phapur y pris ynghlwm wrtho fo. Pawb yn y pentra yn trio'i stopio fo ar 'i ffordd adra. Mi es i i'r siop i gynnig talu i Mr Lewis, ond wnaeth o ddim ond chwerthin am ben y peth.'

Chwarddodd Eleri, ond gan fod ffynhonnau dagrau a chwerthin yn agos iawn i'w gilydd, troes y chwerthin yn wylo.

'Eleri?'

'Ia, Wncwl?'

'Mae dy dad a finna—a'th fam, o ran hynny—wedi bod yn siarad hefo'n gilydd, ac wedi penderfynu . . . Diar, caea braf, yntê?'

'Ia. Ŷn ni ddim ymhell o Ynys-y-gog 'nawr, Wncwl. Wedi penderfynu beth?'

''I bod hi'n hen bryd iti adal yr ysgol 'na. 'Rwyt ti wedi blino yno, on'd wyt ti?'

'Odw. Ond beth alla' i 'i 'neud, Wncwl?'

'Mynd yn athrawes, wsti.'

'*Pupil Teacher*?'

'Ia, am wn i.'

'Ond ma'n rhaid i mi gal risylt y Matric gynta', Wncwl.'

'O, yr wyt ti'n siŵr o lwyddo yn hwnnw, Eleri fach. Mi fu Mr Rogers yn siarad hefo'r Cyfarwyddwr Addysg yn

Nhre Glo, ac 'roedd o'n deud y caet ti le ym Mryn Glo yn Ysgol y Babanod yn nechra Medi—hynny ydi, os cei di'r Matric.'

'O, 'na *lovely*, Wncwl!'

'Ac ar ôl iti ddysgu yno am flwyddyn, y Coleg amdani. Lle ma'r Coleg, dywad?'

'Abertawe. I Abertawe ma' Nan Leyshon am fynd.'

'Mi gei ditha fynd yno ati hi ymhen blwyddyn, wsti. Dyna braf, yntê!'

Nesaent at Ynys-y-gog, ac o'i chongl hi yn y cerbyd, gwelai Eleri rai o strydoedd uchaf Bryn Glo yn y pellter.

'Na, paid â chrio 'rŵan. Mi fyddwn ni adra'n reit fuan, a mae dy fam wedi gwneud teisan 'fala yn sbesial iti.'

Cerddodd Eleri drwy Fryn Glo â'i phen yn uchel, heb gymryd un sylw o rai pobl a daflai olwg chwilfrydig tuag ati ac a sibrydai wrth ei gilydd. Pan gyrhaeddodd y tŷ, syrthiodd ar wddf ei mam, gan feichio wylo. Edmygodd William Jones ffordd Meri a Chrad o drin y sefyllfa.

'Mae Wncwl William yn sâl isio panad, yr ydw i'n siŵr,' oedd sylw Crad. 'Tyd, Eleri, helpa i wneud y te, yn lle bod yn hen fabi fel 'na.'

'Ydi, mae William druan bron â llwgu,' meddai Meri. 'Tyd i helpu dy fam, Eleri fach.'

'Oeddat ti ddim yn sôn fod 'na deisan 'fala i de?' gofynnodd y chwarelwr i'w chwaer. 'Un garw am deisan 'fala ydw i, hogan.'

'Mi gaiff Eleri 'i hestyn hi. A'r jam eirin hwnnw mae Wncwl William mor ffond ohono fo.'

Daliai Eleri i grio, ond rhoes cludo'r llestri a'r bwyd i'r bwrdd gymorth iddi anghofio'i helynt. A phan aeth Crad ati i geisio helpu, gwthiodd ef o'r neilltu. Ciliodd yntau ymaith, gan gymryd arno ddigio.

'Mi a' i i'r parlwr am funud nes bydd y te'n barod,' meddai. 'Yr ydw i'n cael coblyn o dafod weithia am ista'n ddiog yn y gadair 'na, ond dyma fi, pan ydw i'n cynnig helpu, yn cael fy ngyrru o'r ffordd. *Mae* hi'n anodd dallt y merched 'ma, William.'

Aeth William Jones ato i'r parlwr cyn hir i'w alw at ei de. Yr oedd llygaid Crad yn goch i gyd.

14 *AWYR IACH*

Nid oedd fawr ym mhen Wili John. Dyna, o leiaf, oedd barn y teulu yn Nelson Street, a theimlent yn falch iddo adael yr ysgol pan wnaeth hynny a chael lle yn siop Mr Lewis y cigydd. Nid oedd ef na cherddor na llenor nac actor nac adroddwr, a phan geisiai ddysgu adnod ar gyfer Cwrdd Chwarter yr Ysgol Sul, byddai'n ei dweud wrtho'i hun bob dydd am wythnos ac yn sicr o'i hanghofio wedyn yn y cyfarfod. Y mae'n wir ei fod yn aelod selog o Uwch-Adran yr Urdd ac o Glwb y Bechgyn, ond pur anaml y gwelid ef ar y llwyfan yn y cyngherddau a drefnid ynddynt. Bu'n un o dyrfa'n gweiddi 'Bw!' mewn rhyw ddrama, a manteisiodd unwaith ar ddyfais o'r enw 'cydadrodd' i fwmian rhywbeth tu ôl i ddyrnaid o barotiaid eiddgar.

Er hynny, yr oedd pawb yn hoff o Wili John ac o'r wên fawr a ddatguddiai ei ddannedd amlwg ac anwastad i'r byd o fore hyd hwyr. Dyna'r gwas mwyaf gweithgar a gawsai ef erioed, meddai Mr Lewis, ac yr oedd ganddo ddwylo medrus a pharod iawn. Ei haelioni oedd ei brif ddiffyg. Gan fod rhywun di-waith ym mhob tŷ ymron ym Mryn Glo, anghywir braidd oedd syniadau Wili John am y pwysau ar y glorian. Edrych i ffwrdd a wnâi Mr Lewis pan bwysai Wili John frôn neu ddarn o gig i wraig go dlawd, neu pan wthiai 'scrag-end' i mewn i'r parsel. Yn ffodus iawn, adar o'r unlliw oedd y ddau, ac ni chraffai'r gwas yntau ar glorianwaith esgeulus ei feistr.

Er yr ymddangosai mor llon a di-hid, poenai Wili John gymaint â neb ynghylch afiechyd ei dad, ac un noson yn y gwely, pan droes ei ewythr ar ei ochr dde i gysgu, meddai,

'Wncwl William?'

'Ia, Wili John?'

'Mynd yn wath ma' Dada, ontefa?'

'O, faswn i ddim yn deud hynny, 'ngwas i. Mae o wedi cael pylia fel hyn o'r blaen ac wedi dŵad trostyn nhw'n iawn.'

''Dyw a ddim yn dod lan i'r 'lotment 'da chi 'nawr.'

'Nac ydi, a 'dydw i ddim yn gweld bai arno fo. Hen laddfa ydi dringo i fyny i fan 'no, ac mi fydda' inna'n teimlo fel rhoi'r gora i fynd yna. Ddoe ddwytha' yr oeddwn i'n deud wrth Shinc—wrth dad Gomer—fy mod i'n colli fy ngwynt yn lân . . .'

'Ond 'dyw a ddim yn mynd lawr i'r *Workmen's* 'nawr, Wncwl.'

'O, mi fedra fo fynd i lawr yno bob bora 'tasa fo isio, ond, fel y gwyddost ti, mae'r papura newydd 'na fel pe'n trio dychryn pobol y dyddia yma ac mae'n well iddo fo beidio â'u darllan nhw. Mae'r rhyfel 'na yn Sbaen yn ddigon i godi ofn ar ddyn.'

'Digon o awyr iach a gorffws wedodd y Doctor, ontefa?'

'Ia. Paid ti â phoeni amdano fo, 'ngwas i... Nos dawch rŵan.'

'Wncwl William?'

'Ia?'

'Ma' sgîm 'da fi.'

'O?'

'Ôs, i fynd â fa mas i'r wlad. Ma' tandem 'da Mr Lewis a ma' fa 'di addo'i fencid a i fi.'

'I be', dywad?'

'Fe all Dada ishta arno fa, dim ond ishta'n dawal fach, a fe wna' i bopath arall. Fe fydd a'n cal digon o awyr iach weti 'ny, on' fydd? Beth ŷch chi'n feddwl o'r sgîm, Wncwl?'

'Dim llawar, mae arna' i ofn.'

'Pam?'

''Tasa pob gallt yn rhedag i lawr a byth yn mynd i fyny, mi fasa'r cynllun yn un go lew, wsti. Ond be' wnei di wrth orfod dringo?'

'O, 'i bwsho fa. Fydd dim rhaid i Dada ddod lawr, ŷch chi'n gweld. Odi'r sgîm yn O.K., Wncwl?'

'Mae 'na ddau wrthwynebiad yn dŵad i'm meddwl i, fachgan.'

'Beth ŷn nhw?'

'Yn y lle cynta', fedrat ti mo'i wthio fo i fyny gallt serth.'

'Na allwn i!'

'Na fedrat. Mae dy dad yn ddyn go fawr, wel 'di.'

'Pwy sy'n gweud na allwn i ddim mo'i bwsho fa?'

'Dos i gysgu 'rŵan, 'ngwas i. Mi wyddost un mor sâl wyt ti am godi yn y bora.'

'Pwy sy'n gweud na allwn i ddim mo'i bwsho fa? Odych chi'n barod i mi drio'ch pwsho chi?'

'Ac yn yr ail le, fydda dy dad ddim yn fodlon iti 'i wthio

fo drwy ganol pobol—i fyny'r allt ym Mryn Glo 'ma, er enghraifft. Mae dyn sâl yn groen-dena', wsti.'

'O'n i ddim wedi meddwl 'i bwsho fa lan trw' Fryn Glo. Meddwl mynd ar yr hewl dop o'n i a lawr drw Alfred Street a Stub Street i hewl Ynys-y-gog.'

'Fedrat ti byth mo'i wthio fo'n ôl i fyny Alfred Street, Wili bach. Dos i gysgu 'rŵan, 'machgan i.'

'Odych chi'n ddigon o sbort i drio, 'ta?'

'Trio be'?'

'Ma' *half-day* 'da fi 'fory. Odych chi'n gêm i ddod 'da fi ar y tandem i Ynys-y-gog?'

'Ond fedra' i ddim reidio beic, Wili John. Dos i gysgu, 'r hen ddyn.'

''Sdim ots am 'ynny. *Fi* fydd yn reido a dim ond ishta arno fa fyddwch *chi,* Wncwl. Odych chi'n gêm?'

'O, o'r gora, ond dos i gysgu, da chdi.'

'O.K. Nos da, Wncwl.'

'Nos dawch, 'ngwas i.'

Trannoeth, pan ddaeth Wili John adref i'w ginio, gwthiodd dandem i orffwys yn erbyn mur y tŷ. Cofiodd William Jones yn sydyn fod arno eisiau dychwelyd rhyw bapur Comiwnyddol i dŷ Shinc.

'I b'le ŷch chi'n mynd, Wncwl?'

'Isio rhedag â hwn i dŷ tad Gomer. Fydda' i ddim dau funud.'

'Ma' fa mas.'

'Ymh'le?'

'Yn Nhre Glo. Ôdd a'n mynd i ddala'r bws pan o'n i'n dod sha thre. Gomer!'

Daeth Gomer Rees i mewn atynt o'r stryd; ef oedd gwarchodwr y tandem.

'Cer â'r papur 'ma i'r tŷ. A gwed taw o' wrth Wncwl William ma' fa.'

'O.K.'

Estynnodd William Jones y papur i Gomer.

'Diolcha di i'th dad drosta' i pan ddaw o adra o Dre Glo, a dywad wrtho fo . . .'

'Tre Glo?' Edrychodd Gomer braidd yn syn, ond gwelodd y winc a roes Wili John arno.

'Mi bicia' i i lawr i'r Post 'rŵan, tra bydda' i'n cofio, Meri.' A thynnodd William Jones o'i boced lythyr a ysgrifenasai at Bob Gruffydd.

'Post 'di cau,' meddai Wili John â'i geg yn llawn o fwyd.

'O, mi werthith David Morgan stamp imi, yr ydw i'n siŵr.'

'Mae gin i stamp yn y jwg 'na,' meddai Meri, ac ni ddeallai o gwbl pam y tremiai ei brawd mor hyll arni.

'Reit. Fe'i postiwn ni fa yn y *pillar-box* yng ngwaelod Stub Street, Wncwl.'

Nid oedd modd dianc, ac wedi iddo draflyncu'i ginio, arweiniodd Wili John ei ewythr allan i edmygu'r tandem. Daeth Mot gyda hwy, gan brancio a chyfarth mewn llawenydd mawr fel petai yntau am gael marchogaeth y peiriant. Llwyddodd Gomer Rees i gydio yn ei goler a'i dynnu i mewn i'r tŷ, ac yna i ffwrdd â hwy ar hyd y ffordd ddibreswyl a redai uwchlaw'r pentref i ben Alfred Street. Ceisiai William Jones ymddangos yn ddifater, ond pan roed y beic i bwyso yn erbyn y clawdd uwch serthni Alfred Street, llyncai ei boer mewn ofn.

'Reit, Wncwl?'

'Ond fedra' i ddim reidio'r peth, Wili John.'

''Sdim isha i chi, dim ond ishta arno fa, w.'

'Ia, ond fedra' i ddim cadw fy nghydbwysedd.'

'Fe ofala' i am 'ynny, Wncwl, dim ond i chi ishta'n stedi. . . Odych chi'n moyn y dop côt 'na?'

'Wel, nac ydw, am wn i, fachgan. Mi reda' i â hi'n ôl i'r tŷ. Fydda' i ddim chwinciad.'

'Gomer!'

Dilynasai bachgen Shinc hwy o hirbell. Rhedodd tuag atynt yn awr.

'Cer â thop côt Wncwl William yn ôl i'r tŷ, Gomer. A beth am y fowlar 'na, Wncwl, rhag ofn i'r gwynt 'i hwthu hi i goll.'

Tynnodd William Jones ei gôt fawr a'i het galed, a cheisiodd Gomer edrych mor ddifrifol â sant wrth eu cymryd oddi arno. Yna safodd gerllaw i wylio'r ymadawiad.

'Dos â nhw 'rŵan, Gomer, 'ngwas i,' meddai William Jones, gan deimlo braidd yn swil mewn cwmni.

'O.K.' Ac ymaith â Gomer yn araf deg yn wysg ei gefn.

Rhoes y chwarelwr droed pryderus ar y droedlath, a chydiodd â'i law chwith ym mraich y peiriant. Gafaelodd â'i law arall mewn clwmp o redyn a dyfai uwchben y clawdd, ond yn lle ei godi ei hun yn bwyllog a gofalus, ceisiodd roi naid wyllt ar gefn y tandem. Yn anffodus, rhyw redyn wedi hen flino ar bridd caregog pen y clawdd oedd hwnnw ac yn falch o ryw esgus i'w ddiwreiddio ei hun. Aeth William Jones ar ei wyneb tros freichiau'r beic.

Bu'r ail gynnig yn fwy llwyddiannus. Cydiodd yn un o gerrig y clawdd y tro hwnnw, a llwyddodd i eistedd ar y tandem o'r diwedd.

'Aros, Wili John, aros hogyn!'

'Nid fi sy'n 'i bwsho fa, Wncwl. Chi sy'n gwasgu ar y pedal.'

Coesau William Jones a oedd yn rhy fyr, ac felly rhoddai ei bwysau ar yr uchaf o'r ddwy droedlath, gan ddechrau gyrru'r peiriant i lawr yr allt. Ond llwyddodd Wili John i'w arafu a'i ddal yn wastad. Erbyn hynny daethai'r droedlath arall yn uwch a gallai traed y marchog fod yn gytbwys ar y ddwy wedyn.

'Odych chi'n reit 'nawr, Wncwl?'

'Ydw, am wn i, wir, fachgan. Ond yr ydan ni'n siŵr o dorri'n coesa, wsti.'

'Na, ma' brêcs da ar hwn. Citshwch chi yn y clawdd tra bydda' i'n neido arno fa.'

Yn y pellter, cuddiodd Gomer Rees gôt a het William Jones tu ôl i lwyn o ddrain, a brysiodd yn ei ôl tua phen y rhiw i fod yn dyst o'r hunanladdiad. Erbyn iddo gyrraedd yno, yr oedd y tandem ar hynt ansicr a throellog i lawr yr allt a chôt agored William Jones fel adanedd yn y gwynt.

'Cymar bwyll, Wili John! Y brêc, y brêc!'

Arafodd y gyrrwr, ond gan y teimlai hi'n haws i reoli'r peiriant pan âi'n weddol gyflym, rhoes ei ben iddo eto cyn hir. Cododd adanedd William Jones eilwaith, ond gan y gwyddai na fedrai hedfan, cydiodd yn dynnach ym mreichiau'r beic a chaeodd ei ddannedd. Aent heibio i dai a rhai o bobl Alfred Street, ond ni sylwodd ef yn fanwl ar un ohonynt. Ni chlywodd chwaith ryw ddyn anfoesgar yn gweiddi, 'Oi, Dai, Carnifal Cwm Sgwt, myn yffarn i!'

Ar William Jones yr oedd y bai am y ddamwain, nid oes dim dwywaith am hynny. Dadleuai ef nad oedd Wili John yn hanner call, neu ni fuasai wedi meddwl am y fath anturiaeth; yn wir, aeth mor bell â mwmian rhywbeth am feipen ar ysgwyddau rhywun. Ond hel esgusion yr oedd wrth ddefnyddio geiriau felly, a'r gwir plaen yw mai ei draed ef a lithrodd ac iddo gydio'n wyllt yng nghôt ei gydymaith. Beth bynnag, crwydrodd y tandem yn feddw gaib ar draws Stub Street a thros y palmant ac ar wib i mewn drwy'r drws agored i'r tŷ y galwasai William Jones ynddo i chwilio am Fot un diwrnod yn nechrau'r flwyddyn. Yn ffodus iawn, ni chwaraeai'r plentyn budr a charpiog yng ngwaelod y grisiau'r tro hwn, neu dyn a ŵyr beth a ddaethai ohono yn y traffic annisgwyl. Adnabu'r chwarelwr y tŷ ar unwaith oddi wrth y papur lliwiog a oedd yn hongian yn rhimynnau ar fur y grisiau digarped, ac ymhen ennyd daeth y cawr blêr a digoler o'r gegin, wedi'i wisgo'n hollol yr un fath ag yr oedd o'r blaen. Yr oedd golwg chwyrn a bygythiol arno; credasai ef mai rhai o blant y stryd a aflonyddai ar ei heddwch, a daethai yno i roi diwedd ar un neu ddau ohonynt. Syrthiodd ei geg fawr yn agored pan welodd ddau ŵr ar dandem fel pe'n bwriadu dringo'r grisiau ar y peiriant.

'B'le ddiawl ŷch chi'n trio mynd?' gofynnodd.

'D. . . d. . . damwain,' eglurodd William Jones. 'M. . . mae'n wir. . . wir ddrwg gynnon ni. On'd ydi, Wili John?'

'Odi. Dewch lawr o' arno fa, Wncwl.'

'Ia, yntê?' Yr oedd William Jones ar gefn y peth o hyd.

Wedi i'w ewythr lwyddo i gamu o'r neilltu yn y cyntedd cul, gwthiodd Wili John y beic yn ôl i'r stryd. Crafodd dipyn ar y drws wrth fynd allan.

'Fe fydd isha peinto hwn 'nawr,' meddai'r dyn blêr yn drist. 'Fe gostith 'weigen i fi.'

''Alwch y bil i'r offis 'co,' oedd sylw parod Wili John wrth droi ymaith.

Tawedog iawn oedd y ddau wrth ddringo'r allt tuag adref. Chwibanai Wili John bob tro yr âi heibio i bobl ar y stryd, ond tawai wedyn nes dyfod at y rhai nesaf. Ceisio cymryd arno nad oedd ganddo ef un cysylltiad agos â'r peiriant a wnâi William Jones, gan ddatblygu diddordeb eithriadol yn nrysau a ffenestri'r tai.

Tynnent at ben Alfred Street pan gofiodd am y perygl enbyd yr oedd Crad ynddo.

'Wili John?'

'Ia?'

'Wyt ti'n cofio'r ddadl gawson ni ynglŷn â gwthio dy dad i fyny gallt go serth?'

'Odw.'

'Beth petawn i'n ista ar y peth 'ma 'rŵan a thitha'n trio fy ngwthio i? Mi gei di weld mor anodd fydd hi.'

'Odych chi'n credu na alla' i ddim?'

'Ydw.'

'Reit. Lan â chi.'

Dringodd William Jones i'r sedd ôl, a gwyrodd yn beryglus a bwriadol i un ochr. Yr oedd dal y peiriant yn wastad yn fwy nag a allai Wili John ei wneud.

''Dŷch chi ddim yn balanso, w.'

'Rhaid iti gofio 'i fod o'n waith go anodd, 'ngwas i, a'r peth ddim yn mynd. Mi driwn ni eto.'

Yr un fu eu profiad yr ail a'r trydydd tro, ac ar y pedwerydd syrthiodd William Jones a'r tandem yn llipa i'r ffordd.

'Un waith eto, Wili John.'

'No ffiar. Nid fi bia'r tandem.'

Pan ddaethant i Nelson Street, yr oedd y gôt fawr a'r het galed newydd gyrraedd o'u blaen, meddai Meri. Newydd gyrraedd? Ni ddeallai William Jones hynny o gwbl. Os nad oedd y Gomer Rees bach 'na wedi aros ym mhen y rhiw a'u dilyn wedyn i weld y ras. Ac wrth iddo feddwl am y peth, gwelsai rywun go debyg iddo'n sleifio drwy'r lôn fach yng nghefn Stub Street. Ond efallai mai gwneud cam â'r bachgen yr oedd.

Cafodd Wili John dafod gan ei dad pan glywodd ef hanes yr helynt, ac yna brysiodd Crad i'r parlwr i nôl rhywbeth. Gan iddi ei glywed yn pesychu'n o ddrwg yno, aeth Meri ato cyn hir, a dychrynodd wrth weld y dagrau yn ei lygaid.

'Be' sy, Crad bach?' gofynnodd.

'Mi rown i bumpunt am weld William ar gefn y tandem 'na pnawn 'ma. On'd ydyn nhw'n ddau o rai da!' A bu bron i Crad â thagu wrth chwerthin.

Ar y dydd Mercher cyntaf ym Medi y digwyddodd hyn, a buasai'r pentref yn ferw drwyddo ers rhai wythnosau. *Dole* neu beidio, yr oedd yn rhaid i Fryn Glo gael cynnal Carnifal yr Ysbyty y prynhawn Mercher wedyn. Hoffwn iti ailddarllen y frawddeg uchod, ddarllenydd hynaws, ac yna eistedd yn ôl i weld ei llawn ystyr mewn darluniau lliwgar. Efallai iti deithio yn Llydaw neu Iwerddon, ond oni welaist ti Garnifal yr Ysbyty ym Mryn Glo, ni welaist ti ddim byd erioed. Rhoddai'r paratoi ar ei gyfer waith i'r di-waith am ddeufis cyfan, a mawr oedd y cyffro a'r prysurdeb fel y nesâi'r dydd. Mentrodd rhyw ddyn crefyddol, â hysbyslen enfawr ar ei gefn, ddadlau nad oedd gan drueiniaid gwael y llawr, yn arbennig rhai a oedd yn byw ar elusen, hawl i ymhyfrydu mewn gwag beth fel carnifal; aed ag ef yn syth i'r ysbyty pan lwyddodd Sam Pierce ac eraill i'w lusgo ef a'i hysbyslen o'r afon.

Rhannau pwysicaf y Carnifal, wrth gwrs, oedd y bandiau gasŵc (sut goblyn y mae sbelio'r gair, ni wn i ddim, ond gwyddost beth yw gasŵc—yr offeryn-ceg bychan hwnnw sy'n gwneud sŵn fel canu drwy grib â phapur amdani), ond ceid hefyd, ymhlith pethau eraill, gystadlaethau i geisio darganfod merch brydferthaf a babanod brafiaf yr ardal. A chyda'r nos, wedi i'r band buddugol ddianc i'r Miner's Arms ac i'r Frenhines fynd i grwydro'r pentref yn falch-ddifater ac i'r babanod dychrynedig syrthio i gwsg anesmwyth yn eu gwelyau, cynhelid mabolgampau.

Er ei fod ef yn rhy brysur yn y siop i gymryd rhan flaenllaw yn y trefniadau, diwrnod mawr i Wili John oedd dydd y Carnifal, ond poenid ef yn arw gan y newydd na allai ei dad fentro i lawr i'r pentref i wylio'r orymdaith.

'Wncwl William?'

'Ia, 'ngwas i?' Yn y gwely yr oeddynt.

'Ma' sgîm 'da fi.'

'Oes, mi wn, ond cer i gysgu rŵan, 'r hen ddyn.'

'Ond ma' hi'n sgîm grêt, w.'

'Ydi, mae'n siŵr, ond mae hi wedi un ar ddeg, Wili John.'

'Ma' Mr Lewis yn siŵr o roi bencid y cart a'r gasag i fi ddydd Mercher.'

''U benthyg nhw i be'?'

'I fynd â Dada lawr i weld y Carnifal.'

'Wyt ti wedi gofyn iddo fo?'

'Nagw i.'

'O, mae'n well iti beidio, fachgan. Yr ydw i bron yn sicir na ddôi dy dad ynddo fo hefo chdi. Mae o'n swil iawn, fel y gwyddost ti.'

'Fe ddaw e os dewch chi, Wncwl, a fe allwn ni fynd lawr yn gynnar a throi miwn wrth y *Workmen's* i weld y prosesion. Odych chi'n gêm?'

'Dos i gysgu 'rŵan, Wili John.'

'Odych chi'n gêm?'

'Mi fydd pobol yn meddwl ein bod ni'n rhan o'r Carnifal, wel' di.'

'Dim ffiar, os ewn ni lawr sha thri a throi miwn i'r gwli wrth yr *Hall.* Odych chi'n gêm?'

'O, o'r gora. Nos dawch, 'rŵan.'

'Nos da, Wncwl . . . Ac ar ôl i'r prosesion fynd i'r cae, fe awn ninna ar 'i ôl a, 'chi'n gweld. A ma' Queen, y gasag, fel ôn bach, w.'

'Ddaw dy dad byth hefo ni, mi gei di weld.'

'Fe gewch chitha weld 'êd. Gw-neit.'

'Paid ti â sôn gair wrtho fo tan ddydd Merchar. Mae gin inna sgîm.'

Y bore Mercher canlynol, aeth William Jones i fyny i'r alotment, a phan ddychwelodd i'r tŷ tuag amser cinio, yr oedd yn gloff iawn.

'Yn eno'r annwyl, be' sy wedi digwydd, William?' gofynnodd Meri.

'Troi fy nhroed ddaru mi, hogan, ar waelod yr hen lwybyr 'na. Ond mi ddaw o ato'i hun mewn munud.'

'Wyt ti'n meddwl y medri di ddiodda' dal dy ffêr mewn dŵr oer am dipyn? Mae hynny'n beth reit dda, meddan nhw.'

'O'r gora. 'Dydi o ddim yn boenus iawn.'

Pan ddaeth Wili John i mewn, yr oedd ei ewythr yn tynnu wynebau wrth ostwng ei droed dde i badellaid o ddŵr oer.

'Wncwl William wedi troi'i droed yn o ddrwg,' eglurodd ei dad wrtho.

'Ond beth am y Carnifal, Wncwl?' oedd cwestiwn pryderus Wili John.

'Fedra' i ddim mynd yno, mae arna' i ofn, os na cha' i rwbath i 'nghario. Piti hefyd, a finna wedi edrach ymlaen at weld yr orymdaith.' Prin yr oedd angen y winc a daflodd ar ei nai.

'Os galla' i gal bencid cart a chasag Mr Lewis, odych chi'n barod i ddod lawr yn 'wnnw?'

'Ydw, am wn i. A mi ddaw dy dad i gadw cwmni imi, yr ydw i'n siŵr.'

'Ddaw o? 'Dydi'r bôi yma ddim yn mynd mewn cart bwtsiar i ganol un prosesion, William.'

'Na finna. Wnes i ddim meddwl am hynny, Crad.'

'Ma'n *rhaid* i chi ddod, Wncwl William. Ac os ewn ni lawr yn gynnar a throi miwn i'r gwli wrth ochor y *Workmen's* . . .'

'Na.' Ysgydwodd William Jones ei ben. 'Ond mi liciwn i ddŵad hefyd, fachgan. Be' wyt ti'n feddwl wrth "gynnar"?'

'Sha thri. Fydd neb obothdu pryd 'ynny.'

'Ond be' wnawn ni wrth y *Workmen's* yr holl amsar tan bedwar pan fydd y carnifal yn dechra?'

'Fe ellwch chi fynd miwn i'r *Hall* i ishta. Fe 'rosa' i tu fas 'da'r gasag. Ddewch chi?'

'Wel, wir, yr wyt ti'n ffeind iawn, fachgan. On'd ydi o, Crad? Ond 'falla y medra' i lusgo i lawr yno, wedi'r cwbwl, wsti.' Yr oedd William Jones wrthi'n sychu'i droed, a gwthiodd hi i mewn i'w esgid. Gwingodd pan geisiodd roi pwysau arni. 'Na fedra', wir, mae arna' i ofn. Ac eto, mi rown i rwbath am gael gweld yr orymdaith 'na. Mi gollis i un y llynadd ac un Gŵyl Lafur, a 'rŵan dyma'r hen droed goblyn 'ma . . .'

'Dos i ofyn i Mr Lewis ar ôl cinio, Wili John,' meddai Crad. 'Mi gawn ni'n tri reid yn y cart, er mwyn i Wncwl William gael gweld Carnifal am unwaith.'

Wedi iddynt gau Mot yn y cefn, tywysodd Wili John y gaseg yn araf a phwyllog i lawr y pentref, a dau ŵr yn y cart a dynnai yn gwenu a nodio ar bawb ar fin yr heol. Medrodd yr un cloff lusgo gyda'r llall i mewn i Neuadd y Gweithwyr am ryw hanner awr, ac yna dringodd y ddau eilwaith i'r cart i gael golwg ar yr orymdaith a ddeuai heibio cyn hir. Gan fod tipyn o godiad tir wrth ochr y Neuadd, yr oeddynt mewn lle pur fanteisiol i fwynhau'r olygfa. Yn ffodus, nid oedd ond ychydig o bobl ar ochr y ffordd yn y fan honno; tyrrai'r rhan fwyaf yn is i lawr, i gyfeiriad siop yr Eidalwr a'r tro heibio i'r orsaf ac i'r cae.

'Dal di ben y gasag 'na'n llonydd, cofia, ne' ar ein penna dros ochor y cart 'ma y bydd Wncwl William a finna,' meddai Crad pan glywodd sŵn y bandiau yn y pellter.

Cerddodd Sam Pierce a dau blisman o Dre Glo ar flaen yr orymdaith, a dilynwyd hwy gan y band cyntaf. Yn benderfynol o gipio'r decpunt o wobr, o'r cwm nesaf y daethant hwy, ac edrychai pawb arnynt gydag edmygedd oherwydd iddynt ennill mor aml o'r blaen mewn gwahanol leoedd. Goliwogiaid oedd yr aelodau, pob un wedi clymu ei drowsus yn dynn am ei fferau ac yn gwisgo côt fer a'i chotwm yn streipiau glas a gwyn. Am eu gyddfau yr oedd coler fawr wen a bwa anferth o ruban coch. Wynebau duon a oedd iddynt, wrth gwrs, a pheintiasai pob un gylch gwyn o amgylch ceg a llygaid. Ar eu pennau, gwallt trwchus o wlân du. Cerddent yn urddasol, a sicrwydd buddugoliaeth ym mhob cam, yr unig fand a chanddynt wisg barod. Ond chwarae teg i bobl Bryn Glo, rhoesant 'Hwrê!' cynnes i'r dieithriaid ffyddiog hyn.

O'u hôl hwy, deuai lorri ac arni'r geiriau 'THE EMPORIUM—CLOTHES FOR ALL AGES'. Ynddi eisteddai hen hen wraig â phlentyn ar ei glin, ac o'i chwmpas hi safai pedair o rai eraill—geneth fach fel petai ar gychwyn i'r ysgol, merch tua deunaw, gwraig a oedd i gynrychioli rhywun deugain oed, ac un arall y dywedai ei gwisg ei bod tua thrigain. Cawsai Jenkins yr Emporium fenthyg y baban am ddwy awr ar yr amod bod ei chwaer, Barbara Amelia, yn cael ymddangos fel y ferch-ysgol yn y darlun. Prin yr oedd gan Jenkins hawl i ddadlau bod llygaid croes gan Barbara Amelia, ac wedi'r cwbl, gwisg y ferch a oedd yn bwysig. Yr eneth ddeunaw oed oedd honno a werthasai'r anrhegion Nadolig i William Jones, ond yn lle'r ffedog ddu a wisgai yn y siop, yr oedd amdani ddillad a dynnai sylw hyd yn oed yn Ascot. Mrs Jenkins oedd y wraig tua deugain. Na, nid dweud yr wyf fod Mrs Jenkins yr Emporium tua deugain oed—yr oedd ei merch, Sally, dros ei deg ar hugain—ond gwnâi ymdrech deg, er ei bod hi mor dew, i berthyn i'r dosbarth hwnnw. Wrth ei hochr hi, gan geisio dangos i'r byd sut i heneiddio'n hardd, safai mam esgyrniog Jack Bowen. Nid oedd hi na hen na hardd, ond gan ei bod hi mor gyfeillgar â'i wraig ac wedi ei chynnig ei hun i'r swydd, beth a allai Jenkins druan ei wneud, onid e?

Tu ôl i'r lorri, gwthiai Dai Llaeth goits-babi. Ynddi, yn edrych yn bur anghysurus â'i liniau bron â chyffwrdd ei ên, eisteddai Eic Hopkins yn sugno potel fabi ac yn wên o glust i glust. Eic oedd gŵr tewaf y pentref a chwsmer gorau'r Miner's Arms. Sut y llwyddasai i ddringo i mewn i'r goits a oedd yn ddryswch mawr, ond câi am ei drafferth, ac am chwifio fflag ac arni'r cyngor DRINK MORE MILK, bris pedwar peint o lefrith go dywyll ei liw. Taflai Dai Llaeth olwg pryderus ar olwynion y goits bob rhyw bum llath, ond er bod un ohonynt yn gwegian yn o beryglus, yr oedd ynddo lawn hyder ffydd y cyrhaeddai'r cae'n ddiogel. A phe digwyddai rhyw anffawd—wel, ei goits ef oedd hi, a gallai Eic gerdded.

Dilynwyd hwy gan Ardd Eden ar olwynion. Anogai Adda ac Efa, â matiau o groen amdanynt a dail a blodau o bob math o'u hamgylch, bawb i fwyta mwy o ffrwythau. 'Oi, Jim, shwd ma' hi'n dishgwl am un o'r bananas 'na, bachan?' gwaeddodd un o'r edrychwyr, a bu Jim yn ddigon annoeth i ddilyn yr awgrym. Lle go gyffrous fu Gardd Eden wedyn, gan i amryw o'r dyrfa, a'r plant yn arbennig, gredu bod yr haelioni hwn yn rhan hanfodol o'r darlun. ''Shgwlwch, Mam, 'cw mat parlwr ni!' meddai'r ferch fach a gododd William Jones yn ei freichiau i gael gwell golwg ar yr orymdaith.

Yna, gan edrych yn ffyrnig a ffroenuchel, camodd band yr Indiaid Cochion heibio. Collasai llawer hen geiliog ei gynffon y bore hwnnw, ac addurnai'r plu yn awr benwisg y gwŷr urddasol hyn. Lliwiasent eu croen yn goch o'u talcen i'w gwasg, ond yr oedd hi'n amlwg na pherthynai pob un ohonynt i'r un llwyth, gan fod gwahaniaeth dirfawr rhwng ambell goch a'i gilydd. Sachau oedd deunydd eu llodrau, ac i lawr yr ochrau allanol rhedai ymylon anwastad fel crib ceiliog; gwelid arnynt hefyd ystaeniau cochion lle sychasai'r Indiaid eu dwylo cyn ailgydio yn eu hofferynnau cerdd. Nid edrychai'r gwŷr hyn i dde nac aswy, dim ond camu ymlaen yn filain eu trem; eu prif gamgymeriad oedd dewis darn cerddorol nad oedd yn debyg o fod yn boblogaidd ymhlith Indiaid Cochion o unrhyw lwyth—'Gwŷr Harlech'.

THE BEAUTY OF BRYN GLO a oedd ar y lorri nesaf, ac addurnwyd hi â brigau gwyrddion a blodau amryliw. Ynddi safai rhyw ddwsin o rianedd teg, o bob lliw a llun—wel, o bob llun, beth bynnag. Ymgeiswyr am yr anrhydedd o fod yn Frenhines Harddwch oeddynt, a châi'r un a goronid ddwy gini a chymeradwyaeth fawr. Yr oedd rhai ohonynt fel duwiesau balch yng nghanol y dail a'r blodau, ac ymddangosai eraill yn ddifater, fel pe'n synnu eu darganfod eu hunain yno o gwbl. Safai'r gweddill yn swil ac ofnus, gan edifarhau iddynt fentro wynebu'r dyrfa ar y strydoedd. Yr hogan fach nerfus 'na yn y ffrog las a ddewisai William Jones petai ef yn feirniad; yr oedd hi braidd yn debyg i gariad Arfon. Nid yr eneth yna a oedd wedi lliwio'i gwallt bron yn wyn, yr oedd ef yn sicr o hynny. Y gnawes fach bowld iddi hi!

Tynnai'r lorri nesaf lawer o sylw, yn arbennig ymhlith yr ifainc. KEEP FIGHTING FIT ON PRICE'S PILLS oedd y geiriau arni, a rhwymwyd rhaffau o bolyn i bolyn i gynrychioli llwyfan bocsio. Yr oedd dau focsiwr ar y llwyfan hwn, un yn swp wrth y rhaffau wedi hen 'laru ar yr ornest, a'r buddugwr, Gomer Rees, yn ysgwyd dwylo ag ef ei hun ac yn gwenu a nodio ar bawb. Pan gychwynasai'r orymdaith, yr oedd y ddau focsiwr yn gyfeillion mawr ac yn ddiolchgar i Price, y fferyllydd, am roddi iddynt hanner coron yr un. Ni fwriadwyd o gwbl i Gomer gymryd y peth o ddifrif.

Daeth y trydydd band heibio, dynion duon o ddyfnder yr Affrig, pob un yn 'sgleinio ar ôl triniaeth y brws blacléd. Yr oedd cylchoedd pres, a fuasai'n cynorthwyo i ddal llenni'r parlwr, yn hongian wrth eu clustiau, ac am eu gyddfau gwisgent bob math o bethau—gleiniau, aeron, a hyd yn oed afalau bach-coch-cynnar. Ychydig arall a wisgent ar wahân i'r trons cwta am eu canol a'r esgidiau amryfal am eu traed. Digon yw dywedyd bod ambell un yn rhy dew ac arall yn rhy denau i fedru fforddio gadael eu dillad gartref. Ond ni churwyd drwm erioed yng nghanolbarth yr Affrig â mwy o frwdfrydedd nag y chwythai pob un o'r rhai hyn ei gasŵc.

Beiciau wedi'u haddurno a ddilynai'r dynion duon—un fel llong hwyliau, yr ail fel awyrblan, eraill yn rhubanau lliwgar i gyd. Pan ddaeth yr hen Foses Isaac heibio ar ei 'geiniog-a-ffyrling', rhoes pawb 'Hwrê!' fawr iddo. Cadwai'r hen Foses y beic yn barchus yn y cwt yn y cefn, a dim ond rhyw unwaith y flwyddyn fel hyn y dygai ef i olau dydd. Ef a enillai'r wobr bob gafael.

Tu ôl iddo ef, y cerddwyr—pâr tua saith mlwydd oed newydd briodi, a'r priodfab mewn dagrau am fod ei het silc yn gwrthod sefyll ar ei glustiau ar waethaf cymorth y Person; Charlie Chaplin yn tynnu ystumiau; dyn tebyg iawn iddo, brodor o'r Almaen, yntau'n tynnu ystumiau ac yn dal ei law i fyny i gyfarch pawb; un arall o'r Eidal, gŵr tew a oedd yn ên ac yn fedalau i gyd; Dai Loshin yn ei het fowler a'i jersi goch, yn cario pêl a bwyta cenhinen; a hen fenyw fach Cydweli yn ei gwisg Gymreig yn rhifo'i loshin du. Ac yn gynffon i'r orymdaith daeth peiriant newydd y Frigâd Dân, ac edrychai'r gwŷr yn hardd yn eu helmau gloyw a'u hesgidiau uchel. Canai'r Capten y gloch yn ffyrnig, a chredodd amryw fod tân yn y pentref o'r diwedd.

Trosglwyddodd William Jones y ferch fach a ddaliai yn ei freichiau i'w mam, ac yna dechreuodd Wili John wthio pen y gaseg yn ôl tua'r stryd.

'Hannar munud, was!' gwaeddodd Crad. 'I b'le'r wyt ti'n mynd?'

'Ar ôl y prosesion, Dada.'

'O'n wir! Os wyt ti'n meddwl fy mod i'n mynd i ddilyn y crowd 'na, yr wyt ti'n gwneud coblyn o gamgymeriad.'

'Ond pam?'

'Am y rheswm syml y bydd pobol yn credu ein bod ni'n rhan o'r Carnifal, 'ngwas i. Mi arhoswn ni yma nes bydd y ffordd yn glir.'

Wedi i ryw bum munud fynd heibio, ac nid cynt, cytunodd Crad ei bod hi'n bryd iddynt gychwyn am y cae. Nid oedd fawr neb ar yr heol, ond pan droesant o'r ffordd bost tua'r orsaf, fe'u cawsant eu hunain wrth gynffon yr orymdaith—yr oedd y clwydi mawr pren ar y groesffordd tu draw i'r stesion ynghau nes i'r trên pump fynd heibio i Gaerdydd. Penderfynodd tyrfa o fechgyn anystyriol roi banllef o groeso iddynt, a rhuthrodd llu o bobl yn ôl i ddarganfod achos y cynnwrf. Canodd Capten y Frigâd Dân hefyd ei gloch, a chredodd y gaseg mai gwahoddiad iddi hi i ymladd y rownd nesaf oedd y sŵn. Cododd ei phen yn wyllt a chamodd ymlaen, gan roi plwc sydyn i'r cart a gyrru Crad a William Jones yn bendramwnwgl. Ond llwyddodd Wili John i'w darbwyllo, gan egluro iddi mai gan Gomer Rees, ac nid ganddi hi, yr oedd yr hawl i focsio. Ailgychwynnodd yr orymdaith ymhen ennyd, ac yn y cae, ymunodd Crad a William Jones â'r hanner cylch a wyliai'r beirniaid yn ceisio dewis y tawelaf o'r babanod gwichlyd. Gadawsent Wili John i ofalu am Queen a'r cart, gan addo dychwelyd cyn gynted ag y byddai'r cystadlaethau drosodd, er mwyn i'r bachgen gael brysio adref i hebrwng y claf a'r cloff ac yna ruthro'n ôl i ennill y ras-rwystrau yn y mabolgampau.

Y rhianedd teg a ddringodd i'r llwyfan yn nesaf, ac yr oedd William Jones yn falch iawn pan enillodd y ferch fach nerfus yn y ffrog las. Beirniaid doeth, meddai wrth Crad. Rhoed i'r hen Foses Isaac ei gini flynyddol am ddwyn ei 'geiniog-a-ffyrling' allan o'r cwt yn y cefn i lawr i'r cae, a chafodd Hitler wobr am dynnu ystumiau. Yna safodd pob lorri yn ei thro o flaen llwyfan y beirniaid. Erbyn hyn, codasai gwrthwynebydd Gomer Rees, gan benderfynu dangos i'r byd na phallai'r nerth a oedd yn PRICE'S PILLS. Dawnsiai ef a Gomer Rees ar y lorri, ond eto unwaith, anghofiodd dwrn Gomer mai cymryd arno daro oedd ei ddyletswydd ac, am yr ail dro mewn prynhawn byr, lloriwyd y llanc arall a syrthiodd yn llipa i hongian tros y rhaffau. Chwarddodd y beirniaid—a rhoi'r wobr iddynt.

Yna'r bandiau. Yr oedd hi'n dechrau glawio, a gwelai pawb na fwriadwyd inc coch yr Indiaid na blacléd y dynion duon ar gyfer tywydd gwlyb. Er hynny, canodd y ddau gôr hyn yn dda iawn, er bod blas go anfelys yng ngheg pob gŵr fel y rhedai'r glaw i lawr ei wyneb ac i'w safn, ac uchel oedd cymeradwyaeth y dorf pan ddyfarnodd y beirniaid y dynion duon yn orau. Edrychai'r Goliwogiaid yn ddig, ac anfodlon braidd oedd camau'r Prif Oliwog tuag at y Prif Ddyn Du i'w longyfarch. Ond pan dynnodd hwnnw wig y llall a'i gwisgo o ran hwyl, anghofiwyd pob gelyniaeth mewn chwerthin.

Gwelodd William Jones fod Crad yn llwyd ac oer.

'Rhaid inni 'i throi hi adra 'rŵan, Crad,' meddai. 'Mae fy ffêr i'n boenus iawn ers meitin, fachgan. Tyd.'

Porai Queen yn hamddenol yng nghongl y cae, a safai rhyw fachgen bach gerllaw'n ei gwylio hi a'r cart. Eglurodd i 'Wili Bwtsiwr' roi ceiniog iddo am ei lafur.

'Lle mae o wedi mynd?' gofynnodd Crad.

''S mo fi'n gwbod.'

Aeth William Jones yn ôl at y dyrfa i chwilio amdano, ond nid oedd golwg ar Wili John. Credodd unwaith iddo'i weld yn cuddio tu ôl i goits-babi Dai Llaeth, ond wedi iddo ymwthio drwy'r dyrfa ati, sylweddolodd mai camgymryd yr oedd. Dychwelodd at Grad, gan fod y glaw'n drymach yn awr.

'Mi awn ni, Crad. Mi ddreifia' i.'

Aethant yn araf drwy'r pentref a William Jones yn 'rêl dreifar', chwedl Crad. Ond yng ngwaelod yr allt a ddringai tua Nelson Street, pwy a oedd ar y stryd ond Meri a Mot. Llawenydd mawr i Mot oedd eu gweld, a cheisiodd ei fynegi trwy gyfarth a phrancio o amgylch coesau'r gaseg. Ceisiodd Meri ei alw'n ôl, a rhag ofn iddo ddychrynu'r gaseg, rhuthrodd Sarah Bowen, a oedd ar ei ffordd adref o'r Carnifal, ymlaen i'w yrru ymaith â'i hambarél. Defnyddiai ei llais angherddorol hefyd, a daeth Eic Hopkins o rywle i gynghori'r 'ci gythral 'na' i gau'i ben. A lle'r oedd Eic, yr oedd dau neu dri o'i gymdeithion sychedig, pob un ohonynt wedi'i fendithio â llais go gras. Rhwng popeth, yr oedd yno alanas o sŵn, ac wedi ystyriaeth ddwys ond cyflym, penderfynodd Queen ddianc oddi wrtho. Ond daliodd William Jones ei afael yn dynn yn yr awenau, ac er ei fod ef a Chrad ar lawr y cart erbyn hyn, llwyddodd i berswadio'r gaseg fod dawnsio yn ei hunfan yn fwy diddorol na charlamu i fyny'r rhiw. Cydiodd un o gyfeillion Eic Hopkins yn ei phen, a thawelodd yn llwyr pan alwodd ef hi yn 'gwd gel fach'. Wedi i Meri afael yng ngholer Mot a'i arwain i ochr y stryd, ac i William Jones ddringo i lawr o'r cart i dywys y gaseg, aethant adref yn araf deg.

Syllodd Crad mewn penbleth ar sioncrwydd y gŵr cloff wrth ben y gaseg. Yr oedd troed yr hen William wedi mendio'n o gyflym, onid oedd? Tybed a oedd o a'r Wili John bach 'na, yn eu gwely'r nos, wedi . . .? Ac wrth i rywun feddwl am y peth, nid oedd un synnwyr mewn rhoi'r ddau walch yna i gysgu hefo'i gilydd. Rhaid i Meri drio gwneud rhyw drefniant arall, neu dyn a ŵyr pa gynllwynion eraill a ddyfeisient yno. Os oedd y ddau yna'n meddwl cael hwyl am 'i ben o, yr oeddan nhw'n gwneud coblyn o gamgymeriad. Ond daria unwaith, yr oeddan nhw wedi llwyddo'r tro yma, yr oedd hi'n rhaid iddo gyfaddef. Oeddan.

A phob cam i'r tŷ, ar droed William Jones yr oedd llygaid ffyrnig Crad.

15 *UN GARW*

Y mae'n hen bryd imi sôn am Leusa Jones. A dweud y gwir, ddarllenydd hynaws, yr oeddwn wedi llwyr anghofio am y ddynes. Nid felly William Jones; rhoddai ambell atgof am Lan-y-graig a'i hen gartref bigiad gwenynol i'w gydwybod, a theimlai'n bur annifyr weithiau mewn cwmni pan godai rhywun go fusneslyd gwestiynau am ei fywyd fel chwarelwr. Ac yn bur aml llithrai ef ei hun yn ddifeddwl i sôn am ei wraig. 'Yr ydw i'n cofio Leusa a finna...' neu 'Mi welis i Leusa 'cw ryw dro...'—a thawai'n sydyn a ffwndrus, fel gŵr wedi'i ddal yn dweud clamp o gelwydd.

Nid ysgrifennai at Leusa o gwbl yn awr. Ar y cyntaf sgriblai nodyn i obeithio y cyrhaeddai'r arian hi yn fyw ac yn iach fel y gadawai ef ar hynny o bryd ac i fynegi bod y tywydd yn braf neu'n wlyb a bod y teulu yn Nelson Street yn cofio ati. Ond buan y sylweddolodd nad oedd y llythyr yn gampwaith llenyddol, a bodlonodd ar daro'r arian mewn amlen heb drafferthu i lunio gair at Leusa. Câi beth o'i hanes hi a'i brawd weithiau yn llythyrau Bob Gruffydd, a derbyniasai un epistol hir a gwasgarog oddi wrth Twm Ifans yr Hendre yn cofnodi holl helyntion pawb yn y pentref. Yr oedd ôl cof a chwilfrydedd yr hen wraig, ei fam, ar y llythyr, a gallai William Jones ddychmygu'r sefyllfa... 'Ddeudist ti wrtho fo fod gwraig Wil Sionc yn methu â symud hefo'i phen-glin?...'

Cawsai Leusa dipyn o fraw pan ddiflannodd ei gŵr i'r De, ond dywedai wrthi ei hun y troai yn ei ôl cyn pen wythnos. Gwelodd cyn hir fod William Jones o ddifrif, a bu'n rhaid iddi fynd ati i geisio byw'n gynilach. Daliai i grwydro i Gaernarfon pan oedd arian ganddi, ac nid oedd dim a'i cadwai draw o'r sinema bob nos Lun a nos Iau. Y rhent? Twt, fe allai hwnnw fynd i'w grogi am rai misoedd; yr oedd yn rhaid i rywun gael rhyw bleser mewn bywyd, chwedl y ferch honno yn y siop-hetiau yng Nghaernarfon. Ni chytunai'r hen Sally Davies, perchen y tŷ, â'r safbwynt hwn, a galwodd i egluro'n gwynfanllyd ei bod hi'n weddw ac yn dlawd a bod llawer o gostau ar hen dai a'r trethi'n uchel a phobl yn bur anghofus weithiau. Addawodd Leusa dalu'r rhent drannoeth—gan anghofio'n llwyr iddi drefnu mynd draw i'r Rhyl i weld ei chyfnither.

Yna daeth ei brawd i fyw ati. Gwerthodd ei ddodrefn bron i gyd, ac wedi gosod ei dŷ, fe'i gwnaeth ei hun yn gysurus hefo'i chwaer. Punt yr wythnos a dalai iddi, ond gan ei fod yn fwytawr go fawr, bu'n rhaid i Leusa ofyn iddo am goron arall cyn hir. Yn anfoddog iawn y cytunodd Ifan Davies, ond llwyddodd i godi rhent ei dŷ ei hun i gyfarfod y draul.

Dechreuodd Leusa wnïo ychydig hefyd i ennill tipyn o arian. Ond ni bu llwyddiant mawr ar yr ymdrechion hynny. Addawsai'r wisg neu'r sgyrt yn ddi-ffael erbyn diwedd yr wythnos, ond pan alwai'r cwsmer pryderus, byddai'r wniadwraig yng Nghaernarfon neu yn y Rhyl neu rywle, a'r dilledyn heb ei gyffwrdd. 'Dim amsar', oedd esgus Leusa tros roi'r gorau i'r gwaith yn gyfan gwbl ymhen mis neu ddau.

Susan, gwraig Huw Lewis, a dorrodd y newydd iddi fod William Jones yn cyflawni gorchestion tua'r De. Cawsai Bob Gruffydd air oddi wrth ei hen bartner yn sôn am *Y Chwarelwr,* ac aethai Bob, er yr hoffai 'wneud i ffwrdd' â'r radio, o gwmpas y Bonc Hir i adrodd yr hanes. William Jones? Wil Leusa? Ni ddeallai neb y peth o gwbl, a daliai Dic Trombôn mai bwyta gormod i swper a wnaethai Bob Gwneud-i-Ffwrdd ac i'r lobscows greu breuddwydion rhyfedd.

Yn Siop Ucha' y cyfarfu Susan a Leusa. Gwelent ei gilydd yno bron bob bore, gan mai dull Llan-y-graig o siopa oedd rhedeg allan am chwarter o gig moch neu baced o bowdwr-golchi a dychwelyd hefo gwerth rhyw sylltyn o nwyddau a gwerth punnoedd o newyddion yr ardal. Byddai'n rhaid i Forus Bach, y siopwr, guro'r cownter yn ffyrnig bob hyn a hyn i ofyn am osteg iddo gael clywed llais un o'i gwsmeriaid. Barn y clebrwyr prysuraf oedd bod y dyn yn drwm ei glyw.

'Pwy fasa'n meddwl, yntê!' meddai Susan.

'Be'?' gofynnodd Leusa.

'Rhwbath arall, Mrs Jones?' Gwelai Morus fod cymeriad rhywun yn y glorian.

'Na, dim diolch.' Yna, gan deimlo bod llygaid Susan arni, penderfynodd Leusa brynu tun neu ddau. 'O, mi fu bron imi anghofio, wchi. Tun o salmon a thun o'r *peaches* 'na. 'Rydw i'n ffond ofnadwy o *peaches.* Ia, tun mawr, Mr Morus.'

'A fynta'n un bach mor ddiniwad!' chwanegodd Susan.

'Pwy? . . . Ia, y samon gora, Mr Morus.'

'William Jones. Pwy fasa'n meddwl, yntê!'

'Ia, wir, hogan,' meddai Leusa, gan geisio ymddangos yn wybodus.

'Chwerthin ddaru Huw 'cw pan ddeudodd Bob Gruffydd wrtho fo yn y chwaral ddoe. William Jones o bawb, yntê!'

Beth a ddigwyddasai, tybed? A oedd William wedi dianc o'r Sowth i America hefo gwraig rhywun?

'Mae'n rhaid 'i fod o'n un garw.' Ysgydwodd Susan ei phen yn ddoeth.

'Ydi, mae'n rhaid.'

''Tasa Now John Ifans wedi cal 'i ddewis mi fasa rhywun yn dallt y peth, medda Huw 'cw.'

'Pam Now John?'

'Mi fydda Now yn canu'i hochor hi yn y Bwl bob tro y bydda fo wedi meddwi. Ond chlywodd neb ddim gair am hwnnw byth ar ôl iddo fo fynd i'r Sowth, hogan. Wn i ddim sut mae Maggie Jane yn medru cal bwyd i'r plant heb sôn am bres i fynd i'r pictiwrs.'

'Be' oedd Bob Gruffydd yn ddeud?'

'Chwartar wedi wyth nos Wenar. Stesion Caerdydd.'

Am drên yn gadael gorsaf Caerdydd y meddyliodd Leusa.

'Diar, da, yntê!' meddai Susan. 'Mi fydd 'na filoedd yn gwrando arno fo.'

Daeth i Leusa ddarlun o'r tyrfaoedd yn rhuthro i orsaf Caerdydd i ffarwelio â William Jones, ac yntau cyn ymadael yn rhoi ei ben allan o gerbyd y trên i ganu'r Hen Ganfed iddynt.

'Miloedd ar filoedd, yn ôl Huw 'cw. Ac arian mawr.'

Beth a wnaethai William? Ennill medal arall? Yn y gwaith glo, efallai. Cafodd Leusa gip o'i gŵr yn rhuthro drwy fflamau enbyd mewn pwll glo ac yn dychwelyd drwy'r tân, a'i wallt a'i aeliau wedi'u llosgi ymaith, â choliar ar bob ysgwydd ac un dan bob braich. Ond sut y deuai'r canu i mewn i'r stori?

'Un garw ydi o, yntê! Fasa Huw 'cw ddim yn cymryd ffortiwn am fynd yno, hogan.'

'Na fasa?'

'Na fasa. Nid bod neb yn debyg o ofyn i 'nacw. Fedar o ganu?'

'William? Medar, 'nen' Tad. 'Roedd o'n canu bob amsar wrth shefio.'

'Wel, rhaid imi'i gwadnu hi, ne' mi fydd yr hogia 'cw adra o'r ysgol. So long 'rŵan.'

Cerddodd Leusa adref mewn dryswch mawr, gan deimlo'n ddig tuag at Susan Lewis. Pam na fuasai'r ddynes yn dweud ei stori'n iawn yn lle rhwdlan fel yna? Yr oedd Ifan Siwrin yn y tŷ, yn ei haros yn anniddig.

'Lle buost ti mor hir, dywad?' meddai. 'Tyd, styria; yr ydw i i fod yn Llan-rhyd erbyn chwartar wedi un. *Peaches*? Diawch, mi agorwn ni hwn'na, Leusa. A samon? Mae gin i flys tipyn o samon hiddiw, hogan. Mi agora' i'r tunia iti. Yr ydw i'n un da am agor tun.'

Pell a thawedog oedd Leusa wrth baratoi'r bwyd, a phan eisteddodd y ddau wrth y bwrdd, edrychodd ei brawd dros ei sbectol arni.

'Be' sy'n dy boeni di?' gofynnodd.

'Susan, gwraig Huw Joli, yn deud bod William wedi cal medal arall.'

'Medal am be'?'

'Miloedd o bobl yn stesion Caerdydd yn gweiddi "Hwrê" wrth iddo fo gychwyn i *Buckingham Palace.*'

'Medal am be'?'

'Ac mae o'n cal arian mawr y tro yma heblaw medal, ac mae'r Brenin wedi gofyn iddo fo ganu o'i flaen o a'r Frenhinas.'

Chwarddodd ei brawd dros y tŷ. Yr oedd hi'n haws llyncu'r samon na llyncu'r stori hon.

'Chwartar wedi wyth nos Wenar, medda hi. O stesion Caerdydd.'

'Medal am be'?' Swniai'r tri gair fel bygythiad.

'Wn i ddim, os nad aeth y pwll glo ar dân a bod William wedi medru achub rhai o'r dynion. Un garw ydi o, yntê!'

Dechreuodd Leusa sniffian crio.

'Be' sy 'rŵan?'

''Falla y bydd o'n cal miloedd o bunna, a dyma fi yn fan 'ma yn byw fel llygodan eglwys.'

'Gwaith glo ar dân, medal, arian mawr, miloedd o bobol yn stesion Caerdydd, canu o flaen y Brenin . . .'

'A'r Frenhinas.'

'Y nefoedd fawr! Estyn dipyn o'r *peaches* 'na imi. Yr unig beth sy gin i i'w ddeud ydi 'i bod hi'n hen bryd i rywun gloi'r Susan Lewis 'na yn y Seilam.'

''Tasa fo'n gyrru dim ond rhyw ganpunt imi, yntê!'

Wedi iddo gladdu hanner dwsin o'r afalau gwlanog, brysiodd Ifan Siwrin i'r cwt i nôl ei feic a gwthiodd ef yn ffyrnig drwy'r lôn gefn, gan ddadlau y dylid crogi'r merched a gyfarfyddai bob bore yn Siop Ucha'. Pan gyrhaeddodd y ffordd, âi Now Portar heibio, yn dychwelyd i'r orsaf ar ôl cinio.

'Tipyn o hen bry' ydi o, Ifan Davies.'

'Pwy?'

'William Jones. Pry' garw.'

'Ia, fachgan.'

'Chwartar wedi wyth nos Wenar, yntê, o stesion Caerdydd?'

'Ia.' Yr oedd yn rhaid bod rhyw wir yn y stori. 'Sut y clywist ti, Now?'

'Yn y Bwl nithiwr. Diawcs, mi fydd 'na le yno nos Fawrth! Ydach chi'n cofio'r ffeit rhwng Jack Petersen a Len Harvey? 'Roedd yr hogia i gyd yn y Bwl, a mi fedrach glywad pin yn syrthio, Ifan Davies—Twm Bocsar 'di deud y basa fo'n llorio pwy bynnag fasa'n agor 'i geg i ddim ond yfad 'i gwrw. Mi fydd hi'r un fath nos Wenar pan fydd William Jones wrthi . . . Ydi hi am fwrw, deudwch?'

Gŵr pwyllog a phwysig oedd Ifan Siwrin, a synnodd llawer un wrth ei weld yn chwyrnellu i lawr heibio i'r orsaf ac ymlaen i gyfeiriad Llan-rhyd. Beth a ddaethai trosto? Pan gyrhaeddodd Lan-rhyd, aeth yn syth i dŷ William Pritchard, un o'i gwsmeriaid. Saer oedd William, a chasglai amryw i'w weithdy bob gyda'r nos i roi'r byd yn ei le. Dyn swrth a thawel ydoedd, â rhyw olwg breuddwydiol yn ei lygaid bob amser. Câi enw o fod yn dipyn o lenor a bardd, ac adroddai pobl linellau fel 'Ambarél ym bur hwylus' ar ei ôl i brofi hynny.

'Chwartar wedi wyth nos Wenar, yntê?' meddai, wedi iddo ef ac Ifan Davies gyfarch ei gilydd.

'Ia. Sut y gwyddech chi?'

'Sôn am y peth yn y gweithdy 'ma yr oeddan nhw neithiwr. Oes gynnoch chi weiarles?'

'Oes, mae gan Leusa 'cw un.'

'Wyddwn i ddim y medra fo wneud petha fel 'na, wchi.'

Gwelodd Ifan Siwrin gyfle i ddod o hyd i'r gwirionedd. 'Gwneud be'?' gofynnodd.

'Gwneud beth bynnag y mae o yn 'i wneud, yntê?'

'O, mae o'n dipyn o hen bry', William Pritchard.'

'Ydi, mae'n rhaid.'

'Ydi, pry' garw. Be' oeddan nhw'n ddeud yma neithiwr?'

'O, 'doedd neb yn gwbod y manylion, wchi. Be' fydd 'i ran o ynddi hi, Ifan Davies?'

Yr oedd hwn yn gwestiwn go anodd. 'Wn i ddim, wir,' meddai, ac yna cofiodd ei fod ar frys ac yr hoffai orffen yn Llan-rhyd cyn iddi ddechrau glawio. Ac wedi i William Pritchard glirio'i ddyled a dyfynnu unwaith eto ei linell gynganeddol, 'Wil Saer yn talu 'siwrin', aeth Ifan Davies ymaith a'r stori am ei frawd yng nghyfraith mor niwlog ag erioed yn ei feddwl. Pam na fuasai ffyliaid fel Now Portar a Wil Saer yn dweud yr hanes yn iawn yn lle troi yn eu hunfan fel geifr wrth gadwyn?

Yn y tŷ yn Llan-y-graig, aethai chwilfrydedd Leusa'n drech na hi. Darganfu gôt i William Jones yn y llofft, ac aeth â hi i lawr i dŷ Susan Lewis.

'Wrthi'n clirio tipyn ar y llofftydd acw,' meddai, 'a meddwl y gwnâi'r gôt 'ma i Huw yn y chwaral.'

'Yn y chwaral!' Daliodd Susan y gôt i fyny i'w hedmygu. 'Mi wnaiff iddo fo gyda'r nos—os nad ydi William Jones yn debyg o fod 'i hisio hi.'

'Nac ydi—yn enwedig 'rŵan, a fynta'n mynd yn ddyn mor bwysig.'

'Gobeithio y bydd y *reception* yn o dda, yntê?' meddai Susan.

Nodiodd Leusa, gan geisio ymddangos yn ddidaro, ond dug y gair Saesneg ofn i'w chalon. Ai mynd i briodi yr oedd ei gŵr? Priodi rhyw ddynes gyfoethog, efallai. Ia, dyna sut y câi arian mawr, ac yr oedd ef a'i wraig am ddal trên yng ngorsaf Caerdydd am chwarter wedi wyth nos Wener.

'Mae gin ti weiarles, on'd oes, Leusa?'

'Oes. Ac 'rydw i'n cal *Luxembourg* yn reit glir. Ar hwnnw y bydda' i'n gwrando.'

'I'r drws nesa' 'ma y bydda' i'n mynd, ond yn y Bwl y bydd Huw, mi elli fentro. Mae o a Huws Dentist a'r Twm Bocsar 'na a'r lleill wrth 'u bodd bob tro y bydd 'na focsio ne' ras ne' ffwtbol ar yr hen weiarles 'na, er mwyn iddyn nhw gal esgus dros fynd i'r Bwl i wrando arno fo. Yno y byddan nhw nos Wenar, mi gei di weld, a mi ddon adra i gyd wedi yfad fel pysgod a'r Twm Bocsar 'na wedi'i dal hi. Wyt ti'n cofio pan oedd Jack Petersen wrthi y tro dwytha' 'ma? Mi ath Twm Bocsar yn chwil ulw, wsti, a mi driodd ddangos i Now Dic, gŵr Enid May, be' oedd *knock-out.* Mi fuo Now Dic druan yn 'i wely am wsnos . . . Ydi o'n sôn am ddŵad adra?'

'Nac ydi. Ond mae o'n gyrru pres imi yn reglar bob wsnos.'

'Mae'n rhaid 'i fod o'n licio'i le tua'r Sowth 'na. Gobeithio na fyddan nhw ddim yn betio y tro yma. Mi gollodd Huw goron pan oedd Jack Petersen wrthi. Ond wn i ddim ar be' y betian nhw hefo William Jones. Colli y bydd Huw 'ma bob gafal, beth bynnag. Fyddi di'n trio'r *Football Pools* 'na, Leusa?'

'Bydda' weithia, wsti.'

'Mae o'n sgut amdanyn nhw ac yn deud 'i fod o am riteirio a phrynu tafarn fach wrth lan y môr yn Sir Fôn pan enillith o. Mi fasa'r cradur yn yfad y proffid i gyd cyn pen blwyddyn. Be' mae o'n wneud yn y Sowth 'na?'

'Yn y pwll glo. Dreifio'r caets i fyny ac i lawr.'

Caets? Mewn sioe yr oedd peth felly, ond cuddiodd Susan ei hanwybodaeth tu ôl i'r gair 'O?'

Treuliodd Leusa ryw awr yn nhŷ Susan Lewis, ond nid oedd fymryn callach pan droes tuag adref. Dychwelodd ei brawd rhwng pedwar a phump â'r newydd mai un garw oedd William Jones. Stori Leusa erbyn hyn oedd i'w gŵr droi'n focsiwr tua'r De, a'i fod ef a Jack Petersen yn paratoi'n ddygn ar gyfer yr ornest nos Wener. Tagodd Ifan Davies uwch ei de wrth glywed y fath lol, ac ni fedrai hyd yn oed weddill yr afalau gwlanog ei gadw rhag pyliau hir o chwerthin. Ac eto, teimlai braidd yn anniddig o gofio sylwadau Now Portar am wrandawyr eiddgar y Bwl. Yr oedd rhyw wir mewn rhywbeth a ddigwyddai i William Jones yn rhywle. Beth oedd hi heddiw? Dydd Iau. Oedd, yr oedd amser i 'siwrio'i frawd yng nghyfraith cyn nos Wener. Ond os oedd William Jones yn gwneud rhyw gastiau peryglus tua'r Sowth 'na, colled i'r Cwmni fyddai ei 'siwrio.

'Pwy ddechreuodd y straeon gwirion 'ma?' gofynnodd wedi gorffen ei de.

'Bob Gruffydd yn y chwaral.'

'O. Mi a' i i'r Seiat heno i gal gair hefo fo. Fûm i ddim yno ers tro byd. I'r hen bictiwrs 'na yr wyt ti'n mynd, y mae'n debyg?'

''Dydw i ddim yn gofyn i ti dalu drosta' i, Ifan.'

Nid awn gydag Ifan Siwrin i'r Seiat; ailadrodd darn o'r drydedd bennod fyddai hynny. Digon yw dywedyd iddo godi ar ei draed ac edrych dros ei sbectol wrth sôn am ansicrwydd bywyd a'r fraint o gael cymdeithas gyda'r saint. Siaradodd yr hen Wmffra Roberts hefyd, yn fywiog ac anniddorol, am dros ugain munud heb boeni ei ben am destun na phennau i'w bregeth. Trawodd Ifan Davies ar Bob Gruffydd ar y ffordd allan.

'Chwartar wedi wyth nos Wenar, yntê?' meddai, gan geisio swnio'n ddifater.

'Ia. . . 'Rhoswch, Wmffra Roberts; mi ddo' i hefo chi.'

'Be' fydd o'n wneud yno, Robat Gruffydd?'

'Fel 'sgotwr y deudodd o, er na wn i ddim be ŵyr William am 'sgota. Cymryd arno y bydd o, wrth gwrs.' A rhuthrodd Bob Gruffydd drwy glwyd y capel ar ôl yr hen Wmffra Roberts.

Gan ei fod yn hoff o swper cynnar, paratôdd Ifan Davies bryd o fwyd ei hun yn y tŷ, ac yna cliriodd gongl y bwrdd i gael trefn ar ei lyfrau yswiriant. Ond ni châi hwyl ar ei waith. Canu, trên chwarter wedi wyth o Gaerdydd, miloedd o bobl, arian mawr, bocsio, pysgota—nid oedd synnwyr mewn dim a glywsai. Arian mawr, gorsaf Caerdydd, bocsio, miloedd o bobl, canu o flaen y Brenin, pysgota—gwylltiodd Ifan Siwrin ac aeth i'w wely, gan adael y llestri fel yr oeddynt ar y bwrdd.

Yn rhyfedd iawn, stori am focsiwr gostyngedig a di-sôn a ddringodd i'r uchelfannau a oedd ar len y sinema, ac aeth rhyw gyffro mawr drwy enaid Leusa Jones. Bachgen tal a chyhyrog oedd y gwron, nid dyn bychan tros ei hanner cant â'i gorun yn foel, ond yr oedd rhywbeth yn ei wyneb—yn ei lygaid onest, efallai—a atgofiai Leusa am ei gŵr. Curodd ei dwylo mewn cymeradwyaeth uchel pan drawodd y llanc, yn y pymthegfed tri munud, glamp o ddyn du dros y rhaffau i freichiau gwŷr y seddau blaen. A chynhyrfwyd hi drwyddi pan welodd gariad y bocsiwr yn dringo i'r llwyfan-ymladd ato ac yn taflu ei breichiau am ei wddf a'i gusanu'n wyllt. Efallai, meddai wrthi ei hun ar y ffordd adref o'r sinema, y deuai telegram yn ei galw hithau i Gaerdydd i fod wrth ymyl ei gŵr yn awr ei fuddugoliaeth. Cafodd Leusa Jones freuddwydion melys y noson honno.

Hefo'r llefrith yn y bore y daeth y gwirionedd.

'Peint, Mrs Jones?' gofynnodd Wmffra Williams.

'Na, chwart hiddiw, Wmffra, imi gal gwneud pwdin-reis i Ifan Davies 'ma. Mae o'n un garw am bwdin-reis.'

'Chwartar wedi wyth nos Wenar, yntê, Mrs Jones?'

A oedd hwn eto yn dechrau ar yr un giamocs â'r Susan Lewis 'na?

'Un garw ydi o, yntê, Mrs Jones!'

Oedd, yr oedd hi'n amlwg ei fod.

'Be' ydach chi wedi'i glywad, Wmffra?'

'Dim ond 'i fod o ar y weiarles nos Wenar. Rhaglan am y chwaral, yntê?'

Pan ddaeth Ifan Davies i lawr i frecwast, yr oedd Leusa'n ddrwg iawn ei hwyl.

'Y Susan Lewis 'na,' meddai. ''Dydi hi ddim hannar call. Hi â'i medal a'i chanu o flaen y Brenin a'i harian mawr a'i risepsion a'i bocsio! 'Does 'na ddim byd yn y peth. Y cwbwl sy'n digwydd ydi fod William yn deud rhywbeth am y chwaral ar y weiarles nos Wenar. Be' oedd y ffŵl isio sôn am ganu a Jack Petersen a phetha felly? Mi ro' i focsio iddi hi!'

Edrychodd ei brawd yn syn arni, gan agor ei geg a syllu tros ei sbectol.

'Yr argian fawr, Leusa!' meddai.

'Be'?'

''Dwyt ti ddim am ddeud wrtha' i dy fod ti wedi talu'r un sylw i ryw glebran gwirion fel 'na? 'Roedd y peth mor glir â'r haul. Stesion Caerdydd.'

'Oedd, o ran hynny, 'tasa hi wedi deud 'i stori'n iawn

yn lle rhwdlan fel y gwnaeth hi. . . 'Gym'ri di facwn ac wy bora 'ma, Ifan?'

'Cyma', debyg iawn.'

Cafodd *Y Chwarelwr* o leiaf ddau wrandawr beirniadol, ac ar ei diwedd ni welai Ifan Siwrin na Leusa ystyr o gwbl yn y rhaglen. Ond am resymau gwahanol. Yr oedd yn amlwg i Ifan na wyddai trefnydd y rhaglen ddim byd am chwarel na chwarelwyr; yr oedd hi'r un mor glir i Leusa nad oedd angen sôn am ''sglodion' a 'crawiau' a 'miniar' a phethau tebyg y gwyddai'r byd i gyd amdanynt. I beth yr oedd eisiau creu darlun o rywbeth a ddigwyddai yn eu hymyl bob dydd? Hen lol wirion, yn enwedig y disgrifiad o'r ddynes 'na yn y tŷ yn gosod y bwrdd i'r swper-chwarel. Hi â'i lobscows a'i thân mawr i sychu dillad ei gŵr!

Nid oeddynt yn gytûn eu barn ar berfformiad William Jones. 'Yn hollol fel fo'i hun,' oedd sylw Leusa, ond daliai Ifan nad oedd ei frawd yng nghyfraith fel pe'n trio o gwbl. Os actio, actio amdani, yntê? Gwrthodasai ei gyfle, yn arbennig wrth lefaru geiriau fel 'taran' a 'rhwygo' ac 'ara' deg'. Ni ddeallai ef, mwy na Thwm Edwards, sut y dewiswyd William Jones i'r gwaith.

Daeth llais y dyn bach yn weddol aml drwy'r set-radio yn ystod y misoedd wedyn, ond mingamu bob tro a wnâi Leusa a'i brawd. Gwyddai Ifan Siwrin y gallai ef wneud yn ganmil gwell, a thaflai lawer 'Hy!' anfwyn tua'r teclyn yng nghongl y gegin. Teimlai Leusa y dylai perchen y llais yrru dwybunt yn lle punt yr wythnos iddi, gan ei fod, bellach, yn ennill 'arian mawr'. Yr oedd ganddo fo wyneb i ddarlledu a'i wraig druan bron â llwgu.

Yna, yng nghanol Medi, daeth Mr Green i'r ardal.

Goruchwyliwr newydd y sinema oedd Mr Green. Sais

bychan, tew, a chymaint o gnawd o amgylch ei wddf fel y taerech fod ganddo dair gên. Yr oedd y gadwyn aur ar ei wasgod hefyd ryw droedfedd yn nes atoch nag y dylai fod, a chredodd pawb yn Llan-y-graig mai dyn glwth ac yfwr gwin oedd y dieithryn llon, wynepgoch. Dyna oedd barn Mrs Preis y Bwl wrth ddangos ei ystafell-wely iddo y noson y cyrhaeddodd y pentref; a brysiodd ymaith i'r gegin i baratoi gwledd o datws a chig a fyddai'n gymwys i ŵr a chanddo dair gên a gwasgod mor eofn. A phan ddaeth Mr Green i lawr i'r ystafell-fwyta, cludodd hi a Meri Elin, y forwyn, lanastr o bryd i'r bwrdd o'i flaen. Yr oedd yn wir ddrwg ganddo, a dylasai fod wedi sôn am y peth cyn mynd i fyny'r grisiau, ond nid oedd arno eisiau dim ond glasiaid o lefrith a dwy neu dair o fisgedi. Ac yn y bore, os byddai Mrs Preis mor garedig, hoffai gael i'w frecwast wy wedi'i ferwi'n ysgafn ysgafn a thamaid o fara cras sych. Dim ond hynny, oni fyddai'n drafferth i Mrs Preis. A gwenodd y dyn bach yn nerfus ar y ddwy.

Ymgynghorodd Margiad Preis â Now, ei gŵr.

'Traffarth! Rho blatiad o'r cig moch cartra 'na iddo fo a chuddia hwnnw hefo wya wedi'u ffrio. Mi ddeudodd yn 'i lythyr 'i fod o'n barod i dalu saith a chwech am wely a brecwast. 'Dydi Now Preis ddim yn mynd i ddwyn arian oddi ar neb. Dangos di iddo fo be' ydi brecwast, Margiad. A hwda, dos â'r peint 'ma iddo fo yn bresant oddi wrtha' i.'

Ond aethai Mr Green i'w wely ar ôl yfed ei lasiaid o lefrith, ac nid aflonyddodd Mrs Preis arno. Yfodd Twm Bocsar y peint drosto.

Bore trannoeth, rhythodd gŵr y tair gên mewn dychryn ar y cig moch a'r wyau, ac eglurodd fod ei ystumog yn un hynod anniolchgar, yn arbennig yn awr ar ôl triniaeth go arw mewn ysbyty. Y cwbl yr oedd arno eisiau oedd tamaid o fara cras a chwpanaid o de. I ginio? Tybed a fedrai Mrs Preis gael darn bach o bysgodyn i'w stêmio iddo?

Canolbwynt byd Mr Green oedd ei ystumog anffodus, ac ufuddhâi'n fanwl i orchmynion ei feddyg. Buan y sylweddolodd nad oedd y Bwl yn lle addas i ŵr fel efô, a dechreuodd chwilio am lety yn y pentref. Yr oedd Mrs Preis yn glamp o garedigrwydd ('Clamp' yw'r gair, gan ei bod yn ddynes anferth), ond dylanwadai ei gŵr arni byth a hefyd. 'Twt, wnaiff hwn ddim drwg iddo,' fyddai ei sylw, pan fwynhâi ef damaid go flasus, a gyrrai ei wraig â phennog picl neu rywbeth i'r ystafell ffrynt i demtio Mr Green. Sut yr oedd y dyn yn fyw, ni wyddai Now Preis; yr oedd yn rhaid mai o'r awyr y câi ei gynhaliaeth.

Gan fod Leusa'n un o flaenoriaid y sinema, daeth Mr Green i'w hadnabod cyn hir, ac un bore ar y stryd, gofynnodd ei barn am y darlun a welsai y noson gynt. Gwych, meddai hithau, a theimlai'n ddiolchgar i Mr Green am ddwyn Greta Garbo i'r pentref mor aml. Sut yr oedd ei ystumog? O, piti, piti, hen beth ofnadwy. Diar, fe fuasai ei mam druan yn cwyno hefo'i chylla am dros ddeng mlynedd. Gobeithio bod Mr Green yn ofalus iawn —dim hen bicyls a brôn a phethau felly.

Galwodd y gŵr bach tew i'w gweld yn y prynhawn. Chwiliai am lety, meddai, a daethai i'w feddwl y gallai hi, yn arbennig gan iddi gael y profiad o ofalu am ei mam, ei dderbyn i'w thŷ. Ychydig oedd ei anghenion, talai arian da am le cysurus, a byddai'n falch o gynnig sedd rad ac am ddim iddi yn y sinema bob nos Lun a nos Iau. Curodd Leusa wy mewn glasiaid o lefrith iddo.

Gwn, ddarllenydd hynaws, dy fod yn hiraethu am

droi'n ôl i gwmni William Jones, ac felly nid oedwn i sôn am ystumog Mr Green a phryder Leusa yn ei chylch. Gan mai bwyd llwy, gan mwyaf, a ddeisyfai'r dieithryn, ni phoenid ef yn bersonol gan ddiffygion coginiol gwraig y tŷ, a chwarae teg iddi hithau, gwnâi ei gorau iddo. Yn wir, cwynai Ifan Siwrin na châi ef na'i ystumog y ddegfed ran o'r sylw a roddai ei chwaer i'r lletywr o Sais. O, ond yr oedd Mr Green yn ddyn bach mor neis, er ei fod yn dioddef cymaint ac yn bwyta'r nesaf peth i ddim, a newydd golli ei wraig, a'i ferch wedi dianc i America hefo gŵr rhywun arall, a pherchenogion y sinema yn ei feio ef bob tro y byddai'r lle'n hanner gwag.

Torri i grio a wnaeth Leusa pan holodd Mr Green hi am William Jones. Buasai ei gŵr yn un mwyn a charedig am flynyddoedd, meddai, ond daethai rhywbeth drosto'n sydyn y llynedd, a dechreuodd gicio'r dodrefn o gwmpas y lle a rhegi fel cath a'i tharo nes bod ei dannedd-gosod yn dipiau yn ei cheg. Cododd y lletywr o'i gadair i'w chysuro, a rhoes Leusa ei phen ar esmwythdra'i wasgod i wylo'n ddiatal. A'i fraich am ei hysgwydd, haerodd yntau y buasai'n hanner lladd y bwystfil o ddyn pe câi afael ynddo. Ers faint y ciliasai i'r De? Pymtheng mis! Yr oedd hi'n bryd iddi ei ysgar am gefnu arni gyhyd. Ond nid oedd ganddi fodd i fyw heb y bunt a yrrai ef iddi bob wythnos. Modd? Nid oedd yn rhaid iddi bryderu am hynny. Yr oedd ef, Mr Green, yn hoff iawn ohoni ac yn ddiolchgar am lawer wy wedi'i guro mewn llefrith, ac os oedd yn ei chalon yr hoffter lleiaf tuag ato ef. . . Taflodd Leusa ei breichiau am wddf Mr Green, a galwodd ar Ifan Davies, a drwsiai ei feic yn y cefn, i'r tŷ i dorri'r newydd iddo—ac i fod yn dyst o'r cyfamod.

Trannoeth, âi Mr Green i Fangor ynglŷn â rhyw

ffilmiau, a chynigiodd Leusa fynd gydag ef. Ysgwyd ei ben a wnaeth y cyfreithiwr yr ymgynghorodd y ddau ag ef. Pymtheng mis? Yr oedd yn rhaid, yn ôl y ddeddf, i William Jones fod i ffwrdd am dair blynedd cyn y gellid ei gyfrif yn enciliwr. Ond gallai Mrs Jones ei gyhuddo o greulondeb, yn enwedig ar ôl y llanastr a wnaethai ar y dodrefn, ac ar ei dannedd-gosod. Na, meddai Leusa'n frysiog, nid oedd ganddi dystion, a byddai ef yn sicr o wadu'r cwbl, gan daeru celwyddau nes bod ei wyneb yn las. A oedd ganddo gariadon tua'r De? Oedd, amryw, atebodd Leusa; yr oedd o'n un garw am y merched. O, yr oedd y broblem yn un hawdd ynteu. Byddai William Jones, yr oedd yn fwy na thebyg, yn falch o ymryddhau o dalu'r bunt wythnosol, a dim ond iddo dreulio nos mewn rhyw westy gydag un o'i ferched... Na, ni lwyddai'r cynllun hwnnw ym marn Leusa; yr oedd ei gŵr yn ormod o hen lwynog i'w glymu ei hun wrth un ferch arbennig.

Hm. Crafodd y cyfreithiwr ei ên. Ofnai y byddai'n rhaid i amynedd y ddau gael perffaith waith o hynny hyd ddiwedd y tair blynedd. Yn y cyfamser, câi Leusa ei phunt yr wythnos; byddai'n rhaid i'r dihiryn dalu honno. Oedd, yr oedd y ddeddf yn ffolineb, efallai, ond ni wyddai ef am ffordd i'w hosgoi.

Rhywfodd neu'i gilydd, daeth y stori i glustiau Susan Lewis, a chludodd ei gŵr hi—y stori, nid ei wraig—i'r chwarel. Dic Trombôn a'i hadroddodd—gydag addurniadau barddonol wrth gwrs—wrth Bob Gruffydd, ac ysgrifennodd hwnnw ar unwaith at ei hen bartner.

'Ia, wel,' oedd unig sylw William Jones.

Y mae meddwl hen bobl, meddir, yn hoff o ymgyrraedd i'r gorffennol, i ddyddiau plentyndod ac ieuenctid. Ni chofia'r hen wraig pa un ai dydd Mercher ai dydd Iau ydyw hi, ond gofynnwch iddi am y patrwm cymhleth a grosiai pan oedd hi'n ddeuddeg oed, a chewch y manylion i gyd. Ffwndrus hefyd yw'r hen ŵr wrth geisio dwyn i gof ai llond llwy de ai llond llwy fwrdd oedd gorchymyn y meddyg neithiwr, ond pan edrydd hanes ei fore cyntaf yn y chwarel, y mae'r darlun mor fyw nes gwybod ohonoch gynnwys tun-bwyd pob un yn y caban.

Go debyg yw meddwl dyn sâl, ac yn ôl i Lan-y-graig y crwydrai atgofion Crad. Aeth i orwedd yn nechrau Hydref, gan fod yr aflwydd ar ei ysgyfaint, meddai'r meddyg yng nghlust William Jones, yn troi'n ddarfodedigaeth. Cadwodd ef y newydd rhag Meri, wrth gwrs, ond yr oedd ofn fel rhew yn ei chalon hi pan welodd ei gŵr yn pesychu gwaed.

Na, paid â dychrynu, ddarllenydd hynaws; oherwydd ni fwriadaf sôn fawr ddim eto am afiechyd Crad. Dywedaf hyn rhag ofn dy fod yn estyn am dy gadach poced ar ddechrau pennod drist ofnadwy. Ond hyderaf y bydd ei angen arnat, er hynny—i sychu dagrau chwerthin, nid i wylo. Yn unig cofia yn dy ddifyrrwch fod Crad yn wael, yn wael iawn.

Un llon a digrif fuasai Crad erioed, gŵr y cellwair ffrwydrol a'r chwerthin Homerig. A chwerthin a wnâi yn ei wely fel y llithrai ei feddwl yn ôl i'r ysgol ac i'r chwarel ac i fyd ei anturiaethau yn America ac yn y Rhyfel, ac wedyn yn y pwll glo. Llawer tro y digwyddodd William

Jones daro i mewn i'r llofft yn o sydyn a chael ei frawd yng nghyfraith yn cuddio'i wyneb â'i law.

'Be' sy, 'rhen Grad?'

'Fy llygaid i braidd yn wan, William, a gola'r haul 'na yn 'u blino nhw. Mi droa' i at y wal am dipyn.'

Ac wrth iddo droi, câi William Jones gip ar y chwerthin yn ei lygaid, a syllai'r chwarelwr yn y drych rhag ofn bod rhywbeth digrif—parddu ar ei drwyn neu jam ar ei ên—yn ei ymddangosiad ef. Gobeithiai'n ddwys nad oedd yr afiechyd yn amharu ar feddwl yr hen Grad.

Coblyn bach drwg oedd Crad yn yr ysgol, a chofiai â gwên y castiau a chwaraeai yno. Diawch, y tun hwnnw a guddiodd unwaith yn nrôr Huws Bach y Sgŵl! Yr oedd ynddo filodfa ar raddfa fechan—tair gwenynen, dwy lygoden farw, gwladfa o forgrug, pedwar llyffant, amryw o benbyliaid, dwsin o bryfed genwair ac, yn anrhegion mwy parchus, ddau 'nionyn bach. Ar wahân i dri a bigwyd i farwolaeth gan y gwenyn, dihangodd y morgrug drwy dwll bychan yng ngwaelod y tun, gan gredu bod esmwythach byd a phorfa frasach yn nrôr y Sgŵl. Ond chwarae teg i Grad, sut y gwyddai ef y daliai Huws y tun ar ŵyr wrth ei agor?

A dyna'r tro hwnnw y rhoes gymorth i Ned Sais, glanhawr yr ysgol, i drwsio'r gloch. Llithrasai'r rhaff oddi ar yr olwyn, a chan fod y bachgen yn byw y drws nesaf i Edward Williams, a ofalai am lanhau'r ysgol, i Grad y gofynnodd y Sgŵl am atgoffa'i gymydog am y peth. Aeth y cena' bach ar unwaith o amgylch tai ei gyfeillion, a llwyddodd i gasglu hanner dwsin o wyau. Bu Ned Sais mor ddiofal â gadael i'w gynorthwywr ddringo'r ysgol i roi'r rhaff yn ôl yn ei lle, a throes ef ymaith i fynd ymlaen â'i waith mewn ystafell arall. Hongiodd Crad y cwd papur tyllog, a ddaliai'r wyau, â llinyn wrth dafod y gloch, ac yna rhoes gymorth parod i Ned i orffen ei waith cyn i'r Bwl agor. Gan y mynnai'r Sgŵl ei hun ddechrau canu'r gloch gyntaf bob dydd, bu'n rhaid iddo frysio adref i ymolchi a newid ei ddillad fore trannoeth.

Ond yr hwyl a gafodd ef a Robin Jên Ifans un canol nos a ddôi gliriaf i feddwl Crad. Llwyddodd y ddau i sleifio o'u tai ac i ddringo i mewn i'r ysgol drwy ffenestr Standard I. Clymodd Robin Jên (rhywfodd neu'i gilydd, ni welai neb ddim byd yn ddigrif mewn rhoi enw ei fam iddo) linyn du wrth raff y gloch, a gorweddodd o dan un o'r seddau gerllaw. Wedi iddo'i wisgo'i hun yn y gynfas wen a ddygasai o'i wely, tynnodd Crad yn ffyrnig wrth y gloch, gan ddeffro'r holl ardal. Trawodd y Sgŵl ddillad yn frysiog amdano a rhuthrodd i'r ysgol mewn braw. Ond yn Standard V, lle'r oedd y gloch, nid oedd na sŵn na symud yn y byd. Yr oedd hi'n noson oer yn y gaeaf, a chan na chawsai amser i wisgo'n briodol, crynai drwyddo yno yn y tawelwch rhewllyd, gan wrando ar ryw dylluan, â'i thraed yn oer, yn cwynfan yn y coed gerllaw, ac ar oernad rhyw gi a udai yn y pellter. Troes ymaith, yn ddig wrtho'i hun am adael cynhesrwydd ei wely plu, ond cyn iddo gyrraedd drws yr ystafell fawr, safodd yn syfrdan wrth glywed y gloch yn toncio'n lleddf ac araf uwchben. 'C . . . come out of there,' meddai ei lais, er mai prin yr adwaenai ef, 'and I'll g . . . give you the b . . . best h . . . hiding you've ever h . . . had.' Ond ni neidiodd neb at y cynnig. Tawelwch hir eto, er bod rhyw ysfa disian yn gafael yn Now Jên Ifans. Pwy bynnag a chwaraeai'r tric hwn, meddai'r ysgolfeistr wrtho'i hun, yr oeddynt yn peryglu ei fywyd drwy ei alw o'i wely i'r fath oerfel. A oedd rhywbeth yn symud fan draw yng nghongl yr ystafell? Oedd, a rhewodd asgwrn cefn y Sgŵl wrth iddo wylio'r ysbryd yn symud o'r cysgod i olau gwan y lloer. Daeth tair tonc ddwys ar y gloch, pob un mewn ufudd-dod i amnaid gan fraich araf ac urddasol yr ysbryd. Dihangodd Huws Bach am ei fywyd.

Pan gyrhaeddodd eraill, nid oedd na thonc cloch na golwg ar ysbryd yn Standard V, ac ni ddeallai'r bobl pam yr edrychai'r Sgŵl mor llwyd ac ofnus. Dic Dew, ei gefnder, a roes yr eglurhad gorau iddynt, gan awgrymu'n gynnil na wnaeth dysg les i neb erioed. Ond y gloch? O, rhyw dylluan neu ystlum go fentrus yn ceisio dianc yn ôl i'r nos. Yr oedd ef yn cofio unwaith . . . Ond ni wrandawodd neb ar stori Dic, gan wybod ohonynt fod ei ddychymyg bron gymaint â'i syched.

Castiau fel y rhain, a thipyn o fri fel cwffiwr, a chymorth arwrol bob Hydref i'r Person i gadw'i afalau-cadw oedd deunydd hynny o ramant a oleuai ieuenctid Crad. Ystorm o ddyn oedd ei dad, selog yn y Bwl, anghyson yn y chwarel, herfeiddiol a llon ym mhopeth a ddywedai ac a wnâi. Enillodd enwogrwydd lleol un nos Sadwrn drwy daflu gwerth chweugain o geiniogau o ddrws y Bwl i blant y pentref; dewisodd y ffordd honno, yn un o amryw, i ddathlu marwolaeth rhyw ewythr darbodus a adawodd dri chant o bunnau iddo. Yn ffodus, dim ond gwerth rhyw ganpunt a yfodd cyn mynd 'at y sowldiwrs', a phur anaml y gwelai'r ardal ef yn ystod y ddwy flynedd cyn iddo farw, mor herfeiddiol a llon ag y buasai fyw, rywle yn Neau'r Affrig. Yfodd ei gyfeillion yn y Bwl beint dwys ar ôl Wil Sowldiwr, gan gofio'r tro hwnnw y lloriodd y Dyn Cryf yn y syrcas, ac yna anghofiodd Llan-y-graig amdano.

Ymroes Kate Williams, y weddw fach dawel ac ofnus

fel llygoden, i ofalu am enaid ei bachgen. Âi hi ei hun ag ef i'r capel, i'r Ysgol Sul ac i'r Cyfarfod Gweddi ac i'r Seiat ac i'r *Band of Hope,* a'i roi yno yng ngofal Wmffra Roberts neu Huws Roberts neu rywun. Ond nid oedd Caradog fel bechgyn eraill. I ddechrau, yr oedd rhyw wendid ar ei gyfansoddiad bob gafael yn y capel; gwingai fel cnonyn ar ei sedd, gan ddal ei law i fyny i erfyn am ganiatâd i fynd allan am funud. Pwy a allai wrthod ei gais? Câi'r hawl i dalu ymweliad brysiog â chefn y capel, ond gan na ddychwelai i'w sedd, ymgynghorodd y brodyr â'i gilydd a chaledu eu calonnau i'w erbyn. Bu'n rhaid i fab Wil Sowldiwr feddwl am gynlluniau eraill. Ef, yn y *Band of Hope,* fyddai'r cyntaf o'r ymgeiswyr i fynd allan i'r festri ar gyfer Cystadleuaeth Speling Bî, ond gan fod ffenestr yn y festri, ni welsid mwy ohono ef y noson honno. Llwyddai weithiau hefyd, yn ystod un o weddïau uchel Isaac Davies, i gropian o'i sedd ac o'r capel, a phan fethai'r holl ddyfeisiadau hyn, yr oedd ganddo eraill. Gwelodd Wmffra Roberts ef un noson, er enghraifft, yn rhwymo'i law waedlyd â'i hances, ac yr oedd hi'n amlwg fod yr hogyn truan mewn poen dirfawr. Gyrrodd ef adref ar unwaith, ond ar ei ffordd allan o'r capel trawodd y cena' bach y botel o inc coch a fenthyciodd o'r ysgol ym mhoced côt fawr Isaac Davies.

Hawdd fyddai manylu ar droseddau hogyn Wil Sowldiwr. Yr oedd yn rhegwr huawdl cyn bod yn wyth oed, yn smocio cyn bod yn naw, yn dwyn rhywbeth a phopeth cyn bod yn ddeg; yn wir, ni châi'r angel a groniclai ei hanes funud o hamdden i sylwi ar neb arall. Er hynny, tyfodd yn llanc cydnerth ac yn chwarelwr medrus, yn gwffiwr llawn gwell na'i dad, ac yn bysgotwr (heb drwydded) llwyddiannus iawn. Dim ond ar nos

Sadwrn yr âi i'r Bwl, ond ar y nosweithiau hynny torrai ar undonedd bywyd Llan-y-graig drwy fod yn rhyfelgar i'r eithaf. Ac unwaith, rhythodd i mewn i un llygad Twm Bocsar a'i wahodd i gefn y dafarn. Pa un ai *straight left* ynteu *right hook* a ddefnyddiodd Twm nid oedd un o'r tystion a wyddai, gan gyflymed yr ergyd, ond daeth Crad ato'i hun i ganfod Owens, yr hen blisman wynepgoch a oedd yn Llan-y-graig y pryd hwnnw, yn gwyro uwch ei ben, ac yn ei gynghori i fynd adref yn dawel. Yn lle ufuddhau troes yr ymladdwr ar y plisman, ac enillodd fis o garchar am ei wrhydri. Dychwelodd yn anniddig i'r Llan ac i'r chwarel, a phan fu farw ei fam rai misoedd wedyn gwerthodd y dodrefn, ac i ffwrdd ag ef i America i wneud ei ffortiwn. Chwarddodd ei ffordd am ryw dair blynedd drwy Scranton a Williamsport a Phittsburg heb ennill ond digon o arian i fyw ac i dalu costau'r daith yn ei ôl, ac yna cafodd lety tros y ffordd i Ann Jones a'i phlant, William a Meri. Er bod Meri'n hŷn nag ef o ryw ddwy flynedd, syrthiodd mewn cariad â hi, ac âi i'r capel yn selog, hyd yn oed i'r Cyfarfod Gweddi ac i'r Seiat, i fod yn agos iddi. Ffordd Crad o weddïo, y mae arnaf ofn, oedd gwylio Meri drwy'i fysedd, a gwrandawr esgeulus ydoedd ar bregethau Mr Lloyd a 'phrofiadau' Isaac Davies ac eraill. Rhybuddiai Ann Jones ei merch yn erbyn mab Wil Sowldiwr, ond buan y sylweddolodd Meri mai un syml a didwyll a hoffus iawn oedd y gŵr a gyfrifid yn rhyferthwy o ddyn. A chafodd Crad dröedigaeth. Y mae'n wir nad âi ar gyfyl y capel, unwaith yr enillodd ei serch hi, ond rhoes y gorau i yfed, ac nid ymladdai—ddim heb achos, beth bynnag, a thalai'n onest ac i'r diwrnod am hawl i bysgota. Yr oedd ei esgeulustod o foddion gras yn asgwrn cynnen rhyngddynt, a beiai

Meri ei chariad am wastraffu cymaint o arian ac amser yn chwarae biliards, ond ni châi ei mam na'i brawd ddweud gair yn ei erbyn. Nid bod un o'r ddau yn hoff o ddilorni Crad; yn wir, gofalai Ann Jones fel mam am y lletywr tros y ffordd, ac yr oedd William Jones wrth ei fodd yn ei ddilyn—ar y slei—i gwt y biliards neu hyd fin Afon Gam.

Ac yna, ryw flwyddyn cyn y Rhyfel Mawr, ffurfiwyd Llan-y-graig *United.*

Gwenai Crad wrth gofio am yr *United,* a chofiai amdano bron bob dydd wrth wrando, o'i wely, ar leisiau'r bechgyn yn chwarae rygbi. Yr oeddynt hwy wrthi bron bob prynhawn, gan eu bod yn ddi-waith ac wedi llwyddo i gael benthyg cae am ddim, a chludai'r awel eu lleisiau i fyny i Nelson Street a thrwy'r ffenestr agored i glustiau'r dyn claf. Ond twt, socer oedd y gêm, yn arbennig â Now Bwl a Thwm Bocsar a Huw Mwnci a'r lleill yn ei chwarae. Chwarddai Crad nes bod y gwely oddi tano'n ysgwyd wrth gofio llawer ysgarmes gynt a fu. Now Bwl a gychwynnodd y mudiad yn Llan-y-graig, a dadleuai rhai mai hiraeth ei dad am gael tipyn o rent am y cae mawr, a oedd yn perthyn i'r dafarn, a oedd tu ôl i'w frwdfrydedd. Ond pan ofynnai mynychwyr y Bwl i'r beirniaid hynny a wyddent hwy am ryw gae arall mwy cyfleus, tawent yn sur a grwgnachlyd. Cynorthwyo'i dad yn y dafarn yr oedd Now y pryd hwnnw, ac âi ymaith yn aml i Gaernarfon a Bangor a hyd yn oed i Lerpwl i wylio'r bêl-droed. Dewiswyd pwyllgor—yn y Bwl—a chrëwyd Llan-y-graig *United* i'w reoli ganddo. O leiaf, enwyd rhyw ddwsin o chwaraewyr tebygol a threfnwyd i gael brwydr yn Llan-y-graig neu yn y pentrefi o amgylch bob Sadwrn drwy'r gaeaf a'r gwanwyn. A 'brwydr' oedd y gair.

Now Bwl a etholwyd yn Gapten. Nid am mai ef oedd y pêl-droediwr medrusaf, ond am y gwyddai'r pwyllgor yr ufuddhâi pawb i'w orchmynion. Onid ef a daflai Dwm Bocsar allan o'r bar i'r stryd bob nos Sadwrn?

Enw'r dafarn, wrth gwrs, oedd y 'Bwl' a fachwyd wrth ei enw cyntaf, ond gelwid ef hefyd yn Now Tarw yn bur fynych. Oherwydd tarw o ddyn oedd Now, â phen ysgwâr a gwddf byr, trwchus, ac fel tarw y rhuai wrth ruthro'n wyllt o gwmpas cae'r bêl-droed. Nid oedd yn fawr o chwaraewr, ond cliriai'r ehofnaf o'i ffordd pan ysgubai fel corwynt am y bêl. A phan ddeuai Now Bwl i wrth-drawiad â rhywun, cludid y truan hwnnw o'r cae yn fuan wedyn. Rhybuddid y Tarw, wrth gwrs, gan bob canolwr, ond dysgai cyn diwedd y gêm mai chwythu ei chwibanogl ac nid pregethu oedd ei waith ef. Yn arbennig pan frysiai Twm Bocsar, â'i ddyrnau i fyny, ato i egluro nad oedd ar wyneb y ddaear neb addfwynach na Now.

Twm Bocsar! Ysgydwai'r gwely'n fwy fyth o dan Grad pan feddyliai amdano ef. Buasai Twm yn golier yn y De am gyfnod ac, fel y tystiai ei drwyn, yn dipyn o focsiwr yn ei oriau hamdden. Collodd un llygad mewn rhyw ymrafael di-fenig, a dychwelodd i Lan-y-graig ac i'r chwarel â phob math o hanesion arwrol yn ymwau o'i amgylch. Ni wadai Twm mohonynt, dim ond ceisio edrych yn swil i lawr ei drwyn â'i un llygad. Ef a chwaraeai yn union tu ôl i Now Bwl ar y dde i'r cae, ac os digwyddai rhywun sionc wibio heibio i'r Tarw, gofalai'r Bocsar ei yrru â'i draed i fyny. Yfai Twm botelaid fawr o stowt yn yr egwyl ar ganol y chwarae, a chasglai tyrfa o fechgynnos o'i amgylch i wylio symud-iadau cyson yr afal yn ei wddf. Ac wedi'r atgyfnerthiad hwn, troai Twm yn ôl i'r cae gan deimlo'n barod i wynebu'r gelynion oll ei hun.

Huw Mwnci oedd y trydydd 'cymeriad' yn y tîm. Dyn tal iawn, ymhell tros ei chwe throedfedd, oedd ef, a'i ben bron yn foel er nad oedd ond rhyw wyth ar hugain. Ef oedd y gŵr tawelaf yn y tir, ac ni lefarai fwy nag ugain o eiriau ar ei ddydd huotlaf. Cyfrifwyd hwy un diwrnod gan ei bartner yn y chwarel. Ned Morus siaradus a dadleugar oedd hwnnw, a rhoes farc ar fur y wal am bob gair a ddywedodd Huw yn ystod y dydd. Un ar ddeg oedd y cyfanswm, er i Ned wneud ei orau glas i gyrraedd y dwsin. Dewisai Huw gnoi baco yn hytrach na gwastraffu geiriau.

Enillodd ei lysenw drwy fabwysiadu mwnci. Crwydrai rhyw ddyn hefo hyrdi-gyrdi drwy'r pentref un prynhawn Sadwrn, a phan ddaeth Huw allan o'i dŷ i roi ceiniog iddo, syrthiodd y dieithryn yn farw. Ni chafodd amser i egluro paham y gwnâi beth felly, ond ni roes neb y bai ar Huw. Cafodd Wil Plisman gymorth i gludo'r dyn a'i offeryn ymaith, ac yna eisteddodd Huw yn freuddwydiol yng nghegin fach ei dyddyn, gan ryfeddu at ansicrwydd bywyd. Ysgydwodd ei ben yn drist, ac yna teimlodd rywbeth byw yn neidio ar ei ysgwydd. Yr hen gath? Na, yr oedd newydd ei boddi hi, gan ei bod mor fethiannus, ond clywsai sôn fod iddi hi a'i thylwyth naw o fywydau. Rhwbiodd rhywbeth ochr ei wddf, ac edrychodd i lawr ar ei wasgod. Hongiai cynffon hir hir arni, ac eisteddodd Huw yn hollol lonydd, gan ofni symud hyd yn oed ei lygaid rhag ofn iddynt wneud sŵn. Yna neidiodd y mwnci ar ei fraich ac ar y bwrdd o'i flaen, gan ddwyn afal bychan o'r bowlen wydr a oedd yno. Beth a wnâi ag ef?

Gallai roi cath neu gi yn anrheg i rywun ag angen un arno, ond nid hawdd oedd meddwl am neb yn dyheu am fwnci. 'Dos i nôl Wil Plisman i fynd â'r cradur i ffwrdd o' 'ma,' oedd gorchymyn ei fam weddw. Ond dal i eistedd wrth y bwrdd yr oedd Huw, gan wenu wrth wylio'r mwnci'n mwynhau'r afal. 'Os nad ei di i'w nôl o, mi a' i,' meddai'r hen wraig. Credodd y mwnci mai ag ef y siaradai, a cheisiodd fod yn gwrtais trwy neidio i gongl y bwrdd ati a gwneud rhyw sŵn yn ei wddf i ddweud ei fod yn o lew, diolch. Rhuthrodd Elin Jones o'r tŷ i chwilio am Wil Plisman.

Erbyn iddi hi a'r plisman ac eraill gyrraedd yn ôl, yr oedd y mwnci ar ganol y bwrdd yn gwledda ar yr holl afalau a'r eirin a'r da-da a oedd yn y tŷ. Ac yr oedd yn amlwg fod Huw ac yntau'n gyfeillion mawr. Pan geisiodd Wil Plisman gydio yn yr anifail, neidiodd ar ysgwydd y dyn caredig a roesai gymaint o fwyd iddo, ac oddi yno, edrychai'n ddrwgdybus ar ŵr y dillad swyddogol. Efallai i ddillad felly ei ddychrynu droeon o'r blaen; pa un bynnag, yr oedd yn rhaid cyfaddef mai un go gas oedd Wil. Ni ddywedai Huw air, ond pan gamodd y plisman ymlaen i gydio yn y mwnci, gwthiodd y dyn tawedog ef o'r neilltu ac yna aeth ef a'r anifail allan am dro i'r ardd. Cliriodd Elin Jones weddillion y wledd o'r bwrdd yn drist, gan gwynfan nad oedd gan hen ddyn yr hyrdi-gyrdi 'na ddim hawl i ddianc i fyd arall heb fynd â'i fwnci hefo fo.

Rhoes Huw a'i fwnci ddifyrrwch mawr i blant a phobl yr ardal am rai misoedd, ond yr oedd Elin Jones yn falch iawn pan flinodd y creadur ar gwmni diymgom ei mab a dewis mynd i chwilio am ei hen feistr. Collodd Huw ddau ddiwrnod o'r chwarel pan aeth Mic yn wael, ac wrth ei gladdu rhoes lechen hardd uwch heddwch ei lwch ym mhen yr ardd.

Centre-half a chwaraeai Huw ar gae'r bêl-droed, ac ef oedd asgwrn cefn y tîm. Ymddangosai'n hollol ddifraw, fel un a gerddasai ar ddamwain i blith y chwaraewyr ac a wyliai'n syn a breuddwydiol eu rhuthro ffôl ar draws ac ar hyd y maes. Plethai ei ddwylo tu ôl iddo'n bur aml, a cherddai o gwmpas â'i lygaid tua'r llawr fel petai'n cyfansoddi awdl ar gyfer yr Eisteddfod Genedlaethol nesaf. Ond cyn gynted ag y deuai'r bêl tuag ato ef, deffroai Huw Mwnci drwyddo a buan y gyrrai hi'n ôl i ben arall y cae. Ac yna, gan ymddangos heb ddiddordeb o gwbl yn y byd o'i amgylch, âi Huw ymlaen â'i awdl a'i gnoi baco. Pur anaml y llwyddai neb i fynd â'r bêl heibio iddo, ond pan ddigwyddai hynny, byddai coesau hirion Huw wedi dal a phasio'r gŵr ymhen ennyd. Dadleuai'r hogiau yn y chwarel fod Huw Mwnci'n ddigon da i Everton neu Aston Villa unrhyw ddydd.

'Be' sy'n dy gosi di hiddiw?' gofynnodd William Jones i Grad un prynhawn wrth weld ei frawd yng nghyfraith yng ngafael rhyw ddifyrrwch.

'Y gêm honno yn erbyn Llan-rhyd. Oeddat ti yno, dywad?'

'O'n. Pan sgoriaist ti ddwy gôl?'

'Ia, a phan gariodd Twm Bocsar y refferî o'r cae o dan 'i fraich.'

'Rhyw frith gof sy gin i am y peth, fachgan.'

Celwydd oedd hyn, ond credai'r chwarelwr y rhoddai adrodd yr hanes fwynhad i'r dyn claf.

''Roedd 'na refferî newydd sbon ar y cae, William, y dyn bach pwysica' welist ti 'rioed. Hwnnw oedd y tro cynta' iddo fo fod yn y Llan, a phenderfynodd ddangos 'i awdurdod ar unwaith. Wyt ti'n cofio'r bôi?'

'Nac ydw, wir, Crad. Un tew oedd o, dywad?'

'Tew! Y dryw bach teneua' fu ar gae ffwtbol 'rioed. Tew! 'Doedd 'na ddim gwerth grôt o gig ar 'i esgyrn o! Y Goliwog oedd yr hogia'n 'i alw fo, am fod 'i wallt o mor hir a blêr. Daria, yr wyt ti'n siŵr o fod yn cofio'r Goliwog, was.'

'Ydw 'rŵan, fachgan.'

'Coesa bach cyw iâr, breichia babi â'r llecha arno fo, wyneb bach bach, llygaid yn smicio ar bawb a phopeth, a cheg gron fel olwyn wats. Diawch, i feddwl dy fod ti wedi anghofio'r Goliwog, William!'

'Ond rhaid iti gofio nad oeddwn i ddim yn chwara' hefo'r tîm, dim ond dŵad yno hefo Meri i'th weld di wrthi.'

'Dyna gêm oedd honno! 'Doedd 'na ddim munud wedi mynd heibio cyn i'r dyn bach chwthu'i bib a rhoi penalti i Lan-rhyd. Twm Bocsar wedi ffowlio, medda fo. Mi ath Twm ato fo i ddeud faint oedd hi o'r gloch, ond y cwbwl wnath y Goliwog oedd chwthu'i bib eto a cherddad yn bwysig i ffwrdd i daro'r bêl ar y sbotyn o flaen y gôl. Dyma Now Bwl yn ordro'r tîm i gyd i sefyll yn y gôl, ac yno y buom ni am bum munud, fachgan, a'r dyn bach yn cerddad o gwmpas ac yn deud wrth hogia Llan-rhyd be' oedd o'n feddwl ohonon ni. Wedyn, mi ddath i'r gôl i ofyn inni fod yn sborts. Wrandawai neb arno fo, ond gan nad oedd Huw Mwnci'n deud dim gair o'i ben, dyna fo'n meddwl fod Huw o'i ochor o. Mi siaradodd yn hir wrtho, ac ar y diwadd, "Wel?" medda fo. Y cwbwl wnath Huw oedd stopio cnoi baco a chodi'i ben i edrach ar ryw wylan oedd yn fflio uwchben y cae. Ac wedyn, dyma Huw yn nodio'n reit gyfeillgar ar y dyn bach. Nodio i ddeud bod gwylan yn un reit dda am fflio yr oedd Huw, ond fe gredodd y Goliwog mai cytuno hefo fo yr oedd o, ac mi aeth i egluro hynny wrth Now Bwl. Yr oedd Now fel cacwn ac yn barod i hannar lladd Huw Mwnci, ond 'roeddwn i'n digwydd bod yn sefyll wrth ochor Huw pan oedd y Goliwog yn siarad hefo fo, a phan ddeudis i wrthyn nhw fod Huw heb agor 'i geg, dyma Twm Bocsar yn cyhuddo'r dyn bach o ddeud coblyn o gelwydd ac yn cydio ynddo fo dan 'i fraich a'i gario fo, yn cicio ac yn gweiddi, o'r cae.'

'Nid dyna'r tro yr aeth o â fo i gefn y Bwl?'

'Ia, fachgan, a'i ollwng o i'r hen gasgan-ddŵr fawr honno o dan y beipan o'r landar.'

'Ond mi aeth y gêm yn 'i blaen, os ydw i'n cofio'n iawn?'

'Do, a Dic Prys, Llan-rhyd, yn refferî. Gêm dda oedd hi hefyd. 'Doedd Dic Prys ddim yn un rhy barticlar.'

Mewn atgofion felly y treuliai Crad lawer o'r dyddiau araf, ond cymerai hefyd ddiddordeb eithriadol ym mhopeth a ddigwyddai o'i amgylch. Gwyddai'r dyn claf yn aml fwy na William Jones am y symudiadau ar y llawr, a châi'r chwarelwr dafod yn aml am gludo newyddion na ddylai i'r llofft.

'Pam ôch chi'n gweud wrtho fa 'mod i mas am dro 'da Richard Emlyn nithiwr?' oedd cwestiwn dig Eleri un diwrnod.

'Deud wrth bwy?'

'Wrth Dada.'

'Wyddwn i ddim dy fod ti allan hefo Richard Emlyn, 'nen' Tad. Y cwbwl ddeudis i wrtho fo oedd imi weld Richard Emlyn wrth y Post gyda'r nos pan es i i godi arian.'

'Beth arall wetsoch chi?'

'Dim ond nad oedd o ddim fel 'tae o isio imi aros i siarad hefo fo. Mi wn i pam 'rŵan.'

'Pam?'

'Am 'i fod o'n dy ddisgwyl di. Ond wnes i ddim meddwl am hynny ar y pryd.'

Dro arall, Meri a ddywedai'r drefn.

'Be' oeddat ti isio deud wrtho fo 'mod i'n sgwrio'r gegin 'ma, ac yn ysgwyd matia, William?'

'Sonnis i ddim gair am sgwrio na matia wrtho fo.'

'Sut y gwydda fo, 'ta?'

'Mi ofynnodd imi lle'r oeddat ti, a mi ddeudis dy fod ti'n llnau tipyn ar y gegin 'ma. Be' sy gynno fo'n erbyn ysgwyd matia, dywad?'

'Dadla' 'mod i'n lladd fy hun wrth olchi'r llawr ac ysgwyd matia byth a hefyd. Paid ti â son dim am be' ydw i'n wneud wrtho fo. Cofia di 'rŵan.'

Ond cyhuddid William Jones ar gam weithiau.

'Chi wetws wrth Dada 'mod i'n smoco?' gofynnodd Wili John un nos yn y gwely.

'Wyt ti *yn* smocio?'

'Odw, ond 'dyw e ddim i wbod.'

'Ddaru mi ddim crybwyll dy enw di heno, 'ngwas i.'

'*Honour bright*?'

'*Honour bright*.'

'Hm. Rhaid i fi brynu mints, 'ta.'

Edmygai William Jones wroldeb Crad, y dyn claf a guddiai anobaith mewn atgofion llon. Treuliai oriau gydag ef i sôn am chwarae biliards, am bysgota yn Afon Gam a rhoi'r cipar tros ei ben yn y Pwll Dwfn, am rai o gymeriadau digrif y chwarel, am y gwaith a gâi Meri i dynnu ei chariad, ac wedyn ei gŵr, i'r capel. Ond edmygai'r chwarelwr ddewrder tawel ei chwaer yn fwy byth, a gwyddai fod rhyw angel, ag ysgrifell o aur yn ei law, yn croniclo'i hanes.

Mynd ymlaen â'i gwaith yn ddiwyd a llawen a wnâi Meri, wrth gwrs, heb wybod dim am y syniadau barddonol hyn ym meddwl ei brawd. Ac yr oedd digon i'w wneud; yn wir, gofynnai porthi ystumog ddiwaelod Wili John am ddyfeisio a chynllunio dibaid, ac ni ddyfalai bachgen ar fin ei un ar bymtheg o ba le y deuai'r bwyd. Chwarae teg i Eleri, cynorthwyai hi ei mam yn selog bob gyda'r nos. Yr oedd hi erbyn hyn yn athrawes yn Ysgol y Babanod ac wrth ei bodd yno, ond pan gyrhaeddai adref a chael ei the, trawai farclod amdani i helpu ei mam. Dadleuai Richard Emlyn, wrth gwrs, mai lle William Jones oedd gwisgo'r barclod—i ryddhau Eleri ar gyfer diddordebau pwysicach.

Treuliasai'r chwarelwr dros flwyddyn ym Mryn Glo, a dysgasai lawer am fywyd y cwm a fu unwaith mor brysur a llon. Diar, mor ddifeddwl oedd ef yn Llan-y-graig wrth ddarllen ambell lythyr oddi wrth Meri. Soniai hi fod Nymbar Wan wedi cau a'r pentref bron i gyd yn ddiwaith, ond ni sylweddolodd ef lawn ystyr ei newydd. 'O, maen nhw'n cael y *dole*,' meddai Bob Gruffydd, ac aent wedyn i sôn am y plyg a dorrent neu am y das wair a aethai ar dân yn yr Hendre. A phan glywsai fod Arfon yn Slough a Wili John yn negesydd i gigydd Bryn Glo—wel, gellid cydymdeimlo â bechgyn â rhyw ysfa am adael yr ysgol ynddynt; felly'n hollol y teimlai William Jones yn Standard V. Codasai Mr Lloyd yn y capel un nos Sul i ddarllen rhyw gylchlythyr yn gofyn am gynhorthwy i Gymoedd y Dirwasgiad, a darllenodd ei lais cwynfanllyd ef yn hollol fel petai'n apêl oddi wrth bwyllgor y te-parti.

Tair ceiniog a roes William Jones yn y casgliad hwnnw, gan deimlo bod pobol bowld y Sowth 'na wedi clochdar digon yn y tywydd teg a 'rŵan, pan oedd tipyn o gwmwl . . . Clywsai rywun yn y caban-bwyta'n dweud bod miloedd ohonynt yn llifo i Gaerdydd a hyd yn oed i Dwickenham i weld Cymru'n chwarae rygbi. Os oedd ganddyn nhw arian i betha felly . . . Ni wyddai William Jones fod belt y Shoni a grochlefai ar y cae rygbi yn un go dynn amdano, a bod mwy o londer yn ei lais nag o obaith yn ei galon. Ni wyddai chwaith fod rhai ohonynt yn cerdded bob cam i Dwickenham, siwrnai o ddau can milltir. Yn awr, wedi rhyw bymtheng mis ymhlith y segurwyr anorfod, rhyfeddai fod eu hysgwyddau mor sgwâr a'u cyfarchiad mor llawen. Tynnai William Jones ei gap—ei fowler, yn hytrach—i Shoni.

Ac i Meri'n fwy na neb. A'i phlant yn ennill rhyw gymaint, a'i brawd yn cyfrannu'n weddol hael at dreuliau'r tŷ, nid oedd hi'n gorfod cynilo a chynllunio fel y gwnâi cannoedd o wragedd o'i chwmpas, ond casglai ei brawd i fywyd fod yn fain iawn ar y teulu am gyfnod hir. Rhyw dri neu bedwar diwrnod yr wythnos a weithiai Crad am ddwy flynedd cyn i Nymbar Wan gau, a cherddai'n ffyddiog i'r pwll lawer bore i ddim ond i weld y lampman yn ysgwyd ei ben. 'Dim gwaith 'eddi'—ac i ffwrdd ag ef adref yn araf a phrudd, ond cyn gynted ag y deuai i Nelson Street, plastrai wên ar ei wyneb a cheisiai feddwl am bethau digrif i'w dweud wrth Meri a'r plant. Yn arbennig wrth Arfon, y bachgen â'r llygaid treiddgar, dwys, a gariai ei lyfrau i'r Ysgol Ganolraddol yn bur ddiysbryd weithiau. Ac â rhyw ddoethineb tawel yn ei gwedd, daliodd Meri, fel miloedd o wragedd eraill drwy'r cwm, i lanhau ei thŷ a dyfeisio prydau bwyd maethlon ond rhad a thrwsio neu ail-wneud llawer dilledyn. Galwai Shinc yn aml ar y dechrau i ddadlau tros wrthryfel, a neidiai ei eiriau fel gwreichion oddi ar eingion; âi Meri ymlaen â'i gwaith. Weithiau, wrth gwrs, troai dewrder Crad yn surni a'r gŵr di-hid yn fingam, a dychrynai hi ar adegau felly. 'Dyn a â allan i'w waith ac i'w orchwyl hyd yr hwyr,' meddai rhwng ei ddannedd un bore wrth gychwyn allan i wario awr yn Neuadd y Gweithwyr. Yr oedd rhyw olau dieithr yn ei lygaid ac ynni chwyrn yn ei gam, a dilynodd Meri ef o hirbell rhag ofn y bwriadai gyflawni rhyw drosedd ffôl. Ymlaen ag ef drwy'r pentref a heibio i'r orsaf ac ar hyd y ffordd tuag Ynys-y-gog, gan gerdded yn gyflym a phenderfynol. I b'le yr âi? Gwelodd ei gamau'n arafu cyn hir, ac yna safodd i bwyso'n erbyn y clawdd ac i syllu'n hir i lawr i'r afon oddi tano. Brysiodd hi tuag ato, ac edrychodd yntau'n euog arni.

'I b'le'r wyt ti'n mynd, Crad bach?' gofynnodd.

'I ddeud y gwir, wn i ddim ar y ddaear, dim ond bod yn rhaid imi fynd i rwla.'

'Ond i b'le?'

'Wn i ddim ar y ddaear, hogan, ond pan es i o'r tŷ, yr oeddwn i am gerddad a cherddad a cherddad. 'Doedd o ddim coblyn o ots i b'le. On'd ydw i'n un gwirion, 'rhen gariad!' A dug pwl o chwerthin y Crad a adwaenai yn ôl iddi.

Sut y gwnâi Meri ei holl waith, ni wyddai William Jones. Yr oedd hi wrthi o fore tan nos, ac nid ufuddhâi byth i gyngor ei brawd i 'ista i lawr am funud'. Codai ychydig wedi saith, ac ar ôl cynnau tân a thacluso tipyn ar y gegin, âi â chwpanaid o de i Grad, ac yna paratoai frecwast i Wili John ac Eleri a'u hewythr. Deuai William

Jones i lawr tuag wyth, Wili John ddeng munud wedi hynny—fwy neu lai—ac Eleri tuag ugain munud wedi, ac ar ôl iddynt oll fwyta, eisteddai Meri wrth ei brecwast ei hun. Yna cludai damaid i'r llofft i'r dyn claf, a deuai i lawr wedyn i glirio'r bwrdd a golchi'r llestri, gan fod yn ddiolchgar i'w brawd am ei gymorth i'w sychu. Yn syth i fyny'r grisiau wedyn â'r dŵr-shefio i'w gŵr, a thra byddai ef yn eillio'i wyneb, gwnâi hithau'r gwelyau. Yna rhedai i lawr i nôl dŵr iddo ymolchi, a threuliai ryw hanner awr wedyn i dacluso'i lofft ef ac, os byddai angen, i newid dillad y gwely. Erbyn hynny, byddai tua hanner awr wedi deg, a gallai Meri feddwl am 'ddechrau'i gwaith'—golchi neu smwddio neu lanhau neu grasu—ac ar yr un pryd baratoi tamaid o ginio i'w theulu. Ganwaith y dywedodd na wyddai hi ar y ddaear beth a wnâi 'heb William', gan ei fod ef erbyn hyn yn un campus am fynd i neges a gofalu am y tân a rhedeg i fyny'r grisiau i weld a oedd eisiau rhywbeth ar Grad. Nid 'lojar' oedd ef mwyach, ond aelod defnyddiol iawn o'r teulu, a theimlai yntau fod angen ei wasanaeth yn y tŷ yn Nelson Street. Yr oedd yn wir iddo droi ei law at waith tŷ yn Llan-y-graig, ond *gorfod* gwneud yr oedd yno oherwydd diogi Leusa; yma cydweithio â'r teulu a wnâi, a melys oedd gwybod y gwerthfawrogid ei ymdrechion.

Deuai Eleri adref o'r ysgol ychydig wedi deuddeg, a rhaid oedd cael y cinio'n barod iddi. Tuag un o'r gloch y cyrhaeddai Wili John, mor newynog â nafi, ac wedi iddo ef droi'n ôl i'r siop erbyn dau, câi Meri gyfle i ailddechrau ar ei gwaith. Âi William Jones i fyny i'r alotment neu i lawr i Glwb y Di-waith, a phan ddychwelai tua phedwar, byddai ei chwaer yn ddieithriad yn ei 'dillad diwetydd' a ffedog lân o'i blaen. Câi Meri orffwys amser te, oherwydd mynnai Eleri a William Jones glirio'r bwrdd, a chyda'r nos câi 'hamdden' i drwsio a gweu a gwnïo ac i ysgrifennu ambell lythyr i Arfon.

Rhoddid i Meri, fel Wili John, un 'half-day' bob wythnos. Âi i Glwb y Merched—'Clwb Clebran', yn ôl Wili John—bob prynhawn Mercher, ac yno, un wythnos, câi hyfforddiant mewn gwnïo a gweu ac ail-wneud hen ddillad, a'r wythnos wedyn mewn coginio. Os mentrai sôn ambell brynhawn Mercher fod ganddi ormod o waith i fynd yno, brysiai dau blisman i'w hochr i'w hebrwng i waelod y grisiau, gan ei siarsio i newid ar unwaith heb ychwaneg o lol. Canai'r ieuangaf o'r ddau gân am ryw 'old-fashioned mother', a dywedai Meri bob tro eu bod 'yn sâl isio cael gwared' ohoni. Ond mewn gwirionedd, er iddi fod yn swil yno ar y dechrau, yr oedd wrth ei bodd yn y Clwb. Dysgai lawer yno, a thyfodd cyfeillach gwragedd y di-waith yn un gynnes a chref. Ceiniog yr wythnos a dalai am y fraint, ond deuai adref yn gyfoethog mewn profiad. Ei chartref a'i theulu, y capel, a'r Clwb—y rhain oedd ffiniau ei bywyd, ac ni hiraethai am ddim arall.

Ar ryw brynhawngwaith llwm o law hirfilain, niwlog, a'i fam newydd gychwyn i'r Clwb, y penderfynodd Wili John roi ei gynllun ar waith. Wedi mynd â Mot i'r llofft yn gwmni i'w dad, brysiodd i lawr y grisiau.

'Wncwl William?'

'Ia, 'ngwas i?'

'Ma' sgîm 'da fi.'

'O?'

'Ôs. Beth 'ta' chi a fi yn gneud cwpwl o sosej-rôls i de fel syrpreis bach i Mam?'

'Be' ydi'r rheini, dywad?'

'Wel, sosej, ontefa, wedi'i gneud miwn i dishennod bach.'

'Duwcs, chlywis i ddim am neb yn bwyta siwgwr hefo sosej 'rioed o'r blaen.'

''Sdim isha siwgwr, w.'

'Wel, oes mewn teisan, hogyn.'

'Nac ôs, ddim mewn sosej-rôls. 'Shgwlwch yma, cerwch chi i moyn glo i dwymo'r ffwrn a fe gymysga' i'r tôs.'

Cludwyd i'r bwrdd flawd a lard a llond jwg o ddŵr a'r pwys o sosejys a ymguddiai ym mhoced côt fawr Wili John, ac yna aeth y pobydd ati gydag awgrymiadau gwerthfawr gan ei was bach, William Jones. Gan na ddisgyblwyd y cog erioed yn ei grefft, nid oedd yn hollol sicr o'r mesurau cywir, ond rhoes ei ffydd mewn dychymyg—a chynghorion ei gynorthwywr. I ddechrau tywalltodd y blawd i gyd i mewn i'r badell, ac yna dechreuodd ei gymysgu â'r lard fel y gwelsai ei fam wrthi. Y drwg oedd bod y badell yn un go fechan a llawer o'r blawd yn dianc trosti ar y bwrdd. Wedi iddo godi hwnnw'n ôl i'r badell hefo llwy—gan ollwng cyfran go helaeth hyd y llawr—gwnaeth dwll yn bur ddeheuig yn y canol a thywalltodd y chwart o ddŵr iddo. Wedi pum munud o gymysgu diwyd, nid oedd arwydd bod toes yn ymffurfio dan ei ddwylo, dim ond rhyw uwd tenau, dyfriog. Gofynnodd ei ewythr ai am bapuro'r parlwr yr oedd.

'Isha mwy o flawd sy,' oedd yr ateb. 'Cewch i whilo i'r pantri.'

Ond ofer fu'r ymchwil.

''Shgwlwch, rhedwch drws nesa' i moyn peth.'

'Na, dos di, Wili John.'

'Shwd y galla' i, w?' gan ymestyn ei ddwylo a oedd yn flawd i gyd.

'O, oreit, 'ta.'

Dychwelodd William Jones ymhen ennyd gyda'r blawd a chyda'r cwestiwn:

'Roist ti becin-powdar yn hwn'na, dywad?'

'Na, pam?'

'Mrs Morgan oedd yn holi.'

'O.K. . . . Mi rown ni beth 'nawr.'

Ac wedi iddo ddarganfod pacedaid dwy geiniog yn y pantri, tywalltodd y cwbl i mewn i'r badell. Cododd yr uwd mewn gwrthryfel, a rhuthrodd William Jones i nôl padell fwy. Pum munud arall o gymysgu â'r blawd, ac wele, yr uwd a drowyd yn bwti.

''Na ni'n barod 'nawr,' meddai'r cog, gan drosglwyddo'r gymysgfa o'r badell i'r bwrdd.

'Dyma'r bin-rowlio iti.'

Ond anhywaith oedd y toes, gan lynu wrth y bwrdd a glynu wrth y bin-rowlio a glynu'n ffyddlonach fyth wrth fysedd Wili John.

''Sdim ots,' meddai yntau. 'Fe gawn ni gyllath i'w dorri fa'n chwe lwmp a fe wasgwn ni sosej miwn i bob lwmp.'

Hynny a wnaed, ac fel y clai yn nwylo'r crochenydd, felly'r toes dan fodiau'r crefftwr hwn.

'Oes dim isio tynnu croen y sosej, dywad?' oedd cwestiwn craff ei gynorthwywr.

'Pam na 'sach chi'n gofyn 'ynny o'r blân, w? Ma' hi'n tw lêt 'nawr.'

Tra oedd y chwe champwaith yn y popty, aeth William Jones a Wili John ati i lanhau'r gegin, ac wedyn aeth William Jones ati i lanhau Wili John. Cymerodd hyn oll ryw hanner awr, ac erbyn hynny yr oedd y danteithion yn barod, meddai'r cog. Yn barod i beth? a ddeuai i feddwl y gwas bach.

Gosodwyd y bwrdd i de, ond nid oedd plât digon mawr i letya'r chwe dirgelwch. Daeth Wili John o hyd i blât-cig enfawr ar silff uchaf y pantri.

'Diar annwl, i be' mae isio chwe torth ar y bwrdd?' gofynnodd Meri pan ddaeth hi i mewn.

'Sosej-rôls, w,' eglurodd ei mab.

'Y?'

'Ia, sosej-rôls,' ategodd ei gynorthwywr.

'Fi a Wncwl William 'di'u gwneud nhw. A roeson ni lot o becin-powdar ynyn nhw.'

'Mi faswn i'n meddwl, wir! A lle cest ti'r blawd?'

'Yn y bag melyn yn y pantri.'

'Y nefi blŵ!'

'Beth?'

'*Self-raising* oedd hwnnw!'

Cyrhaeddodd Eleri o'r ysgol ac eisteddodd y teulu i lawr i fwynhau eu te. Yr oedd y bara-ymenyn a'r deisen-afalau, a wnaethai Meri yn y bore, yn dda iawn, ond ni ruthrai neb i brofi'r danteithion ar y plât yng nghanol y bwrdd. Diflannai cynnwys y platiau eraill o'i gwmpas yn gyflym o un i un, a cheisiai William Jones feddwl am rywbeth gwreiddiol i'w ddweud am y tywydd pan âi llaw un ohonynt heibio i'r plât mawr at un arall. Ymwrolodd Wili John o'r diwedd, ac aeth y lleill ymlaen â'u te heb gymryd un sylw o'i ymdrechion i gnoi lledr. Ar ddamwain yn hollol y digwyddodd ei ewythr grybwyll bod y Mr Green 'na, y soniai Bob Gruffydd amdano, yn dioddef yn o arw hefo'i stumog. Cofiodd Wili John iddo addo cyfarfod Gomer Rees am bump, a chododd yn frysiog oddi wrth y bwrdd.

‘’Dŷn nhw ddim yn dda iawn, Wncwl,’ meddai. ‘Mi ro’ i hon i Mot.’

‘Wyt ti isio lladd y ci, dywad?’ gofynnodd ei fam. ‘Mi gei fynd â’r cwbwl i lawr i Sam Pierce, y plisman. Mae gynno fo ddau fochyn.’

Sylw Crad pan glywodd y stori oedd y dylai Meri ei hun fynd â’r pethau i lawr i Sam Pierce a gofyn iddo, os trengai un o’r moch, gloi un o’r ddau droseddwr yn y rhinws. ‘Dim gwahaniaeth pa un,’ chwanegodd, ac yna, ‘Y nefoedd fawr, on’d ydan ni’n dŷ o bobol ryfadd!’

Cysgasai Crad y prynhawn hwnnw, heb glywed dim o sŵn y prysurdeb ar y llawr. Ond fel rheol, yr oedd ganddo syniad go dda beth a âi ymlaen yn y tŷ. Yr oedd ei wely ef yn y llofft ffrynt, ond trwy fynnu i’r drws gael ei adael yn agored, clywai’r symudiadau islaw yn weddol glir. Meri’n taro llestri ar y bwrdd, William yn rhoi glo ar y tân, Wili John yn dynwared rhai o’i gwsmeriaid, Eleri’n hymian un o’r caneuon a ddysgai i’r plant—yr oedd mwynhad a chysur ym mhob sŵn. A chlywai bopeth a ddigwyddai yng nghyffiniau’r drws ffrynt—Dai Llaeth yn rhoi bai ar y tywydd, haul neu beidio; Wili John yn rhuthro i’w waith, gan geisio ysgwyd y stryd i gyd wrth roi clep ar y drws; camau llon Eleri pan gychwynnai i’r ysgol; a’r ‘Rhwbath arall, Meri?’ a daflai William Jones o’r drws wrth fynd i siopa. Esgynnai’r newyddion diweddaraf hefyd o’r stryd i’r llofft, a phan frysiai Meri i fyny i’w hailadrodd, clywai hwynt o enau’r claf.

‘’Roedd Sali Ifans—Sali Dew—yn mynd heibio ’rŵan ac yn deud . . .’

‘. . . fod Jack Bowen yn jêl a merch Seimon Jenkins yn wael iawn a gwraig Ben y Condyctor wedi cal twins ac un o foch Sam Pierce wedi marw ar ôl bwyta sosej-rôls a . . .'

'Ddaru hi ddim sôn am sosej-rôls.'

Tyfai Crad hefyd, ar ei gefn yn y gwely, yn dipyn o fardd. Pe dywedai rhywun beth felly wrtho ef, awgrymai y dylai'r cyfaill hwnnw ddal ei ben o dan y feis am hanner awr, ond er hynny, edrychai llygaid Crad mewn syndod plentyn ar y byd o'i amgylch. Tynerwch melfedaidd y gwyll bob bore a hwyr, golau'r wawr dan lenni'r ffenestr, yr adar to ffwdanus ar frig y tŷ cyferbyn, y patrymau a weai heulwen a chysgod ar fur a tho, gwyrth y lliwiau ar y blodau a roddai Eleri ar fwrdd wrth ei wely, gloywder y croen ar ddwylo Meri, yn enwedig ar ddydd Llun, y diwrnod golchi—gwelai Crad y pethau hyn am y tro cyntaf yn ei fywyd. Hongiai ei oriawr wrth ei chadwyn ar bost y gwely, ond prin yr edrychai arni. Dywedai sŵn troed ar y palmant islaw a lle'r heulwen ar fur ei ystafell faint oedd hi o'r gloch, a pha wahaniaeth os oedd ei ddyfaliad bum munud o'i le? Ac yng ngwyll pob hwyr, mor hen, mor elfennol ac anorchfygol o hen, oedd siâp rhywbeth—simdde tŷ Ned Andrews, er enghraifft—yn erbyn y nef.

'Rhyfadd fel y mae rhywun yn dysgu sylwi ar betha,' meddai wrth Mr Rogers un diwrnod, 'yn sbio a gwrando fel pe am y tro cynta' 'rioed. Wyddwn i ddim fod heulwen yn beth mor . . . mor . . .'

'Mor hardd?'

'Naci. Mor . . . ddi-lol, mor dawal, mor . . . mor ddifalch. Dim ffys o'i gwmpas o.'

'Felly y ma' popeth gwir hardd, Crad.'

'Sŵn y glaw 'na wedyn. Mi fedra' i wrando arno fo am oria a chlywad rhyw fiwsig esmwyth, tynar, ynddo fo. Pan o'n i'n 'sgota yn Afon Gam erstalwm, mi fyddwn i'n arfar ista ar foncyff ryw ugain llath uwchben Pwll Dwfn dim ond i wrando ar lithriad y dŵr. 'Doeddwn i'n dal dim yn fan'no, a mi fydda'r hogia'n chwerthin am fy mhen i, ond wir, 'sgodyn ne' beidio, fedrwn i ddim mynd heibio i'r darn hwnnw o'r afon. Yno yr oedd Afon Gam yn fwya' huodl, wchi. A phan fydda' i'n gwrando 'rŵan ar sŵn glaw, mi fydda' i'n troi'r weiarles 'na i ffwrdd ac yn teimlo'n reit ddig wrth Dai Llaeth a'i gart, ne' fan Jôs Becar, ne' lais Jane Harris Tŷ Pella'. Sylwis i 'rioed arno fo o'r blaen, wchi. Rhyfadd, yntê?'

Gwenodd Mr Rogers, ac yna, gan godi'i ben i wrando ar fiwsig y glaw, meddai'n dawel,

> 'Dydd i ddydd a draetha ymadrodd,
> A nos i nos a ddengys wybodaeth.'

Meddyliai Crad gryn dipyn hefyd am grefydd, er mai pur aneglur oedd ei syniadau ar y pwnc. Ceisiai gofio rhai o ddywediadau Mr Rogers, gyda'u pwyslais ar 'wasanaeth' a 'charedigrwydd' a 'chymwynasgarwch'; cofiai'n gliriach wasanaeth a charedigrwydd a chymwynasau Mr Rogers ei hun i deuluoedd yr ardal. A phan ddychmygai Crad Iesu Grist yn rhodio drwy wlad Canaan gan wneuthur daioni, wyneb a llais Mr Rogers a roddai ef iddo. Câi gysur a mwynhad yn y darlun, ond ni fentrai ei feddwl lawer ymhellach i dir crefydd.

Paid â'i feirniadu'n llym, ddarllenydd hynaws. Pan ddaeth i lawr o'r Gogledd i Fryn Glo, gŵr digrefydd ydoedd, er y llwyddai Meri i'w lusgo i'r capel weithiau. Nid oedd gweinidog yn Salem y pryd hwnnw, gan mai ymhen rhyw hanner blwyddyn wedyn y rhoddwyd galwad i Mr Rogers, a phob tro yr arweinid Crad i'r capel, rhyw frawd yn swnian yn ddefosiynol fel Mr Lloyd a oedd yn y pulpud. Nogiodd mab Twm Sowldiwr yn llwyr cyn hir, ac wedi'r cwbl, pa reswm a oedd mewn gofyn i wraig tros y ffordd ofalu am y plant ar nos Sul ac yntau'n dyheu am eu gwarchod? Os oedd Meri'n meddwl ei fod ef yn mynd i eistedd fel hogyn bach yn gwrando ar ryw hen wlanen o ddyn yn malu am Abraham a'i had, yr oedd hi'n gwneud coblyn o gamgymeriad.

Y gwir oedd na thynnodd Mr Lloyd na'r brodyr yn Siloh ddarluniau a ddenai ddychymyg bachgen Wil Sowldiwr. Eisteddai Duw, yn llymach o lawer na Huws y Sgŵl, ar orsedd enfawr o aur yn ei wylio ef o fore tan nos ac yn nodio'n awgrymog ar gofnodydd o angel bob tro y gwrthodai fynd i'r Cyfarfod Gweddi neu y dihangai o'r Seiat neu y rhoddai gweir i Ifan, hogyn cegog Isaac Davies. Yr oedd, fe wyddai, ddegau onid cannoedd o farciau duon yn erbyn ei enw ar ddiwedd pob dydd, ond marciau duon neu beidio, nid oedd arno ef eisiau bod yn sant, heb fod byth yn cwffio na dwyn afalau na chwarae *knock-doors* na dim. Âi ar ei ben i dân a brwmstan, wrth gwrs, ond câi Now Jên a Now Bwl a llu o rai tebyg yn gwmni yno.

Pan dyfodd a dechrau gweithio yn y chwarel, ni thywyllai Crad ddrws y capel. Yn yr haf crwydrai hyd lannau Afon Gam ar y Sul gan wrando ar yr adar a chwibanu arnynt, ond yn y gaeaf yr oedd y diwrnod yn angladdol o hir a dyheai am fore Llun. Galwai'r gweinidog a'r brodyr i'w weld weithiau, ond ei yrru ymhellach i dir gwrthgiliad a wnâi ffuantwch yr hen gybydd Isaac Davies a huodledd gwag Wmffra Roberts a'r ffug o grynedig-rwydd llywaeth a wisgai Mr Lloyd. Ac eto yr oedd rhywbeth yn ei natur a'i gwnâi'n anniddig, yn arbennig pan wrandawai ar ambell hen grefyddwr yn sgwrsio yn y caban neu pan ddigwyddai, ar noson dywyll o aeaf, oedi ennyd wrth un o'r capeli a chlywed dyhead rhyw emyn yn nhawelwch yr hwyr. Ond cadwodd mab Wil Sowldiwr y pethau hyn yn ei galon, gan ddewis bod yn gwffiwr ac yn bysgotwr ac yn 'gymeriad'. A phan ddaeth i lawr i'r Sowth, cytunai â Shinc a rhai tebyg mai 'dope' oedd crefydd, a gwrthododd yn lân fynd i wrando ar y gweinidog newydd yn Salem. Gwelai ef ar y stryd a chlywai am ei waith da mewn llawer cylch yn yr ardal, ond dyna fo, yr oedd y dyn yn cael ei dalu am ei waith, onid oedd? A phan anwyd Wili John, cafodd Crad esgus eto i fagu'r baban bob nos Sul, a throai glust fyddar i bob teyrnged a dalai Meri i Mr Rogers. Felly y bu pethau am flynyddoedd—er na ddaeth baban arall i'w siglo—nes i Wili John, yn hogyn rhwng saith ac wyth oed, ddwyn ei dad at grefydd. Na, nid edliw iddo gyfeiliorni ei ffyrdd a wnaeth Wili John ond ystrancio'n ffyrnig un nos Sul am nad âi ei dad gydag ef i'r capel. Rhoes glusten i'r creadur gwirion, ond ni wnaeth hynny ond gyrru'r gwrthryfelwr yn fwy ystyfnig fyth. Bu'n rhaid i Grad ildio, a cherddodd Wili John yn dalog yn llaw ei dad i'r oedfa. A thrannoeth, pan alwodd Mr Rogers yn y tŷ, ni ddihangodd Crad i'r cefn neu i'r llofft o'r ffordd.

Yn awr yn ei wely, taflai ei ben wrth gofio'r amgylchiad, a gwenai wrth feddwl amdano ef, mab Wil Sowldiwr, yn gapelwr selog. Gwyddai fod sail i gyhuddiadau Shinc a'i gymrodyr; gwelai hefyd mai rhyw sefydliad i'w cadw'n orbarchus a diwyd ar y Sul oedd y capel i'r mwyafrif; a chlywsai am y penderfyniadau dibwys a basiai Sasiwn ac Undeb tra oedd Bryn Glo a lleoedd tebyg yn suddo'n ddyfnach i dlodi ac anobaith. Er hynny, rhaid bod rhywbeth gwirioneddol fawr yn Iesu Grist a'i efengyl i ysbrydoli gŵr fel Mr Rogers i aros yng nghanol cyni'r cwm ac ymroi fel y gwnâi i wneuthur daioni.

Oedd, yr oedd yn rhaid bod rhywbeth nerthol yn cadw Mr Rogers yn nhlodi Bryn Glo.

'William!' meddai un hwyrddydd.

'Ia, Crad?'

'Oes 'na Feibil yma, dywad?'

'Diar annwl, oes, dau neu dri. Pam?'

'Meddwl y liciwn i ddarllan tipyn arno fo, fachgan, os medri di ddŵad ag un i fyny ar y slei.'

'Ar y slei?'

'Ia, rhag ofn iddyn nhw wneud hwyl am fy mhen i.'

'Pwy?'

'Pawb—Shinc a Ned Andrews a Thwm Edwards a . . . a . . . Wili John.'

'Mi gei di f'un i. Mi a' i i'w nôl o 'rŵan.'

Ac wedi iddo'i gael, cuddiodd Crad ef o dan ei obennydd. Ond darllenai lawer arno'n ddistaw bach, gan ddechrau deall paham y treuliai'r Hen Gron, y clocsiwr yn Llan-y-graig, gymaint o'i amser uwch ei ddalennau. Yna, un noson, daeth Wili John i mewn i'r llofft yn o sydyn a darganfod ei dad yn darllen ei Feibl. Gwenodd.

'Odych chi'n moyn *thriller*, Dada? Ma' un grêt 'da fi.'

'Mae gin i un, 'ngwas i,' meddai Crad yn dawel.

Ni ddeallai Wili John—ar y pryd.

17 *PEN Y BWRDD*

Âi'r dyddiau heibio'n weddol gyflym i Grad. Yr oedd ganddo ddwy forwyn a dau was, a galwai rhywun i'w weld bron bob dydd. Safai'r set-radio hefyd ar y bwrdd wrth ei wely a châi fwynhad yn gwrando arno, yn arbennig ar raglenni Cymraeg. Casglai'r teulu oll yn ddefosiynol yn y llofft bob tro y disgwylid llais William Jones o'r teclyn, a phechodd Wili John yn anfaddeuol un nos Fercher wrth farnu bod Gary Cooper mewn ffilm yn fwy diddorol na'i Wncwl William ar y radio.

Synnai Meri fod Crad mor siriol. Pan orchmynasai'r meddyg iddo fynd i orwedd, dychmygai hi y byddai ei gŵr ar bigau'r drain yn ei wely ac yn bygwth codi bob bore, gan awgrymu i'r Doctor Stewart 'na fynd i weld ei nain. Gallai feddwl am William ei brawd yn dioddef yn addfwyn ac amyneddgar, gan yfed ei ffisig yn wrol heb dynnu ystumiau a chan ddiolch yn ddwys am bob cymwynas. Ond nid Crad. Gwrthryfelwr byrbwyll fuasai ef erioed, a chofiai'r adeg pan fflamiai dim ond iddi geisio'i gymell i wisgo'i grafat ar fore oer. Ond er syndod i bawb, yr oedd Crad, fel y proffwydi gynt, yn 'siampl o ddioddef blinder ac o hir-ymaros'. Collai ei dymer weithiau, wrth gwrs, ac nid unwaith na dwywaith y galwodd Wili John yn 'debot gwirion', gan fethu â dyfalu sut yr oedd hi'n bosibl i un o'r hil ddynol fod mor ddwl, ond yr oedd Meri'n falch pan glywai ffrwydriadau Cradyddol felly. A Wili John, o ran hynny. 'Dada'n well 'eddi,' fyddai ei sylw ef ar ôl un o'r ebychiadau hyn.

Yr oedd Shinc hefyd yn wael. Gwyrai un diwrnod wrth fôn y clawdd yn ei alotment, a syrthiodd carreg fawr ar ei wegil. Cludwyd ef i'r ysbyty ar unwaith, ond erbyn hyn dychwelasai adref—i fyw am bythefnos mewn ystafell dywyll, gan i effeithiau'r ddamwain fygwth ei olwg. Âi William Jones i edrych amdano'n fynych a'i gael yn sur a sarrug yn nhywyllwch y parlwr aflêr. Digwyddodd yr anffawd rai dyddiau cyn y bwriadai Richard Emlyn gychwyn ar ei yrfa yn y *Royal College of Music,* ond llwyddodd y bachgen i ohirio dechrau ar ei gwrs tan fis Ionawr. Ac yn awr, yn y parlwr tywyll, heb fedru darllen na dim, prif gysur Shinc oedd gwrando ar y fiol a ganai ei fab iddo. Ond efallai mai bendith oedd y ddamwain, gan i Shinc fwriadu ymuno â'r *International Brigade* i ymladd yn Sbaen.

William Jones oedd un o'r rhai cyntaf i glywed am yr ysgoloriaeth a enillasai Richard Emlyn. Un prynhawn, ac yntau'n digwydd dod allan o'r Post pan lifai'r plant lleiaf heibio o'r ysgol, penderfynodd fynd i gyfarfod Eleri. Cyrhaeddodd waelod y grisiau o'r ysgol yr un pryd â hi, a'r munud nesaf rhuthrodd Richard Emlyn atynt â'i wynt yn ei ddwrn a rhyw olwg wyllt yn ei lygaid.

'Darllenwch a, Eleri!' meddai, gan estyn rhyw lythyr iddi. 'Darllenwch a!'

Un golwg brysiog ar gynnwys y llythyr, ac yna taflodd Eleri ei braich am wddf y llanc a'i gusanu. Cofiodd fod ei hewythr gerllaw, ac mewn ymgais i wneud iawn am ei throsedd, rhoes gusan iddo yntau.

'Sgolarship i'r *Royal College of Music,* Wncwl!'

'Duwcs annwl, go dda!' meddai'r dyn bach, gan roi ei het galed yn syth eto ar ei ben. 'Ia, wir, da drybeilig! Rhaid inni ddathlu'r amgylchiad. Rhaid, wir. Mi awn ni'n tri i'r pictiwrs 'na heno. Hwda, Richard Emlyn, dyma iti hannar coron i godi ticedi i ti ac Eleri, rhag ofn y bydda' i dipyn ar ôl. Yr ydw i wedi addo . . . wedi addo . . .' Ond ni fedrai gofio pa un o'i addunedau fil a oedd i'w chyflawni'r noson honno. 'Daria unwaith!' ychwanegodd. 'Mi fu bron imi ag anghofio 'mod i isio rhedag i'r Post 'na. Mi ddalia' i chi i fyny ar y ffordd adra. Fydda' i ddim chwinciad.'

Ond yng nghwmni ei gilydd yr aeth y ddau tuag adref, gan ddyfalu a oedd y Post o hyd yn yr un fan. Yna, ar ôl te, cafodd Eleri afael ar ei hewythr ar ei ben ei hun, a thyngodd ef lw na soniai air amdani hi a Richard Emlyn 'wrth Dada'.

Galwai'r llanc i edrych am Grad yn weddol aml, bob tro tua hanner awr wedi pump, gan aros tan chwech. Cyd-ddigwyddiad hollol oedd bod Eleri, wrth fynd allan, yn rhoi clep ar y drws ffrynt ryw funud i chwech.

'Diawch, mae hogyn Shinc yn meddwl fy mod i'n un dwl, William!' oedd sylw'r claf ryw funud *wedi* chwech ar un o'r nosweithiau hynny.

'O? Pam dywad?'

'Mae o'n cymryd arno mai dŵad yma i 'ngweld i y mae o, ond cyn gynted ag y clyw o sŵn y drws ffrynt 'na'n cau, i ffwrdd â fo. Mi ddechreuis i ddeud stori reit ddiddorol wrtho fo heno—hanas y tro hwnnw y bu'i dad o a finna o dan y cwymp—ond wyt ti'n meddwl 'i fod o'n gwrando arna' i? "No denjar," chwedl Twm Bocsar erstalwm.'

'Mae arna' i ofn dy fod ti'n dychmygu petha, Crad. Mae practis y côr heno, y practis cynta' ar gyfar *Saint Paul,* ac mae Eleri a Richard Emlyn yn mynd yno. Rhaid i minna 'i throi hi hefyd, fachgan.'

'Oedd 'na bractis echnos?'

'Nac oedd, ond i weld hogan Mrs Leyshon ynglŷn â rhwbath yr aeth Eleri echnos, medda hi.'

'Yr ydw i wedi ffeindio, William Jones,' meddai Crad,

gan ddynwared llais crynedig Mr Lloyd Llan-y-graig, 'nad ydach chi, y mae'n ddrwg gin i ddeud, mor ddiniwad ag yr ydach chi'n edrach. Ond y mae 'na un peth, William Jones, yr hoffwn i 'i argraffu ar eich meddwl chi.'

'Be' ydi hwnnw, Crad?'

'Y medrai'r bôi yma ddysgu tric ne' ddau i Richard Emlyn, 'ngwas i. Oni chofiwch chi, William Jones, mor hoff oeddwn i ohonoch chi pan oeddwn i'n rhedag ar ôl eich chwaer, ac mor hoff hefyd o droi'r mangyl i'ch mam druan? Ond efallai i chwi gredu mai syrthio mewn cariad hefo'r mangyl a wnes i. . . . Dos, William, os wyt ti am fod mewn pryd yn y practis.'

Rhyddhawyd Shinc o'i gell ar ddydd Sul, a galwodd i edrych am Grad trannoeth. Edrychai'n hen a llwyd, ac aethai ei wallt bron yn wyn. Gwisgai sbectol dywyll, ac ymddangosai'n ddwys a thawel iawn.

'Ydi stori William 'ma'n wir, Shinc?' gofynnodd Crad ymhen tipyn.

'Pwy stori?'

'Dy fod ti a'r plant yn y capal neithiwr?'

'Odi.'

'Diawch, yr ydw i'n siŵr fod Sarah Bowen bron â chael ffit!'

'Ôdd.'

'Shincin Rees y Comiwnist yn y capal!'

'Ia.'

Dywedai'r unsillafau tawel nad oedd yn y pwnc ddeunydd cellwair.

'Be' ddigwyddodd Shinc?'

'Pythewnos miwn stafell dywyll, Crad. O'n i jest mynd off 'y mhen yr wthnos gynta', bachan, ac ar y dydd Iou allswn i mo'i stico hi rhagor. "I Ddiawl â'r Doctor!" myntwn i a mynd mas i moyn fy nghap. 'Ma Richard Emlyn yn fy hala i'n ôl i'r parlwr ac yn gwneud i fi addo aros yno am dicyn. O'n i'n credu taw rhedag i moyn y Doctor ôdd a, ond yn lle 'ynny, fe ath a i dŷ Rogers, y gwnidog. 'Na fachan, bois!'

'Ia, 'na fachan!' meddai William Jones yn ddwys.

'O'n i 'riôd 'di siarad â fa o'r blân, a phan oedd a'n galw'n y tŷ i weld Richard Emlyn, o'n i'n 'i gwân hi mas drw'r bac. O'n i ddim yn moyn *dope,* 'chi'n gweld. Wel, pan ddath a miwn i'r parlwr, o'n i'n barod iddo fa. Ond yffarn dân, ma'r bachan yn Gomiwnist, w!'

'Comiwnist!'

'Mr Rogers!'

'Odi, ond 'i fod a'n moyn rhoi Cristnogath yng nghanol y sistem. Y sistem yn un nêt, medda fa, yn reit-i-wala, ond bod isha cariad brawdol drwyddi hi. Ma' fa 'di rhoi bencid llyfyr rhw John MacMurray i fi i brofi 'ny, a phan fydda' i'n cal iwso'r llygid 'ma eto, wy'n mynd i'w ddarllen a. 'Na ddadla' fydd yn y tŷ 'co wedi'ny! Ond fechgyn, ma' fa'n gweud petha pert, w! "Beth ŷch chi'n gredu sy'n wir bwysig miwn cymdeithas, Shencin?" medda fa wrtho'i. "Yr un siawns i bawb," medda fi. Ac, wrth gwrs, ôdd rhaid i fi gal gwneud *speech,* y *speech* 'no o'n i'n roi hyd y cwm 'ma. Ac wedi i fi gwpla, 'ma fi'n gofyn iddo fa beth ôdd *e'n* gyfri'n bwysig.'

'Be ddeudodd o, Shinc?' gofynnodd Crad.

'Dim ond un gair, yn dawel fach. "Caredigrwydd," mynta fa. A damo, ar ôl iddo fa fynd, o'n i'n dechra credu bod y bachan yn reit. Oddi ar wy' i'n dost, wy' i 'di cal lot o garedigrwydd, 'n enwedig 'da phobol y capel. Oni bai 'mod i'n 'nabod y bachan, fe faswn i'n credu taw fe ôdd yn hala'r bobol i'r tŷ 'co, i brofi'i fod a'n iawn.'

Câi Crad hefyd garedigrwydd mawr, er bod pethau mor dlawd yn yr ardal. Wyau, ymenyn ffarm, hufen, ffrwythau, blodau—trawai llawer ymwelwr, gan geisio ymddangos yn ddifater, rywbeth ar y bwrdd wrth ochr y gwely; yn wir, un dydd Llun, ar ôl y Cyrddau Diolchgarwch yn y capel, edrychai'r llofft fel siop ffrwythau, a chafodd Wili John gyfle da i fod yn ddoniol—ac i loddesta. Dywedai Meri'r drefn wrth y cymwynaswyr hyn, ac addawent hwythau'n edifeiriol na ddygent ddim yno wedyn. Ond nid oeddynt yn wŷr da eu gair.

Canolfan y tŷ erbyn hyn oedd y llofft, nid y gegin fel cynt, ac yno yng nghwmni Crad a'i ymwelwyr y treuliai William Jones bron bob gyda'r nos. Câi ef a'r claf holl hanes Bryn Glo, ac er gwaethaf y pyllau segur, yr oedd bywyd y lle o hyd yn gryf ac eiddgar. Yr Eisteddfod yng Nghalfaria, y Cyrddau Mawr yn Nebo, y ddrama Gymraeg yn Soar, y noson o gystadlaethau *Go-as-you-please* yn Neuadd y Gweithwyr, y frwydr rygbi ffyrnig yn erbyn Ynys-y-gog (*Admission: 6d. Unemployed: 3d.*), yr ornest ddyrnol rhwng Pedlar Powell Bryn Glo a Jimmy Doe Caerdydd—yr oedd digon o destunau i sôn amdanynt. Ac, wrth gwrs, yr Wythnos Ddrama.

Ac yntau ar y pwyllgor, Twm Edwards a draethai huotlaf am yr Wythnos Ddrama, a haerai ef nad oedd ei fywyd bellach yn werth ei fyw. Talasai cannoedd o bobl chwe cheiniog yr wythnos ers misoedd, a daethai'r awr iddynt ddewis, o'r cynllun a oedd gan yr Ysgrifennydd, eu seddau i'r ŵyl. Cyhuddid y pwyllgor, fel arfer, o gadw'r seddau gorau iddynt hwy eu hunain ac i'w cyfeillion, gan ddisgwyl i bawb arall eistedd 'mewn drafft' neu 'tu ôl i hen bilar' neu 'ar yr ochor' neu 'yn y cefan'. Onid oedd eu harian hwy gystal ag arian y pwyllgor a'u ffrindiau unrhyw ddydd? Ni châi Twm funud o lonydd; damo, lle bynnag yr âi, gwelai rywun a erfyniai am iddo ddefnyddio'i ddylanwad er mwyn Anti druan nad oedd ar unrhyw gyfrif i eistedd mewn drafft neu Dad-cu a'i glyw mor ddrwg neu Meri Jane na welai ymhellach na'i thrwyn. Y tro diwethaf y gwasanaethai ef ar y pwyllgor, meddai Twm, a nodiodd Crad ei gydymdeimlad, er iddo gredu y clywsai dyngu'r un llw dro neu ddau o'r blaen.

'Be' ydi'r dramas y tro yma, Twm?' gofynnodd.

'Dere weld 'nawr. Nos Lun—*Baby Mine*; nos Fawrth — *Candida* Bernard Shaw; nos Fercher—*Hundred Years Old*; nos Iau—*Othello*; nos Wener—*Rose Without a Thorn*; nos Sadwrn—*The Sacred Flame*. 'Na ti brogram, bachan! A fydd y lle'n *packed* bob nos.'

'Piti na fasa 'na un neu ddwy yn Gymraeg, yntê?' meddai William Jones.

'Dim galw, dim galw. A fydda Mr Nibbs, y beirniad, ddim yn 'u deall nhw . . . O, shwd sêt gawsoch chi, William?'

'Y . . . un reit dda, wir.'

'Wyddwn i ddim dy fod ti wedi talu at gael ticad,' meddai Crad wrth ei frawd yng nghyfraith, a edrychai braidd yn euog.

'Do, fachgan, yr ydw i'n talu chwe cheiniog yr wsnos ers tro. Meddwl y liciwn i fynd yno un noson a Meri ryw noson arall ac Eleri y noson wedyn a Wili John . . . '

'Wy' ddim yn 'i foyn a.' Wili John a drawodd i mewn i'r llofft am funud.

'O? Pam?'

'Ma' Gomer a fi 'di cael ein dewis.'

'Dewis i be'?' gofynnodd ei dad.

'I fod yn Stiwards. Ma' rosets mawr gwyn 'da ni, a fe gewn ni weld pob drama am ddim.'

Ac i ffwrdd ag ef a'i ddannedd anwastad fel baneri ar wên ei fuddugoliaeth.

'Diawcs, mae hwn'na yn 'i dallt hi!' oedd sylw'r claf. 'Mae arna' i ofn fod 'na lot o anian 'i dad ynddo fo, William!'

Ond am y gorffennol yr oedd y sgwrs gan amlaf, a gwrandawai William Jones yn astud ar atgofion llawer un. Naturiol oedd i feddyliau glowyr di-waith droi'n ôl i'r amser pan gâi hyd yn oed ŵr ungoes neu unfraich ryw waith yn y pwll. Daro, dyna le oedd yn y cwm y pryd hwnnw, a gweithwyr yn llifo iddo o bob cyfeiriad—o siroedd Henffordd a Chaerloyw, o Ddyfnaint a Chernyw, o gefn gwlad Cymru, ac o Iwerddon. Digon o waith, digon o arian, digon o fynd. Ond prin iawn oedd tai a llety, ac mewn llawer tŷ cysgai dau 'lojar' mewn gwely yn y nos ac âi dau arall iddo pan godent hwy yn y bore. Cyrhaeddai llu heb ddim ar eu helw ond y wisg amdanynt, ond ymwthiai pob un i lety yn rhywle a chaent fenthyg rhyw fath o ddillad ar gyfer y pwll.

'Jawch,' meddai Ned Andrews, a flinasai ar ennill triswllt yr wythnos mewn ffarm yn y wlad yn y dyddiau hynny ac a ddihangodd i Fryn Glo, 'pwtyn byr wy' i, ond ôdd 'da fi drowsus Dic 'y nghender yn mynd i'r gwaith. A ôdd Dic yn fachan *six foot four and a 'alf* yn nhrâd 'i 'sana. Jiw, ôdd 'da fi ddigon o iorcs am 'y nghoesa i raffu tarw, bois! Ond ôdd neb yn wherthin am 'y mhen i, am fod sopyn yr un peth hyd y lle. Rhyw hen ddillad am eich cylch, a phrynu mandral a rhaw, ac ôch chi'n reit.'

'Oedd arnoch chi ofn ar y dechra, Ned?' gofynnodd William Jones.

'Ofan? Ôdd. O'n i'n credu taw mynd lan, nid lawr, o'n i yn y caets, a fe es i i witho mewn ffwrnas o le yn *North Deep*. Fues i ariôd miwn 'i wâth a. Ôdd y to'n gwasgu a'r pyst yn snapo fel matsys yno. Jiw, 'na le i grwt o'r wlad!' A gyrrodd yr atgof law Ned i'w boced i nôl ei hances.

'Ôn ni'n gwitho o saith yn y bora tan 'wech y nos,' meddai, gan sychu'i dalcen, 'ac yn y gaea' dim ond ar ddiwedd wthnos ôn ni'n gweld gola' dydd. Ond ar y cychwyn, y batho bob nos ôdd yn 'ala collad ar ddyn. Ôdd pedwar o' ni'n batho yn y gegin fach yr un pryd—dou'n 'molchi o'n canol lan gynta' ac wedi'ny o'n canol lawr, ontefa? A jawch, ôdd 'na fenyw y Jawl drws nesa', yn siŵr o rytag miwn pan ôdd neb yn 'i moyn hi. A bachan shei ofnadw' o'n i. Ar ôl 'ny ôdd Bopa Lizzie'n newid y dŵr i'r ddou arall, a 'mhen rhw ddwyawr ôdd popeth 'di'i gymonni a'r gegin yn spic a span unwaith eto. 'Na slafo ôdd mynywod y pryd 'ny, fechgyn! Jiw, jiw!'

'Sawl un oedd yn eich tŷ chi, Seimon?' gofynnodd Crad i Simon Jenkins y Saer, a ddigwyddai fod yn y llofft ar y pryd.

'Dewch weld 'nawr. Ôn ni'n naw o blant—naw yn fyw, achos fe gladdws Mam 'wech pan ôn nhw'n fabis. Wedyn ôdd Mam a Nhad, wrth gwrs, a wncwl i Mam a'i fab e. Nhw ôdd ein lojars ni. A'r hen bobol—Dad-cu a Mam-gu. Faint yw 'wn'na 'nawr? 'Na chi bymthag, ontefa? A dim ond dou fedrwm ôdd yn y tŷ.'

'Ôdd cwpwl o chi'n cysgu yn y parlwr, sbo!' meddai Ned Andrews.

'Dim ffiar! Ôdd 'da Mam siop loshin fan 'no.'

'Rargian fawr, 'roedd gan eich mam ddigon i'w wneud, Seimon,' meddai William Jones.

'Ôdd, ond ôdd hi'n fenyw smart, 'êd, gwaith ne' bido. 'Sach chi'n gweld hi'n cario bwceded o fwyd moch lan i'r mynydd ar 'i phen! Ôdd hi'n cerddad fel brenhines, w.'

'Duwcs annwl, moch hefyd!' Awgrymai'r syndod yn llygaid William Jones mai cadw llewod a wnâi Mrs Jenkins yn ei horiau hamdden.

'Dou fochyn bob amser, a rhyw ugain o ffowls yn y cwtsh mas y bac. A fe gath Wil 'y mrawd bang i gadw clomennod, a Sam, brawd arall, i frido cŵn. Ond er bod ni shwd growd, ôdd 'na ddigon o fwyd da ar y ford—tishan lap a thishan 'fala a Welsh cêcs i de ar ddydd Sul, digonedd o gig a thatws a phwdin reis i gino, a phan ôn ni'n lladd mochyn, bachan, bachan . . .!'

''Nawr, gad hi'n fan'na 'nawr,' meddai Ned Andrews. 'Ar y *dole* wy' i o hyd, cofia, a ma' 'da ni ddou fedrwm gwag yn y tŷ 'co, ac Ieuan ni yn y Dagenham 'na a Rachel miwn gwasanaeth yn Llunden. A gwag fyddan nhw, 'êd. Pwy sy'n moyn lojo miwn *depressed area*? . . . Ond daro, 'ma ffordd i siarad o flân dyn tost, w! Dewch, Seimon, ma'n bryd inni fynd.'

Pan ddywedodd Crad stori Simon Jenkins wrth David Morgan, nodiodd y cerddor, gan wenu'n freuddwydiol.

'Ôdd, ôdd bywyd yn lled galad flynyddodd yn ôl,' meddai. 'O'n inna'n un o naw, a dim ond dwy ystafell, y gegin a'r llofft, ôdd yn y bwthyn to gwellt. Ôdd tri gwely lan llofft, ac yno ôn ni'r plant yn cysgu, tri o' ni ym mhob un. Lawr yn y gegin ôdd Nhad a Mam a chyrtan 'da nhw o gylch y gwely. O'n i'n gorffod cerad dros filltir i foyn dŵr o'r pistyll bob bora cyn mynd i'r ysgol—iou ar f'ysgwydda i a dou bisher yn hongian arno fa. Ac ambell waith yn y gaea', ôdd y llwybyr ar bwys y tŷ ishta pishin o wydyr 'da'r rhew, a llawer tro ôdd raid i fi fynd 'nôl bob cam i'r pistyll ar ôl cwmpo a cholli'r dŵr. A daro, ar ôl ysgol o'n i byth bron yn mynd mas i 'ware heb gario babi mewn siôl!'

'Pryd daru chi ddechra gweithio, David Morgan?' gofynnodd William Jones i'w arwr.

'Deg a hanner o'n i pan es i i dendo ar y rôls yn y gwaith tun. O saith yn y bore hyd 'wech y nos am swllt y dydd.'

''Roeddach chi'n ifanc iawn.'

'O'n, ond ôdd lot o grots dan ddeuddag yno, ac ôn ni'n mynd i gwato pan ôdd yr Inspector o gwmpas. Fues i'n cwato am dri diwrnod un waith, fi a rhyw ddwsin o fechgyn erill lan yn rhyw hen lofft fawr yn gneud dim ond aros i'r Inspector fynd o'r cylch.'

'Faint fuoch chi yn y gwaith tun?'

'Pum mlynedd, William, ond o'n i ddim yn lico yno o gwbwl. Dim archwaeth am fwyd, 'chi'n gweld. Ôch chi'n 'wsu cymaint nes ôdd raid i chi gal tamed blasus yn eich bocs cyn allech chi feddwl am fwyta, a ôdd 'da rhieni rhai o'r bechgyn erill fwy o arian i brynu petha na Nhad a Mam. Beth bynnag, fe etho i i ddramo yn y pwll, ac o'n i'n cal tri a grot y dydd fan'no.'

'Dramo?'

'Pwsho'r drams, William. Ôdd tri o' ni'n dramo 'da'n gilydd miwn lle â'r to mor ishal nes ôdd y dram yn rhwto yn erbyn y top. Plygu, plygu, o fore tan nos. Ôdd deuddag cant o bwysa miwn dram, a 'na galed ôdd pwsho lan y cwnnad i'r partin! A phan ôdd hi'n mynd o' ar y raels, ôn ni'n gorffod 'i chwnnu hi'n ôl. Ôn ni'n dri ar ryw dri chan llath o ffordd—bachan o'r enw Jim

Buckley, a Fred Daniels, a finna. Crwtyn piwr oedd Fred—gwallt coch, llygaid glas, glas; llais fel yr eos ac yn canu drw'r dydd. A chanu ôdd a funud cyn iddo fa gal 'i ladd. Fe ath y dram odd 'da fi off y raels a bloco'r ffordd, 'chi'n gweld, a fe wasgwyd Fred i farwolaeth rhyngddi hi ac un Buckley. 'Na'r tro ola' i fi ddramo.'

'Y pryd hwnnw y daethoch chi i Fryn Glo 'ma, Dai?' gofynnodd Crad.

'Ia. O'n i'n cyrradd yn y bora ac yn cal start yn Pwll Bach y noson 'onno. Ôdd, ôdd digon o waith yma pryd 'ynny. A digon o fynd. Y bywyd yn galad a'r dynon dicyn yn ryff, 'falla, ond ôdd calonna iawn 'da nhw. Ôdd rhai'n cal 'u dewis bob Sadwrn pae i gasglu arian i helpu rhywun tost ne' withwr 'di cal anap yn y pwll, a fe welas i ddynon yn gwitho dyblar er mwyn rhoi arian un shifft i fachan yn ffaelu.'

'Yn gweithio be', David Morgan?'

'Dyblar, William. Dwy shifft ar ôl 'i gilydd—ar ddiwadd wthnos, fel rheol.'

'Diar annwl! Heb ddim gorffwys rhyngddyn nhw?'

'Ia. Welis i lot yn gwitho treblar—dydd a nos Wenar a dydd Sadwrn—i gliro'u dyled ar ôl streic . . . A 'nawr . . .' Ond newidiodd y testun ar unwaith. 'Ymhen rhw ddwy flynadd o'n i'n canu yng Nghôr Meibion Daniel Rees. 'Na chi gôr, fechgyn! Tair gwaith bob wthnos ôn ni'n cal practis, ac ôn ni'n ennill ym mhob 'Steddfod. Ôdd dim côr yn y sir allsa'i wado fa ar y "Crusaders". A chododd yr hen gerddor o'i gadair i ganu darn o'r gytgan yn dawel.

Felly y darluniai'r sgwrs basiant bywyd y cwm, a chlywai William Jones hanes 'sgyrsion a streic, ffrwst a ffrwydriad, cymanfa a chynnen, chwarae a chwerwder. Ond gwanychu yr oedd Crad, ac erbyn dechrau Tachwedd nid âi ond y teulu a William Jones a Mr Rogers i'w weld. Ac ysgwyd ei ben a wnâi'r Doctor Stewart pan holai'r chwarelwr ef am gyflwr y claf.

Yna, un bore Gwener pan ddychwelai William Jones yn llawen o'r Swyddfa Lafur, yr oedd Meri ar ben y drws yn ei aros. Gwelai'r braw yn ei llygaid.

'Be' sy, Meri fach?'

'Mi gafodd o bwl annifyr iawn gynna. 'Ro'n i'n ofni 'i fod o'n mygu. Ond mae o'n well 'rŵan. Isio siarad hefo chdi, medda fo. Dos i fyny ar unwaith, William.'

Brysiodd ei brawd i'r llofft, a gwenodd Crad wrth ei weld.

'Wedi cal gwaith, Crad! Yn Llan-y-bont! Dechra dydd Llun! O'n i ddim isio gweithio mewn miwnishons, ond gwaith ydi gwaith, yntê? Ac maen nhw'n talu cyflog reit dda ac yn deud . . .'

Ond nid oedd y claf fel petai'n gwrando.

'William?' meddai'n wan.

'Ia, Crad?'

'Isio iti addo . . .'

'Rhwbath, 'rhen ddyn, rhwbath.'

'. . . Aros yma hefo nhw.'

'Pwy oedd yn deud 'mod i'n bwriadu mynd o' 'ma? A finnau'n rêl Hwntw a newydd brynu belt ac yn deud "Shwmâi, bachan?" a . . .'

Gwelodd na thyciai'r digrifwch ddim. Estynnodd Crad ei law allan, a chydiodd yntau ynddi.

'Diolch iti, 'rhen William . . . Am bopath.'

Cyfarfyddai'r côr y noson honno, a chafodd Meri waith i gymell ei brawd i fynd i'r practis. Ildiodd o'r diwedd ar ôl rhedeg i fyny i'r llofft ar flaenau'i draed a gweld bod Crad yn cysgu'n dawel. Yn ddiysbryd iawn y cerddodd tua'r capel, a thawel oedd ei 'Go lew, wir, diolch', pan gyrhaeddodd yno. Prif waith yr hwyr oedd dysgu'r gytgan 'Happy and Blest Are They', ond yn beiriannol a breuddwydiol y canai William Jones ac y gwrandawai ar gynghorion yr arweinydd. Cawsant yr hawl ymhen rhyw awr i ganu'r gytgan drwyddi, a thawelwyd ei feddwl gan hud a hyder y gerddoriaeth. Ac erbyn diwedd y darn—

Oh, happy they who have endured!
For though the body dies,
The soul shall live for ever—

canai mewn llawenydd pur, gan ddiolch i Fendelssohn am droi ffydd yr adnod yn orfoledd cerdd. Darfu cân y côr, ac yna, fel petai'r gorfoledd yn ymwrthod â geiriau, ymchwyddodd yn y seiniau a ddenai bysedd Richard Emlyn o'r organ. Troes y chwarelwr ei ben a gwelai Eleri'n gwrando ar y miwsig a'i llygaid yn gloywi gan falchder. . . Ia, hogyn iawn oedd Richard Emlyn. Ia, 'nen' Tad . . . Rhoes Idris Morgan bwniad i'w fraich, gan nodio tua phen y sedd. Yno safai Shinc, a darllenodd William Jones ar amrantiad y newydd a oedd yn ei wyneb. Amneidiodd ar Eleri, a gadawodd y ddau eu seddau'n dawel, gan frysio drwy'r capel a thuag adref.

*   *   *

Syllai William Jones i'r tân, gan wylio fflam droellog yn goleuo a mygu bob yn ail. Noson yr angladd ydoedd, a threuliasai ef ac Arfon ryw awr yn mynd trwy bapurau Crad a thrwy'r biliau ynglŷn â'r cynhebrwng. Ac yn awr aethai Arfon a Wili John allan am dro, ac eisteddai eu hewythr yn y gadair-freichiau mewn myfyr. Curodd hwrdd o law ar y ffenestr . . . Diolch bod ei esgidiau Sul am draed Wili John; faint o weithiau yr oedd eisiau ei siarsio i fynd â'r lleill i'w gwadnu? 'Y tebot gwirion!' chwedl ei dad.

Bore trannoeth dychwelai Arfon i Lundain, Wili John i'r siop, ac Eleri i'r ysgol, a dechreuai yntau weithio yn Llan-y-bont. Ni wyddai'n iawn beth fyddai ei orchwyl yno, ond deallai mai un o fagad yn torri ffyrdd o adeilad i adeilad fyddai ar y cychwyn. Dywedai Twm Edwards fod y lle'n cynyddu'n haerllug o gyflym, a phroffwydai y gwelid ef yn ymgreinio tros hanner dwsin o gaeau cyn hir. Beth oedd y bwriad tu ôl i leoedd fel hyn, tybed? Dychryn tipyn ar yr Almaenwyr 'na, wrth gwrs . . . Ia, wel . . .

Gwyrodd Meri o'i flaen i bwnio'r tân, a chyffroes William Jones drwyddo am ennyd. Syllodd ar ei gwddf tenau, ar ei gwar grom, ar yr arian yn ei gwallt, ac ar groen crychiog y llaw a ddaliai'r procer. 'Rargian, dyna debyg i'w mam yr oedd Meri'n mynd! Credasai am funud mai ei fam a oedd yno.

Yr oedd hi'n rhyfedd meddwl ei fod ef a Meri hefo'i gilydd eto, yn hwyrddydd eu bywyd fel hyn, a theimlai am foment fel petai'r blynyddoedd rhyngddo ef a'i fachgendod wedi'u dileu'n llwyr. Pan oedd yn hogyn-ysgol, ni hoffai Wili ei chwaer o gwbl; hi a gariai straeon pan gwffiai hefo Huw Êl neu pan yrrid ef i aros cosb wrth ddesg y Sgŵl, a hi—'Meri bach' bob gafael—oedd ffefryn ei thad. 'Welis i ddim ffwlpyn yr un fath â hwn erioed,' a gâi ef, ond ni fedrai 'Meri bach' wneud dim byd o'i le. Pan fu Richard Jones farw, buan y gwelodd Wili'r diwyd-rwydd a'r gwroldeb a oedd yn yr eneth eiddil a gynorthwyai'i mam hefo'r manglio a'r smwddio di-baid. A phan aeth hi i weini i dŷ Huws y Stiward, gwelai hi am ennyd bron bob dydd ar ei ffordd adref o'r chwarel, a gwyddai mor anhapus ydoedd. Ond ni châi ef sôn gair wrth eu mam. Ac â'r un gwroldeb tawel yr wynebasai hi'r blynyddoedd llwm yn y De ac yn awr y golled hon. Oedd, yr oedd Meri'n debyg i'w mam—mewn llawer peth.

Eisteddodd hi yn y gadair gyferbyn ag ef am funud.

'Meri?'

'Ia, William?'

'Wyt ti'n cofio Crad isio 'ngweld i bora Gwenar?'

Nodiodd hithau, gan ochneidio'n dawel.

'Wel, mi wnath imi addo, wsti . . . y baswn i . . . y baswn i'n edrach ar eich hola chi yn 'i le fo.'

Bu tawelwch rhyngddynt am ennyd; yr oedd y dagrau'n cronni yn ei llygaid.

'Wel, fel y gwyddost ti, rhyw fywyd bach hunanol ydw i wedi'i fyw ers blynyddoedd . . . '

'Chdi!'

'Ia, 'nen' Tad, hunanol iawn—mynd i'r chwaral yn y dydd ac i'r capal ne' i'r ardd ne' am dro i'r Hendre gyda'r nos. Ond 'rŵan, dyma fi'n cal cyfla i fod o wasanaeth i rywun, yntê! I chdi ac Arfon a Wili John ac Eleri.'

'Wn i ddim be' fasan ni wedi'i wneud hebddot ti y misoedd dwytha' 'ma, William bach. Na wn i, wir.'

'Twt. Dyma o'n i am ddeud—fy mod i'n bwriadu cadw f'addewid i Grad, beth bynnag fydd Meri hogan Ann Jones yn 'i ddeud.'

'Be' wyt ti'n feddwl, William?'

'Dim ond dy fod ti'n ofnadwy o annibynnol, hogan, ac y bydd hi'n rhaid i mi roi fy nhroed i lawr yn o amal. Dyma fi wedi cal cyfla o'r diwadd, ar ôl byw mor hunanol, i drio bod . . . i drio bod . . . yn debyg i Mr Rogers.'

Gwenodd ei chwaer drwy'i dagrau; gwyddai gymaint oedd edmygedd ei brawd o'r gweinidog.

'Mi fydda' i'n ennill cyflog reit ddel 'rŵan, er y bydd yn rhaid imi dalu chweswllt yr wsnos am y bws, ac 'roedd y clarc yn deud fy mod i'n siŵr o gal caniatâd i ddŵad adra'n gynnar os daw galw am fy ngwasanaeth i yn y BBC. Ond fydd gin i ddim blas ar ddechra gweithio, wsti, os na . . . os na cha' i'r hawl gin ti i . . . i gadw f'addewid i'r hen Grad.'

Gwelai'r frwydr ym meddwl ei chwaer. Yr oedd hi'n deg iddi hi a'i phlant ymdrechu a herio ansicrwydd y dyfodol, ond gwrthryfelai ei holl natur yn erbyn 'cardod'.

'Nid dyna oedd ym meddwl Crad, William.'

'Y?'

'Isio iti aros i lawr yma i fod yn gwmni inni yr oedd o. 'Roedd Crad druan mor annibynnol â neb.'

'Oedd, 'nen' Tad.'

''Dydi hi ddim yn ddrwg arnon ni, William. 'Rwyt ti'n mynnu talu punt yr wsnos imi ac mae Arfon yn medru cadw'i hun a Wili John newydd gael codiad eto ac mae Eleri'n ennill rhyw gymaint. Mi fydd yn cael wythbunt y mis y flwyddyn nesa', medda hi.'

'Y? Ymh'le?'

'Fel *Uncertif.* Mae hi am aros yn yr ysgol yn lle mynd i'r Coleg.'

'Ydi hi, wir! Pryd y setlwyd hynny?'

'Neithiwr y buon ni'n siarad am y peth.'

Penderfynodd William Jones ymddangos yn gas.

'Mae hi'n amlwg mai tipyn o lojar ydw i yma,' meddai. 'Synnwn i ddim na chawn i lawn cystal lojin hefo Jane

Gruffydd 'tawn i'n mynd yn f'ôl i Lan-y-graig ac i'r chwaral. Ac oni bai am f'addewid i'r hen Grad, yn f'ôl y baswn i'n mynd yfory nesa'.'

Adwaenai Meri ei brawd. Cododd gan wenu, ac wedi esmwytho'r glustog tu ôl i'w gefn, tynnodd ei glust yn chwareus. 'Aros tan ar ôl swpar cyn pacio, William,' meddai. 'Yr ydw i'n mynd i dorri'r bara-'menyn 'rŵan.'

Cydiodd William Jones yn rhyw wythnosolyn Saesneg a adawsai Arfon ar gongl y bwrdd, a throes ei ddalennau'n anniddig. . . Erthygl ar Mrs Ernest Simpson, y wraig yr oedd y Brenin mewn cariad â hi. . . Crynodeb o araith fawr gan Mr Roosevelt, Arlywydd America am yr ail dro. . . Un garw oedd y dyn yna, yntê? Buasech yn meddwl yr hoffai orffwys, ar ôl pedair blynedd o arwain America drwy gyfnod mor dlawd a thymhestlog, ond dacw fo'n aros yn y swydd am bedair blynedd eto. Diar, oedd, yr oedd o'n wrol iawn, ac yntau ddim yn iach. . . Y rhyfel yn Sbaen. . . Gobeithio'r annwyl nad oedd am ymledu i rannau eraill o Ewrop, yntê?. . . 'The Writing on the Wall' oedd y pennawd uwchben yr ysgrif nesaf, a dechreuodd y chwarelwr ei darllen yn ddiog. Haerai'r awdur, a oedd newydd ddychwelyd o'r Almaen, na sylweddolai Prydain na Ffrainc y perygl yr oeddynt ynddo a galwai'n ffyrnig ar i Mr Baldwin a'i Senedd ddeffro o'u cwsg. Oni wyddent fod Hitler a'i griw wedi treulio tair blynedd yn pentyrru arfau? Oni welsent beth a allai awyrblanau a nwy gwenwynig ei wneud yn Abyssinia yn y gwanwyn? Dyfynnai ffigurau i ddangos cryfder milwrol yr Almaen, ac yna troai'n broffwyd. Rhyfel erchyll cyn pen dwy flynedd, meddai. Creai ei ddarlun o'r rhyfel hwnnw arswyd yng nghalon William Jones, a theimlai'r chwarelwr yn gas wrth y dyn am ysgrifennu'r fath hunllef o erthygl. Ond dyna fo, yr oedd yn rhaid i ddynion fel'na chwilio am ryw newydd-deb i draethu arno, onid oedd?

Syllodd William Jones eto i'r tân, gan wylio'r fflam a droai'n fwg, ac yn fflam, ac yn fwg. Yr oedd y tŷ'n dawel iawn, fel petai yntau'n gwrando ar sŵn y gwynt a rhuthr y glaw. Rhyw dawelwch astud, disgwylgar, lle bu chwerthin anorchfygol Crad . . . Byddai Meri'n unig 'rŵan. Byddai, yn arbennig ar nosweithiau'r côr, ac ni ellid disgwyl i Wili John aros yn y tŷ bob tro yn gwmni i'w fam. Ond yr oedd hi a Mrs Morgan y drws nesaf yn gyfeillion mawr, a gallai fynd draw yno i sgwrsio a gweu . . . Rhyfel? Lol i gyd. Pam yr oedd Arfon yn gwastraffu arian ar ryw bapur cyffrous fel hwn'na, tybed?

Daeth tincial llestri'r swper o'r gegin fach. Diar, yr oedd rhywbeth cyfeillgar ac agos-atoch mewn sŵn llestri, onid oedd? Sŵn llestri a golau tân ar noson o Dachwedd fel hon, a theimlai dyn ar ben ei ddigon . . . Faint o awyrblanau a oedd gan yr Almaen, hefyd, yn ôl y dyn 'na? Twt, codi bwganod yr oedd y creadur . . . I b'le y dywedodd Eleri ei bod hi'n mynd gynnau? O, ia, dim ond tros y ffordd i dŷ Ned Andrews, gan fod Rachel gartref o Lundain am ychydig ddyddiau. Hogan glên a llon oedd Rachel, yntê? Ond rhywfodd edrychai'n syn a dwys y tro hwn, fel un a hiraethai am gael aros gartref yn lle gweini yng nghanol unigrwydd Llundain. Daria unwaith, gartref y dylai'r ferch a llu o rai tebyg iddi fod, nid yn sgwrio lloriau a golchi llestri mewn rhyw glamp o dŷ yn Llundain. Ia, 'nen' Tad. Diolch nad aethai Eleri i ffwrdd; ac fe fynnai ef ei bod hi'n mynd i'r Coleg 'na yn Abertawe, a gofalai na fyddai hi ar ôl o ddim yno . . . Beth pe dôi proffwydoliaeth y dyn 'na'n wir a thorri o'r rhyfel y soniai amdano? Twt, ffolineb oedd meddwl am bethau felly. Ond eto, efallai fod ei ffeithiau'n rhai cywir ac nad siarad drwy'i het yr oedd. Beth a ddeuai o'r plant, tybed? O Arfon? O Wili John? Ac o hogiau fel Richard Emlyn a Gomer? Diolch mai merch oedd Eleri—ond dyn a ŵyr, efallai y tynnai'r anghenfil enethod fel hi a Rachel Andrews i'w grafangau y tro hwn. Ac nid yn unig enethod fel Eleri, ond gwŷr a gwragedd a phlant mewn trefi a phentrefi ymhell o faes y gad. Yn ôl y papur 'na, yr oedd y *mustard-gas* yn Abyssinia wedi dallu a llosgi miloedd ar filoedd o frodorion diniwed, ac yna syrthiai'r bomiau ar yr ysbytai lle caent driniaeth a nodded . . . Ni ddylai papur gyhoeddi pethau fel yna. A beth ar wyneb y ddaear a wnaeth i Arfon brynu'r fath lenyddiaeth?

'William?'

'Ia, Meri?'

Yr oedd hi wrthi'n gosod swper.

'Wyt ti'n meddwl y medrwn ni . . . y medrwn ni'i fforddio fo?'

'Fforddio be'?'

'Gyrru Eleri i'r Coleg 'na.'

''I fforddio fo, medrwn! Medrwn, 'nen' Tad. A 'does arna'i ddim isio clywad chwanag o hen lol am Ynsartiff ac wythbunt y mis a phetha felly. Hen gybôl gwirion. Cofia di, 'rŵan.'

'Dyma'r hogia'n dŵad yn 'u hola,' oedd ei hateb, gan nodio tua sŵn Mot yn cyfarth rywle ym mhen y stryd.

Saethodd William Jones o'i gadair fel petai newydd ddarganfod ei fod yn eistedd ar glustog o binnau, a rhuthrodd i'r gegin fach. Rhoes wib yn ei ôl ymhen ennyd â hen liain go amharchus ei wedd yn ei law, ac i ffwrdd ag ef drwy'r drws ac i'r lobi. Yr oedd y drws ffrynt yn agor pan gyrhaeddodd yno.

'Hwda, Wili John, sycha di draed y ci 'na cyn gadal iddo fo ddŵad i mewn i'r gegin. Yn lân, cofia!'

'O.K. Dere yma, Myt, i fi gal rwto dy drâd di. Dere'r twpsyn.'

Aeth Arfon a'i ewythr i'r gegin, a safodd y llanc ar yr aelwyd am ennyd i gynhesu ei ddwylo.

'Lle cest ti'r papur 'ma, Arfon?' gofynnodd ei ewythr.

'Rhw fachan yn y trên rôs a i fi.'

'Wyt ti . . . wyt ti wedi'i ddarllan o?'

'Do, jest i gyd. Pam, Wncwl?'

'Dim ond 'mod i newydd ddarllan un erthygl ynddo fo, fachgan. Ysgrif ffôl iawn o'n i'n meddwl.'

'Hon'na am ryfel?'

'Ia. Hen lol gwirion.'

'Wn 'im, Wncwl, wn 'im. Ma' lot yn sgwennu fel'na heddi.' Yr oedd golwg ddifrifol ar wyneb Arfon.

'Wy' inna di'i ddarllen a, 'êd,' meddai Wili John, gan gymryd y papur o law ei ewythr. 'A ma' fa'n gweud y gwir. On'd yw a, Motsi Potsi?'

'Sut y gwyddost ti?'

'Ma' 'da tad Gomer bamfflets yn gweud yr un peth. A fydda' i a Gomer yn ddeunaw pryd 'ny, ac i'r *Royal Air Force* ŷn ni am fynd. Rh-rh-rh-rh!'

'Dowch at eich swpar,' meddai Meri. 'Jest mewn pryd, Eleri,' chwanegodd wrth ei merch, a ddeuai i mewn yr ennyd honno.

Ymwthiodd William Jones i'w le arferol wrth ochr Wili John ar y soffa. Ond nid oedd na chwpan na phlât na dim o'i flaen, a syllodd braidd yn ffwndrus ar y bwrdd.

'Nid yn fan'na yr wyt ti i fod, William,' meddai'i

chwaer. 'Mae'r hen soffa 'na'n rhy . . . rhy isal iti. 'Rydw i wedi gosod lle iti yn . . . yn fan'cw.'

'O?'

'Do, ym mhen y bwrdd, William.'